涅槃灰
NIE PAN HUI
作品

Your love,
is the
pale white sea

你的爱，
是那片浅白色深海

江苏文艺出版社
JIANGSU LITERATURE AND ART
PUBLISHING HOUSE

图书在版编目（CIP）数据

你的爱，是那片浅白色深海 / 涅槃灰著. —南京：
江苏文艺出版社，2013.2

ISBN 978-7-5399-5954-2

Ⅰ.①你… Ⅱ.①涅… Ⅲ.①长篇小说—中国—当代
Ⅳ.①I247.5

中国版本图书馆CIP数据核字（2013）第009742号

书　　　　名	你的爱，是那片浅白色深海	
作　　　者	涅槃灰	
出 版 统 筹	黄小初　　侯　开	
选 题 策 划	李金旺	
责 任 编 辑	胡小河　姚　丽	
文 字 编 辑	吕增芳	
责 任 监 制	刘　巍　江伟明	
出 版 发 行	凤凰出版传媒集团	
	凤凰出版传媒股份有限公司	
	江苏文艺出版社	
集 团 地 址	南京市湖南路1号A楼，邮编：210009	
集 团 网 址	http://www.ppm.cn	
出版社地址	南京市中央路165号，邮编：210009	
出版社网址	http://www.jswenyi.com	
经　　　销	江苏省新华发行集团有限公司	
印　　　刷	北京市平谷县早立印刷厂	
开　　　本	880×1230毫米　1/32	
字　　　数	233千字	
印　　　张	10	
版　　　次	2013年2月第1版，2013年2月第1次印刷	
标 准 书 号	ISBN 978-7-5399-5954-2	
定　　　价	29.80元	

影视版权抢订热线　　13911704013

（江苏文艺版图书凡印刷、装订错误可随时向承印厂调换）

你的爱，
是那片浅白色深海

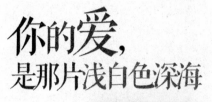

 目 录
CONTENTS

引子

"竟然又是一个晴天!"

走出图书馆的大门,我被晒在身上的火辣阳光逼停了脚步。

并不是矫情怕晒黑,而是被连续十几天的晴空万里、风和日丽触动了某种悲观情绪。这一头顶的大好阳光应该已经走到了穷途末路吧?物极必反本来就是连老天也会遵守的自然规律,不是吗?

怀里抱着一堆早就从图书馆里借出来的参考书。这些书我还是一页都没有翻开过,就因为不小心路过了一本《步上云梯呼吸你》,让那洁白的封面收走了我所有的理智,再度耗费了整整一上午,一口气看完了这本别人的爱情故事。

再次深深吸了一口气,暴露在强烈阳光里的身体依旧冰凉一片。小说后遗症让我的内心深处始终不断地透出凉意,冰冻着我那颗原本就不怎么有温度的心。

果然,爱情根本不会有所谓的永恒,即便是曾经爱得那么铭心刻骨的苏懿贝和莫本溪,最后一样会背对背重新出发,从此一

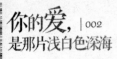
生陌路。

"晓卉，你手机怎么不开啊？有人来送快递，坚持一定要你亲自收，我只好带他过来找你了。"

"你好，江晓卉小姐是吧？这里有你的一个快件，请你签收一下。"

被身前的室友还有送快递的小哥挡住了阳光后，我茫然且被动地接过了一个鞋盒大小的快递，在签收单上签上了我的名字，完成了物品交接。

"这张照片是对方给的，说是怕东西交错人。现在东西送到了，照片就还给你吧。"

收到快递已经是让我茫然万分的突发事件，对方竟然还让快递员拿着照片来对照，这事实在新鲜！别说我了，就连室友也瞪大了眼睛，凑过脑袋来看我手上的这张打印版两寸报名照。

而此刻的我，却被快递单上模糊却依旧可以辨识的发件人名字彻底当场点穴，一股不好的预感顿时传遍全身。

和他们家从一开始的势不两立到如今的老死不相往来，她竟然突然主动寄东西给我，绝对来者不善！

心虚使然，我胡乱编个理由应付了室友，便拿着快递再次退回了图书馆，找到我惯常躲避的那个角落坐下。

继续不由自主地深呼吸，大抵又安静地坐了不下半小时，我才控制住自己的手不那么没骨气地颤抖，这才有力气从笔袋里拿出瑞士军刀划开了层层包裹着快递的封箱带，小心翼翼地打开了盒子。

拆开快递公司的橙色外包装，里面竟然真是个鞋盒。雪白的盒子上赫然印着三岁小孩都认识的黑色Logo，打开鞋盒的盖子，里面静静地躺着一双纯白的高跟鞋。幸好，这双基本款鞋子上并没有嚣张的Logo，只有一朵黑色优雅蕾丝山茶花绣在脚踝处，隐约地显出它的名门出身。

正在我不理解这女人为什么要突然送双鞋子给我时，一个被双面胶粘在鞋盒盖上的青色信封映入了我的眼帘。

看来，送鞋子只是一个借口，她真正要给我的是这封信吧！

撕开信封，抽出那张信纸，一股玫瑰花的香气立刻随着空气弥散到我的鼻翼周围。我的脑海中不由自主地出现了那个一身粉红的长发公主，还有她那决不离手的绣满玫瑰花的黑色漆皮小包。

如果时间能够倒回去，我真的很想再给自己一次机会，让自己在看见写有她名字的快递时就果断拒绝接受一切，决不让自己有机会看见这封信，决不让她有机会用姐姐的身份干涉我的人生。

可惜，人生不是小说，不是剧本，从没有后悔的机会。

所以，我还是看见了那封信，那封只有寥寥几行字的"遗书"。

虽然很不甘心，也很不情愿，但我还是做不到拒绝一个和我有血缘关系的亲人的临终嘱托。终于，我还是因为她而穿上了一身黑色，重新走回了那些人的视线中……

第一章
遗嘱

我的人生，有天使和恶魔牵手相伴同行。他们会一路扯碎所有的幸与不幸，只留给我一片苍白。

晓卉，我知道你早已经在心底决定和我们老死不相往来，我也知道妈妈当年的不理智伤害了你和阿姨的自尊心，但我也相信已经成熟的你多少能回忆起当年我们所有人都过得支离破碎的人生。你和阿姨尚可以逃避以求清净，而我和知贤却只能始终活在爸妈无休止的、彼此的憎恨中，生不如死。

晓卉，不管你怎么拒绝接受事实，我们都是亲姐妹。这双鞋是送给你的第一份也是最后一份礼物，抱歉始终都没能用一个姐姐的怀抱拥抱你一下。

晓卉，我现在唯一的心愿就是你能来看我最后一眼，送我一程，对我说一句原谅，让我在去天国的路上

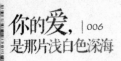

再没有遗憾。

　　手，再次颤抖，我不敢相信我看见的每字每句，不敢相信这些字迹背后的真相。

　　"我现在唯一的心愿就是你能来看我最后一眼，送我一程，对我说一句原谅，让我在去天国的路上再没有遗憾。"

　　想将视线从这些字上抽离，我却怎么都做不到，唯一能抽离的只有自己的呼吸，还有我的理智，所有能让我情绪镇静的理智。

　　她，死了？！因为生病，还是意外？

　　难道，是我曾经的诅咒真的起效了？

　　千万别！那些恶毒的诅咒只是我小时候的一时冲动，我从没真的想过让他们都不得好死。特别是她，这个唯一在那一场浩劫中给过我一次微笑的人。就因为那个微笑，我曾经所有的恶毒诅咒中，关于诅咒她的也都网开一面了，不是吗？

　　所以，如果他们叶家每个人都还好好的，怎么都轮不到她先……

　　即使是在脑海里自言自语，这个"死"字我依旧无法出口得顺畅。

　　难道真的是因为有着血缘关系，有着天生注定的某种感应，所以我的心口才会那么堵、那么痛楚吗？

　　猛然间，我拿出一直忘记开机的手机，开机，用依旧颤抖不已的手，直接点击上网搜索条，将"叶晓仪"三个字输入搜索框，却没有搜索到任何新闻。

　　是的，他一直是个低调的商人，网络上如果连有关他这个富豪的新闻都搜索不到，又怎么可能搜索得到他女儿的任何消息？

　　正当我犹豫着是不是该将搜索关键字加上车祸、病逝这些字眼时，手机突然振动起来，来电显示是"妈妈"两个字。

有种预感，妈妈的这通电话一定是和叶家有关，和这场葬礼的通知有关。

果然，接通电话后，妈妈低沉的声音便证实了我的猜想。

"为什么一上午都不开机？"

"因为在图书馆所以没开机。那边……真的出事了吗？"

随着我开门见山的询问，妈妈突然变得沉默。在寂静的图书馆里，我可以清晰地听到妈妈沉重的呼吸声。母女连心，我想我已经知道妈妈梗在喉咙里的话是什么了。

这些年，他一直和妈妈有联系，发生了那么大的事，妈妈绝没有理由不知道。所以，一定是他希望我去参加葬礼。

再次看了一眼依旧攥在手里的那封信，我深深地叹了一口气，抢在妈妈前面先开了口：

"是想让我去她的追悼会吧？把地址和时间告诉我，我去就是了。"

"你知道了？他……直接打电话给你了？"

嘴角不由得泛起一丝苦笑，即使在妈妈的口中，那个人也只是"他"。可见，"爸爸"这个词对我来讲根本是种奢侈，是种贪念，是种自不量力。

"没有，我收到叶晓仪的信了。她信上说希望我去参加葬礼，去送她最后一程。"

"晓仪？她直接给你写信了？"

听妈妈的口气，她的惊讶程度绝不比我看见快递时少一分。但旋即，她就用理解的口气替晓仪的行为找到了最合理的理由，"还是晓仪了解你，如果不是她这么做，就算是我开口，你也一定不会去的。卉卉，既然晓仪都……"

"我已经说我会去了，记得把地址和时间发短信给我就行了。我很忙，挂了。"

不愿意再听妈妈的唠叨，我果断地挂断了电话，一如我带着行李离开家时的不耐烦。

我可以挡在妈妈身前接受那个女人的耳光，我可以为了替妈妈报仇亲口咬伤叶知贤的手臂，我可以用最最恶毒的诅咒去回敬那个学名为祖母的老妖婆对我妈的贪财定论，却始终做不到体谅妈妈所谓的"身不由己"，做不到原谅妈妈做别人情妇的行为，做不到承认自己是个私生女的事实。

或许在我心底，对那些加在妈妈身上的恶毒评价也是感到心虚的，心虚到我没有办法真的理直气壮，只能选择逃避，无条件的逃避。

"江晓卉？真的是你？！喂，你这是什么眼神啊？要是想换个新手机去商店就行了，用不着用这种看杀父仇人的眼神看着一部手机吧？"

随着身前出现了一双球鞋，还有点神思恍惚的我本能地随着话音抬起脑袋，顺着那一身蓝色运动装看清了来人的脸，看清了他脸上的招牌阳光笑容。

许是没有料到我眼底的迷茫那么深，郑翌哲这才真的有点吓到，眼神立刻下移，看了一眼放在我身边的那个鞋盒中的奢华公主鞋，旋即又换上了"原来如此"的表情，"现在的娃们下手够狠啊，这双鞋子至少可以买十几条中华烟吧？哟，还有情书。可以啊，哪个系的娃？说给哥听一下，哥帮你去查一下他的祖宗八代，看看有没有案底。"

看见郑翌哲盯着那封信，我立刻做贼心虚地将信揉成一团，丢进鞋盒，然后盖起盖子，这才猛地站起身，彻底中断了他居高临下的俯视状态。

郑翌哲是图书馆负责人郑老师的独子，比我大三岁，也是本校的师兄。郑师娘和我妈妈是自小就认识的邻居，虽说师娘嫁人后和妈妈有十几年没见面，但彼此一直有着联系。

所以，当我考进这所大学后，妈妈就把我托付给了郑老师照顾。自然地，郑翌哲也顺便地把我当成他需要照顾的女人。因为他的自说自话，我和他之间的关系就那么"不清不楚"了整整两年，直到他前年毕业后才算略告Over。

今天是周末，也不是郑老师值班的日子，这厮怎么混回学校来了，不会又是来找我麻烦的吧？

"正义哥，你今天怎么有空拨冗回校啊？千万别告诉我你又后院着火需要我救急，我今天真的没有心情去演戏。拜托闪开些，图书馆空气不好，你杵在这更是雪上加霜。"

"你没事吧？不太见你脸色这么差，发生什么事了吗？是不是真的有人纠缠你？要是真的，我帮你摆平就是了。"

一把拉住我的手臂，郑翌哲一副管定闲事的表情，让我一直无处发泄的烦躁情绪找到了出气筒。

"放手，你以为你真是万能的主啊。我说了今天别烦我，我没有心情和你说话，不想翻脸就闪开，我想自己静一静。"

"卉！"

"放开，你抓痛我了！"

大力甩开郑翌哲的大手，我的眼泪终于还是冲出了眼眶。其实，他根本没有很用力，那句"抓痛我了"根本是莫须有的瞎掰，可我的眼泪却真的是因为心痛、头痛、每根神经都痛才夺眶而出。

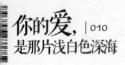

一秒之后，在一股大力的拉扯下，郑翌哲已经将我揽入了怀中。他的大手紧紧按在我的后脑上，让我的眼泪尽数洒在他的T恤上。他宽厚的肩膀彻底挡住了我试图躲避的路径，留给我的只有唯一的选择，躲在他用手臂围起的世界里尽情伤心。

"心静不下来的话，去哪里都一样，想哭就哭吧，万事有我在。"

郑翌哲还真是个适合去演戏的主儿，一米八二的高个子挡在我的身前，加上这句偶像剧台词一样的安慰，还真的点到了我的死穴。可惜从小到大，我都不是一个爱流眼泪的妞，刚才滑落的那两颗眼泪已经是我情绪极限的产物。但此时靠在郑翌哲怀里的我却不急着挣扎了，几年的相处让我们之间多多少少有了点心灵感应，他还真是懂我，这个时候，我急需的"静一静的空间"貌似还真是非他这个臂弯莫属。

我并不知道郑翌哲其实在图书馆门口就看见了我，还对着我招手了半天，只是我当时眼里只有叶晓仪的快递，根本看不见他。

于是，他就跟着我一起回到了图书馆，站在远处静静地看着我拆开了快递，看着我握着信纸惨白了脸……直到我接完妈妈的电话，他才最终确定了快递的来源，才果断地出现在我的面前，霸道地给了我一个可以暂时发泄情绪的港湾。

躲在郑翌哲的怀里，我忍不住又开始胡思乱想。不由自主地，曾被我狠狠抛却的记忆在脑海里开始渐渐清晰，再度回忆起了叶晓仪以及叶家所有人的脸，直到记忆终于带着我再次回到了那些我曾试图狠狠忘却的往事里……

捂着火辣的脸颊，心口燃起炙热狂妄的火焰，我望着面前这个美妇人，明明有着和她同归于尽的疯狂念头，却只能咬紧牙关，瞪着她说不出一句话。

"卉卉，你没事吧？你为什么要挡在妈妈面前？"

眼神，从那个美妇人脸上转回到身边妈妈的脸上。看着她脸上焦虑的神情，看着她那懦弱的样子，我的牙根咬得更紧了，却依旧没办法说出任何话，只能在心底疯狂地吼着：为什么？因为你再丢人，你再无耻，你还是我的妈妈，就算全世界都有理由对着你吐口水，都有资格戳你脊梁骂你下贱，我还是会挡在你的面前！这个耳光算什么，就算要我为你的罪行赔上一条命，我也一样会义无反顾。反正我这条命本来就是多余的，本来就是错误的！

"江媛，你别以为让你女儿挡在你面前我就会手软。有你这样的妈言传身教，她总有一天也会和你一样变得下贱无耻。你听着，这个信封里有两张银行卡，一张七十万，一张一百三十万，是给你女儿的抚养费和你的养老费。有他给你买的这套别墅，还有这些现金，就算你们母女这辈子都不上班也足够用银行利息活得滋滋润润。公司的情况你应该也清楚，这些现金是我可以拿出来的所有流动资金。我不管你究竟是不是为了钱才赖在他身边，既然他还是决定不和我离婚，那么就请你这次彻彻底底离开他，离开我们的生活。"

"宁姝，你明知道我……"

"我什么都不知道！我只知道我对你们母女已经仁至义尽，如果你再让我看见一次，我保证下次打在你女儿脸上的巴掌会比这次的更重更狠！"

"宁姝，我知道是我和子航对不起你，如果没有卉卉，我真的不会再这么厚着脸皮来求你。和晓仪、知贤一样，卉卉也是子航的亲骨肉，她也需要爸爸，求你看在孩子的面上，让卉卉经常和子航见见面，让我们相安无事，可以吗？"

"相安无事？你有资格和我说这句话吗？人家做小三你也做小三，你怎么就那么没有骨气？既然连孩子都生了，为什么还是搞不定叶子航，让他为你抛弃妻子？听着，我和你很不一样，我们家晓仪和知贤也和你生的这个小贱货不一样！没有爸爸，他们一样会生活得很好。所以，要么就让叶子航早点和我离婚一了百了，要么你就彻底在我面前消失。我们之间，永远没有相安无事！"

听到妈妈的哀求，席宁姝的眼中再次出现了那种看待丧家犬的轻蔑眼神，高傲的下巴再次上升了高度，让仰视她的我再一次被这种眼神灼痛了本就伤痕累累的自尊心。

猛然站起身，我冲到了桌边，拿起那个恶心的信封直接扔进了浴室的抽水马桶，大力地按下了冲水键。然后，我再一次回到了席宁姝的面前，使出浑身的力气重重地踢了她一脚，在她的哀号声中痛快地笑了起来。

"卉卉，你疯了？快和席阿姨说对不起。宁姝，你要不要紧？"

"这一脚是还她刚才打我的一巴掌，还有她骂我的那句下贱。席宁姝，回去告诉那个老妖婆，还有那个男人，我江晓卉是私生女没错，但我并不下贱。"

说完，我再次将眼睛看向了妈妈，这个正被席宁姝厌恶地推开却依旧怯懦地抱歉的女人。

第一次，我发现，妈妈眼中近乎夺眶而出的眼泪是我这辈子见过的最恶心的东西。我暗暗发誓，这辈子，我决不会让自己眼中出现这种恶心的东西，决不！

或许是看懂了我眼底的厌恶，妈妈的眼神中渐渐多了一丝慌乱。她伸手想要拉住我，却让我后退更为果断。

"妈，你要是真的离不开那个男人你可以实话实说，别用我当借口，我根本不需要爸爸。而且从今天起，我可以连你都不要！"

说完，我便头也不回地冲出了房门，冲出了小区，发疯一样地在街上跑着，直到跑得筋疲力尽，直到腿上实在没有力气，直到眼前一片漆黑……

艰难地从那段回忆中走出来，我深深地自责起来：眼泪这种恶心的东西，怎么可以出现在我的眼睛里？我今天这是怎么了？竟然破戒了，是因为同情叶晓仪的死吗？我凭什么要为她伤心？她死她的，我活我的，我们之间根本没有关系，以前没有，现在没有，未来更没有！

想通后，我猛地推开郑翌哲，用力深吸一口气，迅速恢复了情绪，这才抬起头再次望向郑翌哲，"有个远房亲戚的葬礼，妈妈让我替她出席，可是我很怕这种哭哭啼啼的场面。你老是宣称是我的亲人，要不，亲人，你替我去参加追悼会吧？"

"既然是你的亲戚，还是你本人去比较有诚意。我可以陪着你一起去，当你的护花使者，随时准备把这个宽厚的肩膀借给你用，怎样？"

"只是个远房亲戚而已，就算是有点悲伤情绪也不过是唏嘘一声'芳魂早逝'应应景而已。不过，你陪着我去也好，你'人高码子大'，可以随时当我的挡箭牌遮住我，让我免掉那些多余的逢场作戏。"

"你也知道我'人高码子大'，这都快过饭点了，我还饿着肚子呢。走，我决定把我的葬礼陪同出场费预先拿出来请你吃饭，吃什么你定就行。"

"切，不就是要我请客，那么多废话！"

听着我的嘟哝，这小子一下子接过了我手里的盒子和参考

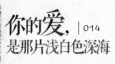

书夹在腋下,然后又腾出另一只手毫不客气地握住了我的手,摆出一副我男人的架势带着我来到了学校食堂。再一次,这小子在众目睽睽之下和我秀恩爱,让平日里对我多少有点暧昧想法的同系、不同系的男生又垂头丧气了一把。

"我就知道你这丫头招人,老实交代,我不在的这些日子你是不是一副寂寞状,搞得那些个孩子都对你有点那个意思?"

用筷子将一个红烧狮子头一分为二,我对郑翌哲的兴师问罪根本充耳不闻,转过头看了一眼周围有点眼熟的男同学,满脸的不屑一顾。

对于爱情,我从来免疫,别说一直有郑翌哲这个多管闲事的人替我妈当义工看守我,就算没有他,我也绝对不会允许任何一个男人靠近我。他们身上的气息会让我不自觉地想起那个男人,那个恶心且贪婪的男人,会让我恶心他的同时,因为身上流着他的血顺便也恶心我自己。

郑翌哲不说话,只是目不转睛地望着我。

"看够了没啊?刚才是谁说饿的,你再不动筷子,这最后半个狮子头我也吃了啊。"

"实习的公司落实了没有?我听我老爸说你准备给他做下手,什么意思,你真想毕业后留校当个资料室管理员?"

"有什么不可以吗?大学里的岗位那可是金饭碗,人际关系又简单,现在毕业生找工作那么难,留校也不是那么容易的,这不刚好有你爸这个靠山,我何乐不为?"

"真的决定了?"

"嗯!"

"那也不错,只是等我爸退休后,我要多回来看看你,免得那些研究生闲着没事一直跑图书馆找你麻烦。"

"真把自己当我男人啊？你拉倒吧，哥们，要不是你妈和我妈是发小，我们两个的性格八竿子打不到一块儿，做陌生人都还缺点缘分。再次提醒你，我对你……"

"没有男女之情，咱俩充其量只是第二代发小。行了，这种话少说一句是一句，免得以后咱俩新婚之夜你自己觉得寒碜。"

对于郑翌哲的自说自话，我还真的是习惯了。当然，吃不到的永远是最好的，所以这小子才对我这么不甘心。但除此之外，"咱俩真没戏"这点真相他和我都明白，否则也不会相安无事这些年。

相安无事！

因为脑中又出现了这个带着倒刺的词儿，我的背脊不由得一阵冰凉。嘴里的一口蘑菇炒青菜猛然苦涩了好几倍，愣是嚼了很久也咽不下去，一直就那么梗在了喉咙里。

追悼会，应该穿黑色的吧，可惜我并没有一件黑色的衣服，便只能临时向室友借了一条黑纱连衣裙穿上了身。这条及膝连衣裙在领口有着纱蝴蝶结，袖子也是公主泡泡袖。幸好裙子下摆不是层层叠叠的蛋糕裙，否则，系上一个围裙就能直接扮作女仆去拍AV了。

可能是看出了我对裙子不置可否的态度，室友一边撇着嘴一边小声嘟囔起来，抱怨她把新买来准备在毕业舞会上穿的裙子借我穿去葬礼已经很够阶级友情了，我不但不感恩，还一脸不满意。

用力拥抱了一下室友以示感恩后，我便走出了校门，握着手机等到郑翌哲乘坐的出租车停在我面前，捎带我直奔殡仪馆。

当出租车停在殡仪馆的门口，望着沿街的一排花店，看着那些白色花圈花篮上大大的"祭"字，我的心再一次被轻易地划伤了一条长口子。

"要买个花篮带进去吗？"

因为我的眼神，郑翌哲自然是误会了。我本想转身走人，却被一家花店门口摆着的一束白玫瑰吸引住了视线，忍不住走了过去。

"王老板，你们家的最大号花篮有没有现成的？我又接到电话预订，说是送到叶家那个场子，我这里实在来不及做了，要不让给你吧。"

"不行啊，我这里花也不够，还有一小时追悼会就开了，现在让仓库送花来不及了，我把所有的备用花都用上了。"

"真是的，这个叶家什么来头啊？今天一条街都在接他们家的生意，还都不问价格，要是每天都是这种档次的人来开追悼会就好喽。"

那个老板说完，便伸手拿起我看中的那束白玫瑰，熟练地撕掉了包装纸，将花束丢在了地面上的一堆白菊花上。

看来，别说我想买一束花，就连买一支白玫瑰估计老板都不舍得割爱。算了，反正这一条街的花今天都是送给她的，花谁的钱并不重要，不是吗？

重新转过身，我和郑翌哲一起并肩走进了殡仪馆的大门，看着门口的告示，找到了叶家包下的整幢三号楼。

刚走近三号楼的正门口，就看见黑压压一群人围堵在门口，透过人群的间隙，隐约看见有一长条的签到台拦在大厅的自动扶梯前。签到台后，貌似站着一排五个穿着黑色短袖套装的迎宾小姐，她们每个人手里都拿着一个名册，表情肃穆，对每一位参加葬礼的来宾轻声地询问着身份，然后快速地在名册上找到对方该去的地方。除了签到台处的迎宾人员，另有一排六个穿着黑西装的男人正在有条不紊地指挥着送花篮的花店人员排队从货运通道上楼。

"我是江晓卉，是死者同父异母的亲妹妹。对，就是那个私生女。"

就算是在心底排练，我也忍不住自我鄙夷。所以，面对机场安检般的严查，我自然而然停住了脚步。

似乎是看出了我的尴尬，郑翌哲很主动地当起了护花使者，挤进人群试图帮我打听出远房亲戚该去哪里站个脚。他动作快得让我根本来不及拉住他，只能退到一边等他出来后再一起离开。

既然来都来了，就算无奈只能止步于此，但说一句祝福的话我还是愿意的。

抬头望向即将在一小时后开始的追悼会的三楼的那个窗口，我偷偷将手放在心口合十，闭上眼睛，在心里默默开始了真心的祝福：晓仪，我来了，只可惜我最终还是进不去。相信你的在天之灵应该看得见我吧，虽然今生我们的缘分有点纠结，但我还是愿意相信，曾经你给过我的那个微笑里有你的真心，所以我现在的心也回应着一样的真心。一路走好，姐姐！

"喂，江晓卉，你千万别告诉我，你现在心里在说的话是让我一路走好！"

如果这个世界上没有鬼，或者没有能在大太阳下堂而皇之出现还对着人说话的鬼，那么我身边出现的这个女人就只能是人，活生生的人！

即便是这样，睁开眼睛看见叶晓仪近在咫尺，正用充满诡异眼神的双眼打量着我时，我还是被吓出了一身冷汗，不由自主地后退了一步，直接撞在了一个男人的身上。

"看来还真的是，否则她不会这么一副见鬼的样子。江晓

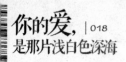

卉，我手臂上的疤痕还没好全，你不会是要在我的脚背上再种个印记吧？"

说话的是我身后的男人，他一边说话，一边用双手直接握住我的肩膀，近乎是拎小鸡般地拎起了我的身体，让我踩着他脚背的鞋跟重新找到了平坦的地面站稳。

如果不是那句"手臂上的疤痕"让我确定了他的身份，我真的不敢相信面前这个高大健硕的男人就是以前和我几乎一般高的叶知贤。

"晓卉！"

重新从人群中挤出来的郑翌哲老远就看见我被江知贤"非礼"，立刻吼着我的名字冲回我的身边，直接挡在了叶知贤的面前，一脸的不友好。

这次，换叶家姐弟郁闷了。叶晓仪站回了叶知贤身边，对郑翌哲这个陌生人的横空出现，脸上是一片茫然，随即自然而然地望向了我，似乎在等着我的解释。

我却丝毫没有心情解释什么，稍稍缓过神后看着叶晓仪好好地站在我面前，心底顿时有股被戏弄的怒火沸腾起来。可未待火气发作，我便不禁感到困惑，如果今天的追悼会不是为叶晓仪开的，也不是为叶知贤开的，那么会是叶家的谁？难道，是那个男人吗？不会，应该不是他，否则妈妈之前不会以为是他直接给我打了电话。

所以，是席宁姝？是自己曾用最最恶毒的诅咒咒骂过的席宁姝？！

"是奶奶，因为肺癌晚期加上奶奶的身体熬不住化疗，上星期三凌晨走的。我那封信上最后一段话，是奶奶临终说的话，她说她唯一的心愿就是希望你能来看她最后一眼，送她最后一程，对她说一句……"

"够了！我明白了，我来过了，她的在天之灵应该也看见了。郑翌哲，我来给你介绍，这两位是我的远房亲戚叶晓仪和叶知贤，是今天葬礼主人的孙女和孙子。这位是郑翌哲，我的朋友，陪我来葬礼的，我们还有点事，先走了。"

"晓卉，你等一下。"看着我说完就拉着郑翌哲大步走人的架势，叶晓仪试图想要挽留，一把拉住了我。

转过头望向这个依旧长发披肩一副标准公主相的叶家大小姐，我努力让自己展现出略带关怀的眼神，一字一句地说道："人死不能复生，你们节哀顺变！"

说完，我便推开了她握住我胳膊的那双白皙完美的手，大步走向了殡仪馆的大门，再也没有回头。我知道，在我的身后，望着我离开的所有的目光中，不仅有叶晓仪姐弟，还有另外一双或者另外两双眼睛。

"我们之间，永远没有相安无事！"

这句叫嚣，这些年始终萦绕在我的耳边。每当我知道妈妈又和他联络，甚至和他见面，我都会因为这句话而备受折磨，我对妈妈的不自爱感到愤怒，更生气那个男人的贪得无厌。

所以，我一秒都不想在那一家人的目光中存在。我对这家人最后的一点友好情绪因为叶晓仪的欺骗彻底消耗殆尽。这样也好，我们之间终于可以一了百了，再无瓜葛。

席宁姝，你放心，我会永远记得你说过的这句话，我们之间，永远没有相安无事！

在坐上出租车前，我最终还是转过身，对着那幢白色楼房的三楼看了一眼。这一刻，如果他们真的站在那扇窗口看着我，他们会看懂我眼底的这一切！

第二章
爱恨恢恢

有些爱，无论一万年还是一瞬间，终逃不过那一片天网恢恢。

追悼会结束后，叶家所有人都回到了家里，或许是因为追悼会生离死别的气氛持续在心头，或许是因为某个人的出现勾起了各自心底的不愉快记忆，大家心照不宣地各自回房，紧闭着房门各自安静着。

换掉了黑色丧服，席宁姝洗完澡，换上纯棉米色的家居服走出浴室，看见叶子航静静地站在窗前，脱下的西服随意地丢在沙发上，衬衫上的黑领带都没有取下。

继续用手里的毛巾擦着头发，席宁姝的嘴角忍不住泛起一丝不屑的笑，根本懒得理会叶子航的沉闷状态，自顾自地坐在了梳妆台前，拧开护肤品的盖子，往脸上涂抹了一层滋润乳液后，开始一丝不苟地按摩肌肤，让被眼泪紧绷了一下午的皮肤彻底得到舒缓。

"离婚吧！"依旧望着窗外，叶子航终于开口，清晰且响亮地说出了这三个字。

席宁姝正在按摩额头的双手足足停了十几秒后，才又继续有条不紊地恢复按摩，"为什么？因为你妈走了？"

"这些年辛苦你和我一起管理公司，离婚后，公司的股份不变，你的职位也不会变。对外，只要你自己不说，我不会主动去说离婚的事。至于晓仪和知贤的股份，我也不会去动。总之，我们之间除了多出一张离婚协议外，其他一切都不会变。"

终于还是将手上的动作停下来，席宁姝静静地望着梳妆镜中的自己，看着眼角、唇边那些掩藏不住的皱纹，始终面无表情。

"既然一切都不会变，为什么还要这张离婚协议书？你以为事到如今，你再给江媛一张结婚证，江晓卉对你、对我们一家人的态度就会变？就会心甘情愿跟你姓叶吗？叶子航，你还真是越老越天真。我早说过了，我们之间，永远不可能相安无事！"

"离婚的事，明天就去办了吧。需要的材料我会准备好，明天例会后，你和我一起到民政局走一趟就行了。"

终于，席宁姝的脸上再也没有办法保持平静，转过头望向叶子航背影的眼神中满是愤怒，积压了十几年来的愤怒。

站起身，一步步虚弱地拖动着脚步，直到靠近房间门口时，席宁姝才借由握着冰冷的门把，让颤抖不已的手稍稍恢复了平稳，"十几年前，我给过你很多次机会和我离婚，是你自己放弃的。既然放弃了，就别再奢望了，要给江媛名分的话等我死了直接续弦吧。虽然她比我还大一岁，但这些年她始终有你的爱情滋润着，她一定会活得比我久，等得到那一天。"

说完，席宁姝打开了房门，坚持拖着僵硬的身体一步步走下

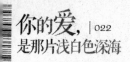

楼梯。直到走到女儿的房间门口，打开了女儿的房门，看见女儿关切的眼神，才彻底放松了全身。她一言不发，只是紧紧地搂着叶晓仪，默默地流泪。

从回家路上的过分安静，晓仪便已经料到这片沉默背后蓄势待发的火山危机，正如她写给晓卉的信上所说的，爸爸妈妈之间的相互憎恶早已经成为一种可怕的惯性，为了逃避这一切，知贤从初中开始就不顾奶奶的反对执意出国读书去了。

晓仪何尝不想也和弟弟一样选择眼不见为净的逃避，可是她知道，如果连她也逃到国外了，席宁姝就真的连最后的依赖也没有了。这些年，奶奶施加的压力，爸爸形同陌路的态度，还有知贤的逃避让妈妈伤得体无完肤，唯一的安慰就只有自己这个女儿的怀抱了。

此刻，怀里的席宁姝又一次像个小孩子一样哭得浑身颤抖，叶晓仪的心也再一次因为妈妈的无助被撕开了那多少年都没有办法愈合的细密伤口，妈妈的冰冷眼泪再一次加剧了她心底的痛楚。

"一切都会好起来的，一切都会过去的……"

心中惯性似的又响起了这些安慰的话语，可今天，这些无力的话语终于还是止步于晓仪的唇齿之间，她突然领悟了什么似的寒了双眼。

奶奶走了，很多过不去的终于过去了，但很多不该发生的，也终于要发生了吧！

离开殡仪馆，一路坐在出租车上，我的沉默让司机因为不适应车内的低气压，几度偷偷从后视镜中望向我和郑翌哲，似乎是要凭借他阅人无数的视线来X光一把我的人生故事。

直到车子开到了人民广场，直到郑翌哲交代司机停车，付了车费，直到被动地跟着郑翌哲下了车，我才发现，在我唐突地向他介绍了我的那些"远房亲戚"后，这一路他竟然反常地什么都没问。

来人民广场干吗？难道是博物馆又有什么特别的展览，还是他突然又想起了那辆很幼稚的寿司小火车，所以过来怀旧？

许是远离开了那一家人的磁场范围，我的情绪稍稍恢复了些，脑中竟也有空间开始分析郑翌哲的行为。但可惜，思路恢复的程度还不足以让我的语言能力也迅速恢复，所以，我依旧保持着沉默，只是安静地跟在他的身后，漫无目的地踩着脚下那些花岗岩小方格。

"既然都去了，为什么不坚持到追悼会的最后一秒？世界上最不该错过的就是亲人的婚礼和葬礼，错过婚礼还可以在事后看着录像带感同身受，错过葬礼的话……"

这才像话，这样啰唆加多管闲事才是他的风格。随着郑翌哲开口啰唆，我反倒感觉舒适，抬起头，望着天空里终于出现的大片大片白云，答非所问地喃喃自语道："这些云终于还是来了，这才对嘛，我就说怎么可能一直都是晴天。"

如果不是我的耳朵出了问题，那么我就真的听见了郑翌哲的深深叹息，这厮还会玩这种深沉，怎么了？

等我因为好奇而低下头，还没有转动脖子，郑翌哲已经先一步下手掰着我的肩膀把我的身体直接转了九十度，并稍稍倾下身，迁就着我的身高和我对视起来。

果然，他有状况。失去了招牌阳光笑容的他，使得他那石膏像般立体的五官立刻因为深邃的神情显得冷峻了很多，加上他眼中让人感觉陌生的眼神，我突然很不适应。

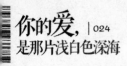

"那些人真的只是你的远房亲戚吗？晓卉，难道我们之间的关系还不能让我听见你的真心话？那么，我在你心里究竟又是什么身份？会不会连那些所谓的远房亲戚还不如？"

凝视着郑翌哲的眼睛好多秒，我试图在他的眼中看出些端倪。毕竟他是我妈妈发小的儿子，这些年断断续续的沟通中，没有任何朋友可以倾诉的妈妈会不会不小心对她的妈妈漏嘴说出了我们的情况？也或者，是因为我和叶晓仪多少有点相像的眉眼让天生八卦的他看出了什么蛛丝马迹？再不然，是我现在这副要死不活的德行让他感应到了什么？

"晓卉，真的要自闭一辈子吗？即使对我，也要浑身戒备吗？不就是……"

不就是什么？为什么不继续说了？是因为他嘴里的后半句令他这个局外人都觉得难以启齿？

终于，我还是多多少少从他的表情和语气中知悉了他的想法。原来他早就知道了，我"不就是"叶家的私生女，何必装得和白天鹅一样，还满口"远房亲戚"当全世界都是脑残来忽悠，是吗？

没错，对自诩为我的朋友的郑翌哲来说，我的身份是个有钱人的私生女，我妈是个有钱人的二奶，实在没什么大不了的。婚外恋在这个社会实在太过普遍，我实在没有必要矫情地死不承认，是吗？

"江晓卉！"

这个男人很久没这么连名带姓地叫我了，看来，他还真是这个世界上最懂我的男人。不错，就因为他的这半句"不就是"，我们之间已经一步天阙了！从此以后，我应该让他连这样连名带姓呼唤我的机会都没有。

伸手，再一次，郑翌哲将我的身体紧紧地搂在了怀里，比起图书馆里的拥抱，今天的他似乎有点失控，失控到无法控制好手臂的力量，让我被勒得有点喘不过气了。

干吗啊？就算要和我生离死别也不至于这么用力吧？放手，放开我！

随着心中的不满，我不再逆来顺受，终于开始反抗，用力地想要挣脱他的禁锢，却被他大力的手臂箍得更紧。我甚至都听见我身上骨头发出的咯咯声响，看来他不把我的肋骨弄断几根，是不会罢休的。

"我说过，万事有我！晓卉，嫁给我吧！从此以后，彻底忘记那些远房亲戚，我会好好照顾你和你妈妈，不许再一个人假装坚强了，看着你这副样子，我的心很痛。"

嫁给他？

他在说什么？他还清醒吗？

比起之前的震怒，听见郑翌哲的求婚后，我的心情反倒似被冰锥凿开了一个小洞，让冰湖外的新鲜空气微微进入了长期缺氧的湖水中。

"放开我吧，再下去我的肋骨真的要被你夹断了。我真没有想去南极、北极或者到月球隐居的心思，至于这么生离死别地狠狠拥抱吗？郑翌哲，放手啦！"

终于又听见了我的声音，还是用这种轻松的口气，郑翌哲明显被我吓到了，真的就放开了手，让我能和他再一次地近距离对视起来。

伸手，我像个长辈般地用手轻抚了几下他额前的鸡毛乱发，尽力让自己的脸上出现缓和的表情，这才继续说道："我没事，很多年没有见到叶家人了，我有点状况才正常。我不知道我妈对

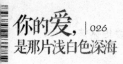

你们家说了多少我的事情，你说得没错，其实也不是什么大事。正义哥，你还真是个冲动的娃，被我逼得失去理智了吧？妹妹我真没事了！就是肚子有点饿了，都到这里了，要不我们去吃小火车寿司去？"

"晓卉！"

"嗯，有进步，至少省略了姓。行啦，我发誓这顿饭绝不会是象征我们友谊瓦解的分手饭，这总可以了吧？走吧，你长那么帅，我刚好又穿得这么公主，咱俩再这么站在大街上深情对视，一会儿就真有群众围观以为我们是演偶像剧呢。"

行了，郑翌哲，能这么伪装轻松地说话，真的是我的极限了，放过我吧，就这么放过我吧，如果你真是懂我的人，求你别再让我这么演戏了，求你了！

"走吧，我带你去吃好吃的。"

终于，郑翌哲像读懂了我的真心般，带着一种不甘却不得不妥协的无奈，将大手从我的肩膀上缓缓松开，牢牢地握住了我的手，带着我再一次踩着那小块小块的花岗岩路面前行，让我终于可以再次放空了视线，卸下疲惫的伪装，只是这么机械地向前走着，漫无目的地走着。

在来福士找了一家披萨饼店坐下，为我点好全套美食后，郑翌哲起身去了洗手间。我面前的桌上，很快被服务生放了一盘色拉。

郑翌哲还没来，本来就没什么胃口的我面对这一盘子的冰冷食物自然不会有什么热情，便拿出了手机，犹豫着要不要给妈妈打个电话。

可是，该说什么呢？

虽然我去了葬礼现场，却根本没有进入大厅，虽然我见到了叶晓仪和叶知贤，也应该被那个男人和席宁姝看见了，但这种相见实在不算正式的见面，而我的转身就走应该会让妈妈添堵吧。

算了，还是不打了，反正那个男人一定会给妈妈打电话的，同样的真相从他嘴里说出来，对妈妈就是有着截然不同的效果，我就不用多此一举了。

"菜都上了，你怎么不吃，之前不是说饿了吗？"

"不至于差这点时间，你不只是去了洗手间吧？"

看到郑翌哲手里的礼品袋，我开门见山地问了出来。听我这样问，郑翌哲也就大大方方地笑着，从礼品袋里拿出了一个浅紫色的锦盒送到了我的面前。

"马上要开始实习了，这个算是我送你的毕业礼物。"

毕业礼物？

听着郑翌哲的这句礼物定义，我的眉心自然蹙紧了几分。我接过锦盒，打开，一枚银色镶钻的戒指便跳进了我的视线。

"戒指是银的，上面镶的是水晶，不是我买不起钻石戒指，是我知道你一定不会收，所以先送你这个水晶银戒指，等我们真的订婚的时候，我再给你买钻戒。"

抬起头，望向郑翌哲，我直接把心中的所有疑问痛痛快快地问了个彻底。之前情急求婚，这会儿又直接送上戒指，这个男人到底在干吗？难道他真的是因为同情爱上我了不成？

"是直接戴在手指上还是配一根链子挂在脖子上都成，就是别还给我，也别扔了。哥哥我这辈子第一次送东西给女人，开门红很重要。要是觉得不想亏欠我，可以还礼，往这儿来，亲几口你看着办就行。"

看着他指着自己脸颊一副真等着我凑上小嘴送香吻的死德行，终于，我还是笑了。

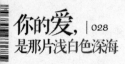

这个笑因为没有伪装的成分，所以多少有点无力，但我还是笑了。这让我们之间刚刚疯狂生长起来的那一株芥蒂因为这个笑容顷刻枯萎了大半，也让我不得不感叹，郑翌哲还真是我的黑骑士。

"晓卉，你今天也不回家吗？"电话里，妈妈小心翼翼地询问着。

躺在宿舍的床上，我双目放空地望着床顶的白色蚊帐，安静地等着妈妈调整好情绪切入正题。

这时候给我打电话，一定是那个男人告诉妈妈葬礼上我的表现了，如果我猜得没错，妈妈接着要说的话一定是他要妈妈转告我的话，所以，我听着就是了。

果然，见我不冷不热地安静着，妈妈停顿了几秒后，还是和盘托出了他的"意思"："他说，明天就会和席宁姝办离婚手续，然后……然后就和我登记结婚，等拿到了结婚证，就可以把你和我的户籍一起迁回到他的户口本上，他的意思是想让你改回姓叶，然后去公司帮他。"

认祖归宗？！

妈妈所有的话说完后，我听见的只有四个字：认祖归宗！

看来，今天我的冷淡态度还真是激起了不小的浪花，是我的态度逼得这个男人突然转性了，还是他看见我这个女大十八变的私生女后，突然有了付出父爱的冲动？不至于啊，我又不是他的沧海遗珠，他知道我的存在已经二十一年了，我也不是他唯一的亲生骨肉，那不是还有叶晓仪和叶知贤一子一女凑着"好"字，犯得着我去画蛇添足吗？

"晓卉？"

许是听不到我的回应，在电话那端看不见我表情的妈妈更加剧了心底的慌乱，小心翼翼地呼唤着我的名字，希望得到我的一丝回应。

妈妈还是这个样子，即使对我——她的亲生女儿也是这副小心翼翼、唯唯诺诺的样子，难怪她会被席宁姝一辈子看不起，也难怪会让他……

是的，一定是妈妈这些年的"忍辱负重"在他的心里修成正果了，加上今天我的出现，一定刺激得席宁姝和他大吵大闹，最后的结局就是他决定和席宁姝离婚，然后把我妈这个妾室扶正，让庶女认祖归宗。

再有一点推波助澜的，应该是老妖婆的离世，再没有人能用老命威胁他，让他和我妈这个贪财的女人恩断义绝。

所以，今晚过后，叶家就要改朝换代了吗？

皇后被打入冷宫，那么皇后的嫡子嫡女呢？是不是一样要被夺去封号，贬为庶人？应该不会的吧，特别是那个唯一的皇太子——在英国攻读了MBA，是即将接手江山的储君，应该不会被贬吧？更不会就这么眼看着皇上欺负人老珠黄的皇后老娘吧？

因为想起了叶知贤，我脑中不由自主地出现了很多关于他的记忆的画面，那次狠狠对他下嘴后滴着鲜血的手臂，还有老妖婆心疼地搂着他后转而看妖女般看我的怨毒眼神。

"江晓卉，我手臂上的疤痕还没好全，你不会是要在我的脚背上再种个印记吧？"

自然地，我的脑中最后出现的是他今天给我的回忆，那猛然长高的个子、亲和的语气，和即使背着光一样能隐约看见的微笑。

如果当他知道，叶子航下定决心不惜伤害他的母亲也要拉拢补偿我这个庶女妹妹，他的脸上是不是还会有这个自以为宽容的微笑？他手上的那个旧疤痕是不是立刻又会灼烧般地疼起来？

"晓卉？"

电话那头，始终得不到我回应的妈妈再一次轻唤出口，在这句呼唤中，我知道她已明白。母女连心，即便我们隔着冰冷的电话，即便我们看不见彼此，即便她只是在安静中听着我的呼吸，她依旧明白了我的答案。

"是累了吧？那你早点休息吧，他那边我会去帮你拒绝的。也是，都相安无事这么多年了，真的不需要……"

"相安无事从来是你的一厢情愿！妈妈，到底要到什么时候你才能清醒，我们和他还有那一家人之间，永远没有相安无事的可能！"

"卉卉！"

"我已经和郑老师说好了，开学后我直接在图书馆开始实习。一年后，他会帮我申请留校，我不会去任何的公司实习。大学里的工作轻松，工资也不少，我还能在晚上找些高中生做补习赚外快，足够养活自己了，所以不需要他良心发现，就算他坚持要给你名分也和我无关，你们的事我可以不干涉，但也请他不要妄想来对我指手画脚，这些也麻烦你直截了当地告诉他，挂了。"

幸好，今天宿舍里只有我一个人，我才能肆无忌惮地对着电话吼出这些论断。我知道，妈妈根本是个没有主见的人，只要他真的坚持，就算妈妈明知道他只是为了和席宁妹赌气而离婚也会乖乖配合，让他抛弃妻子纳新欢，从幕后站到人前受尽千夫所指。

这就是妈妈口中所谓的"因为爱情"，但抱歉，这一切一定与我无关。如果有需要，我甚至可以和妈妈断绝母女关系，反正妈妈从此有他在身边，不再需要我的保护了。

我预料得不错，在我挂断电话后不足三分钟，妈妈便接通了他的电话，把我的态度直白地告诉了他，换来了他许久的沉默。

"子航，你知道的，卉卉的性子一直就是这样，要不……"

"这事你别管了，我会处理，认祖归宗不是她想不想的事情，她再不乐意，她也是我叶子航的女儿。"

"子航。"

"媛媛，你很清楚，知贤再懂事再能干毕竟是个外人，晓仪又已经铁定站在了宁姝这一边，我只有晓卉这一个女儿了，就算她要恨我也必须先回到我身边来。妈临走前，我把知贤的事情都告诉她了，她才想通这些年是太亏欠你们母女了，也是她开口要我接回你们母女让卉卉认祖归宗的，既然这是妈的遗愿，卉卉有义务，也必须对奶奶尽孝心。"

听着叶子航的固执语气，江媛只能感叹这对父女还真是亲骨肉，她知道多说无益，既然两边都劝不了，她也只能让他们自己去解决问题了。只可惜，很多真相她虽然早就知道，却无法轻易说出口，所以，要让卉卉认祖归宗谈何容易！

对于妈妈和他之间的这段对话，我当然一无所知，所以我也不会想到，就在一周后，在我的领地，我会和这个我这辈子都不想见面的陌生人面对面坐在同一片屋檐下。

"各位同学，我来介绍一下，这位就是北擎集团的董事长叶子航先生，这几位是北擎集团人事部及综合部的几位领导。这次北擎旗下的房产公司和物流公司一共要招三十位本科实习生，

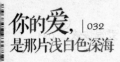

经过学校导师推荐和集团人事部的自由选择，你们幸运地被选中了。九月的第一个周一你们便可以到各自分派的分公司去报到，开始三个月到一年不等的实习期。如果实习期表现优异，大家都有机会和北擎签订正式的劳动合同。接下来，我们先请叶先生对大家说几句鼓励的话。"

随着雷鸣般的掌声，叶子航带着很是做作的微笑，"谦虚"地转过头让人事部总监何小姐代替他对大家说了些虚伪做作的话。话语中，除了那些只要是金子就能发光等套话外，也认真解释了实习协议的细节，宣布了这次实习与众不同的好福利——实习生不仅可以获得每个月两千五百元税后的生活费，还能和北擎员工一样得到每天十二元的餐补、六元的交通补助，甚至还有一个月一天的年假。

只不过，好福利的背后一样有着考核的压力，每三个月集团将对这些实习生进行严苛的考核，只有通过考核的实习生才能获得继续实习的资格。当然，如果实习生实习期满一年，又能通过最终的考核，便可以成为北擎的正式员工，过去实习的一年直接计算成工龄。

听着这样恩威并用的宣讲，所有被选中的同学们始终都瞪大着双眼，当然，除了我！

估计所有的人，包括那些负责帮同学择业的指导教授，都不会想到这一大块从天而降的肉骨头是我这个隐身庶女带给他们的福利。

看着手里这张名单上赫然写着我的实习归属地是集团总公司办公室，看着我的实习岗位是很梦幻的总经理助理，我就知道，这个长着一双鹰眼的丑恶男人在玩什么把戏。

从这个见面会开始，我就一点不逃避地和他对视。既然他是专程来看我的，我就让他看个够，既然他想亲自来证实我对他的厌恶，那我就该让他享受个够！

这种搞笑的微服私访对我而言，和小丑走穴没有什么区别，就算他的一身高贵行头让他浑身上下散发着有钱成熟男人的魅力，可惜对我而言，这些金贵的布料和高级的香水根本盖不住他的猥琐。

怎么，你终于看够了吗？竟然闪躲我的眼神。好吧，既然你满足了，那就请好吧！

又是一阵掌声，指导教授眉间的笑意又加深了很多，终于宣布了今天这个见面会的高潮部分："接下来，就请每个同学依次上前来和北擎集团签订实习协议吧，第一位，陈馨一同学。"

"来了。"

满眼兴奋，高举手臂以示存在后，隔壁系的系花陈馨一迅速站起身，在所有人羡慕的眼神中第一个走向主席台，在人事总监递给她的合同上干脆地签下了自己的名字，然后接过工作胸牌挂在胸前，大大方方地对叶子航伸出了手。见状，思绪有点走神的叶子航便站起身，微笑着和陈馨一握了手，此举立刻引发了现场再一次雷鸣般的掌声。

陈馨一的握手举动既然得到了叶子航的配合，接着上台的每一个大学生也都纷纷效仿，搞得这个签约仪式立刻隆重了许多。

"接下来是，江晓卉同学。"

还以为他会把我留在最后一个签约，所以在签约中途，猛然听见自己的名字，我不由得一惊，但等所有人的眼神飘向我时，我又立刻恢复了镇定，站起身像其他同学那样走向了主席台，走到了他的面前。

"江晓卉同学，这是你的合同，欢迎加入北擎的大家庭。"

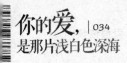

从人事总监毫无异常的套话和公式化的笑容中，我至少确认了我的庶女身份除了他和我之外，暂时还没有其他人知道的真相。

还以了不那么热情却还算礼貌的微笑后，我对人事总监说出了我的回绝："对不起，因为我已经申请留校实习，所以这份合约我不会签。谢谢你们选中我，请把珍贵的机会让给更优秀的同学吧。"

刻意在"珍贵"这两个词上加重了些语气，我的眼神也不由自主地飘向了就坐在人事总监身边的叶子航的脸上，看到了他毫不意外、依旧镇定的表情。

听见我的拒绝，不但人事总监露出了意外的眼神，指导教授也愣了几秒，全场同学更是一片哗然。和北擎总经理助理这个钻石岗位比起来，图书管理员这个位子简直等同于下岗工人再就业。

伸手做作地拿起我的简历，一张张翻看，叶子航貌似漫不经心却一字一句清晰有力地说道："江晓卉，全科平均分A，连续三年得到一等奖学金，大二时写的论文就被发布在网络上成为优秀论文的范文，这么优秀的一个同学竟然放弃到上市企业实习的机会，选择留校做图书管理员，应该有什么特殊的原因才对，能不能告诉我这个理由是什么？"

听见叶子航有理有据的推测，在场的同学有反应快的立刻就想到了我和郑翌哲的暧昧关系，而指导教授中和郑伯伯相熟的一个教授也立刻想到了这点，轻声和人事总监嘀咕了一句。

任由身边人事总监小声地转述着"恋爱说"，叶子航的眼神依旧凝视着我，那犀利冰冷的眼神和十几年前一模一样。只是，他的眼角不再那么平坦，整张脸也因为多了不少细纹而平添了许多沧桑感。

"难道，是怕你的好成绩和你的实际工作能力不成正比，还是你手上这枚戒指的主人不希望你抛头露面到社会上成为独立女性？我建议你还是去大公司实习几个月，等你确定真的不能适应严酷的竞争再回到学校也不迟。"

面对叶子航激将外带挖苦的调侃之语，我不但没有生气，反而对着他那张带有虚伪笑容的脸露出了灿烂的笑容，甚至不吝啬地秀出了嘴边一侧的梨窝，然后用只有主席台上众人才听得见的声音轻声细语地说道："有种就抓着我的手强迫我签约，不需要废话连篇。"

说完，我便收起了全部的笑容，正式奉上了轻蔑至极的眼神，好几秒后才转过身，不屑一顾地大步走向了大门，任由背后那道犀利的目光始终像激光一样锁定在我的背影上。甚至，当我走出了多功能大楼，走到阳光里，我依旧能感受到背后那道可怕目光的冰冷注视。

回想起叶子航在我的微笑中变得僵硬的表情，我的心情突然大好，抬起手望着郑翌哲软硬兼施逼我戴上去的这枚定情戒，我突然有种预感，这枚戒指或许还真是我的护身符，就算它只是一枚普通的银戒指，也一定因为有了郑翌哲这个黑骑士的意念加持，多少有点威力。

抬高了下巴，我很是快乐地走向了图书馆。发生了这种突发事件，我必须未雨绸缪，先知会郑老师，免得他会担心我的"前程"成为那个男人的要挟砝码。

我并不知道，我背后那道目光并不是我的错觉，那个我这辈子都不想再见到的男人，始终就跟在我的身后，一路跟着我，直到图书馆，直到郑老师的面前。

"江晓卉是我的女儿,这是她的出生证,父亲一栏写着我的名字和身份证号,我就是叶子航,这是我的身份证。郑老师,你也知道,孩子大了都有一阵子不服管,不过孩子的前程还是最重要的。所以,请你帮我劝劝丫头别总和我拧着了,我和她妈妈都希望卉卉毕业后回到公司来帮忙,世上哪有隔夜仇的父女,是吧?"

"是,是,晓卉啊,你爸爸都这么说了,要不你就……"

看着这个男人一脸慈父的伪装表情,别说对我身世一知半解的郑老师被忽悠住了,就连我这个剧中人也忍不住要为他的精湛演技鼓掌喝彩。

世上哪有隔夜仇的父女?瞧这话说得多温馨啊!

可我还是忍不住地感到厌恶和反感。

"既然决定要让你回到我身边,我便不在乎公开我们的身份,我保证随便你去哪家公司面试,我都会第一时间出现,让你的面试官知道你是我女儿,就算被人知道你和我前妻的孩子是不同的母亲,那也没什么。"

"前妻?这么快就是前妻了?"

"离婚手续已经在办了。"

"那又怎样?我已经是成年人了,就算我的出生证上有你的名字,只要我不愿意去做亲子鉴定,我一样可以坚持,你和我没有任何关系。叶子航,做人最不该的就是贪得无厌,你已经有一子一女,可以凑得全一个好字了,你的公司有他们在就行了,别扯上我这个外人。"

"外人?"

"哦,是我口误了,是仇人才对!"

"晓卉!"

"别碰我，我已经忍得很辛苦了，我怕被你碰过后，我会忍不住砍了自己的手。"

"你再嘴硬也没用，你自己很清楚，你身体里流着我的血，你始终是我叶子航的女儿！"

"看来您还真是贵人多忘事。十几年前，你前妻的那一巴掌逼得我离家出走那次，摔得半死的我早已经流光了身体里的一半血。我现在身体里的血一半是我妈妈的，一半是血库里陌生人的，和你丝毫没有关系。"

"真的不肯原谅爸爸？"

爸爸？

这真是个好笑的词汇，特别是当这个词汇从他口中出现后更是滑稽一百倍一千倍。我再次笑了，这已经是今天第三次笑了。可惜，我一次比一次笑得无力。

"如果你真的想做点补偿，让妈妈的后半辈子过得舒心些就行了。还有，别让你嘴里的一句前妻伤到晓仪和知贤，能把过去的十几年归咎成'生不如死'这四个字，他们的日子也不见得比我好过多少，这一切也都是拜你所赐。"

该下雨了吧？终于该下雨了吧？

为什么总是不下雨？为什么有那么多的云层却还是遮不住那个该死的大太阳，让我只能一次次地往脸上徒劳地淋上自来水，才能让那种湿润感暂时压抑住心底烈火的狂妄，才能控制住几乎夺眶而出的那些恶心水珠？我多想有一场滂沱大雨倾盆而下，让我可以被淋透，把和他之间所有的记忆都冲刷干净，彻彻底底冲刷干净！

因为叶子航和我在招工见面会上的对峙，还有他在图书馆里

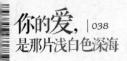

毫不避嫌的叫嚣，我的"隐身公主"身份立刻成了校园里公开的秘密。

北擎集团董事长的爱女，身价何止几十亿的小女儿，却一直靠奖学金付学费，一直住在和其他人一样的宿舍里，别说浑身上下没有一个大名牌，就连手机都不是最新款的"缺一口"。

这还不是最牛的，最牛的是就算富豪老爸亲自到学校来求女儿回公司接管公司，为此不惜捎带"阳光"了其他二十九个幸运儿，却依旧不能满足公主的刁蛮性格，公主还是不乐意回归。

这些梦幻得近乎偶像剧的情节让那些偶然发现我和叶子航不一个姓的同学直接忽略了重点，无一例外地对我表现出了羡慕嫉妒恨的情绪。

当然，我再也没有可能留在郑伯伯身边当一个图书管理员顺便靠做家教赚外快，而叶子航也真的做到四处放风扮演慈父，让我一时间找不到任何可以实习的大小公司。

要知道，大四的实习并不单单关乎就业去向，这个实习成绩也是拿到学位的必要条件，所以就算我能熬着性子去快餐店打工赚生活费，也会因为得不到实习评语而肄业一年。

何况，不能在宿舍继续住着的我每天要面对老妈满含眼泪、欲言又止的眼神也真的是很折磨人。所以思前想后，我愣是一念之差，走火入魔般地穿着白衬衣和及膝裙站在了北擎集团总部的大楼前。

"我可以去北擎实习，但是我绝对不做什么总经理助理，别说我不想有机会看到他，就算我想，估计席宁姝也不想每天看见我在她面前晃来晃去，给我一个远离他们所有人的岗位，而且，我只做三个月，拿到实习成绩就走人。"

这是我让妈妈去转达的妥协要求，我已经打定了主意，这是我最后的底线，如果这点要求他都不答应，我宁可肄业一年。

就这样，我重新见到了那个人事总监，在她若有所思的复杂眼神中签订了第一期三个月的实习合同。然后，我被她单独带到了离开总经理室二十八楼很远的七楼——商业地产筹备组，这个组建不足一个月的临时筹备组。

因为这个筹备组的临时性，组员都是从各个部门抽调而来，组员之间都还在互相熟悉磨合的阶段，所以，我这个大四实习生的横空出现，自然不可能让大家投以过多地关注。

我刚好是周一加入的，按常规周一的上午是各部门的例会，因此我的介绍便在例会上直接进行了，而我也在笔记本上记录了所有组员的姓名和职位。

沐佐恩，筹备组的组长，中欧商学院毕业的空降派，一个月前刚来公司，一来就直接加入了筹备组成为组长。没有人知道他的来历，但是对他的特殊身份都心知肚明，只因为他来公司的第一天就被董事长亲自带去参观了公司，还一起吃了午餐，可见董事长对他的重视。

田永康，筹备组副组长，原本是市场部副经理，因为和政府机构有良好的关系，被董事长钦点来筹备组负责外线公关工作。

周斌雨（小周）、陈涛、丁瑛、周庆国（大周）、黄辉这五位分别来自市场部、公关部、预算部、工程部以及综合部。

最后加入的就是我这个百分百杂务工的实习生，或许因为我是人事总监用客气得有点过头的态度亲自介绍给筹备组的，所以一开始大家还搞不清我的路数，不敢太使唤我。只有沐佐恩很是"不见外"，在例会后直接吩咐我去帮他买了外卖咖啡，复印了一堆资料外加去他的车里找他忘记拿的一份资料。

拿着这把奥迪的车钥匙，在地库里我很是没有头绪地寻找

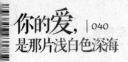

着每一辆白色奥迪车，按动着遥控器，却始终找不到车钥匙的正主。

"我把车停在B2电梯附近了，很好找，你出了电梯对着四周按一下车钥匙，听声音就能找到车。资料袋应该在车子后座，靠驾驶座这边。"

听这句吩咐，确实像一件很轻易就能完成的小差事，可惜，我忽略了这幢大厦有三个可以通往B2的电梯，而这三个电梯之间的直线距离分别都不小于两百米。

实在懒得再回去问沐佐恩他口中的电梯是哪一个，我决定在每一个电梯附近都找一下。幸好只是三个电梯，不是三十个，最多也就浪费一点时间，看他也不是很急的样子。

就这样，在我找到最后一个电梯后，我成功地听见了伴随遥控器而响起的门锁响动。不过，当我循着声音找到这辆高大的白色奥迪车时，也一并看见了站在车门边的沐佐恩。

"我让你拿了资料马上给我，你去哪里了？我在车边上等了快五分钟了。"

"我不知道这里有三个电梯，所以……"

打断我多少有点无力的辩解，沐佐恩拿出手机，直接转换了话题。

"你的手机号多少？"

"什么？"

见我听见问题本能地紧握着手机一脸茫然，沐佐恩的脸上明显出现了些不耐烦，"刚才如果能联系到你，就不会白白浪费这五分钟了。算了，先上车再说，这时段延安路隧道会很堵，把车钥匙给我。"

"哦！"

　　从我手里接过车钥匙，看我还在发愣，沐佐恩脸上的不耐烦更是清晰无比。

　　"大学实习生都这么木吗？还是你特别迟钝？我的话听不懂吗？还不快上车。"

　　被这句在地库震荡出回声的吼叫震破了耳膜后，再白痴的我也知道什么话都不用再问了，就算他是人贩子我也该先上车再说。何况，他是我的顶头上司，是三个月后亲笔签署我实习报告的关键人。

　　开车出了地库，遇到第一个红灯时，沐佐恩把我的手机号输入了他的手机，然后才开始解释我们此行的目的地——南京西路的某个即将竣工的商厦工程部。

　　因为那块商业地产的老板和叶子航有多年的交情，听说叶子航也有意要投资商业地产，便让工程部复印了全套的流程计划书送给叶子航做参考，而我们便是去亲自接手这份珍贵的计划书的。

　　当然，我还是有一点点不理解为什么这么重要的商业会面沐佐恩会带我这个菜鸟出面。小组里来自公关部的丁瑛，她的角色设定就是色艺双全的花瓶，他应该带着丁瑛在身边才能显示北擎集团的"实力"才是。

　　或许是丁瑛刚好有别的任务吧，也或者这趟差事带着丁瑛会有点大材小用？

　　在我的胡思乱想中，沐佐恩已经把车开到了目的地。为了节约时间，他直接就把车停在了离工地最近的一条小街路边，下车带我匆匆走进了工地。

　　自从走进这个场面壮观的工地，我身边的沐佐恩就像换了魂一样，不但对门卫报以微笑，甚至对一路上所有引见的人都礼

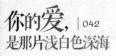

貌周到得有点过头。这让站在他身边的小卒子我也感染了那份亲和，不但笑得真情洋溢，还不停地对所有人示意问候，搞得像小鸡喝水般地勤点头。

终于，我们见到了今天的正主，一个两鬓有点花白的老伯。

"上次商会聚餐刚好我肠胃不好去了医院，不然我们早就认识了，沐总果然年轻有为，老叶真是有福气啊。"

"贺总您过奖了！接到叶董的电话，我立刻出发了，延安路隧道实在太堵，耽误您时间了。"

"没事，我还有时间，这种饭局，早去晚去都一样，只要有老叶在，我们这些人基本都是站着进去横着出来的命。"

说笑间，贺总的助理拿来了两本厚厚的资料册，得到贺总的示意许可后，直接把资料交给了沐佐恩。接过资料后，沐佐恩并没有急着看，一边表示感谢，一边就把资料直接交给我捧着。

顺着沐佐恩递资料的动作，贺总的眼神也转到了我的身上。和他对视的我连忙回应了尊敬且友好的微笑。或许是习以为常的戒备心使然，我总觉得这个贺总看我的眼神中有点说不上来的怪异，我忍不住猜测，是不是那个男人提前和他提起过我的身份。

有了这个猜测后，我自然有点心虚，立刻收回了傻笑着的眼神，低垂着视线假意看手里的资料册，再不敢抬眼继续和贺总对视。

幸好，这个资料交接仪式前前后后也就维持了不足二十分钟的时间，捧着资料的我便和沐佐恩一起离开了工程简易房的会议室，离开了工地。

"你和这个贺总以前认识吗？"

"不认识。"

"那么，你和叶家是不是有什么关系？"

"当然没有，你为什么这么问？"

带着百分百的戒备，我望着沐佐恩的视线中满是疑问。

"没什么，因为董事长指名带你一起来拿资料，加上刚才贺总看你的眼神有点见老熟人的感觉，我才随便问问。其实，你是不是皇亲国戚对我来说没什么两样，我只看工作成绩给你写实习评语。"

是他指名我跟着来的？那他一定乐滋滋地告诉了这个贺总，我这个庶女乖乖地回到他身边认祖归宗了，所以让老朋友先睹为快。

莫名其妙地被那个男人摆了一道，想着我刚才还花痴般地对着那个贺总笑得桃花灿烂，我的心情自然好不到哪去。

"喂，把资料给我，然后去搞定那个警察。快点，趁他开罚单前还来得及危机公关！"

一片茫然中，我手上的资料便被沐佐恩接了过去。顺着他的眼神示意，我看见一个骑着摩托车的警察叔叔将车停在了沐佐恩的那辆白色奥迪Q7边上，悠闲地从裤子口袋里掏出了一本貌似罚单的本子对着车子开始记录了起来。

"你愣着干什么呢？还不快点！"

被沐佐恩威胁的眼神再次催促，我才彻底理解了他的动机，敢情是想让我用美人计去挽回局面。

一路小跑，我急匆匆地赶到了警察叔叔的身边，一脸悔不当初的诚恳，外加一连串的"我们马上走了，请手下留情"的恳切言辞，讨好地请求他网开一面。

"马上走了就行了吗？这个车都停了二十多分钟了，这巷子那么小，把这么大一辆车横在这里知道有多危险吗？前面那片居民区要是有什么火灾或者突发急病的人，消防车和救护车都开不

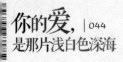

过去。"

"对不起，今天实在是因为有急事，一定下不为例。"

"下不为例是必须的，否则你来一次我罚一次。有什么急事就差那么几分钟？隔壁几个商厦都有地库，开过去停好也就几分钟的事，你倒说说你有什么急事等不及这几分钟，是生孩子还是赶飞机？不就是想着只停一会儿懒得绕远去地库还白糟蹋钱吗？越是你们这种开好车的越抠门！别废话了，罚单拿去，两百块买个教训，你就真的知道下不为例了。"

就这样，我的危机公关彻底宣告失败，只能可怜兮兮地看着这个黑面无私的警察重新骑上摩托车呼啸而去。然后，我转过身望向一直在看现场直播、在听警察说道理的沐佐恩，我已经尽力了，他也应该"死而无憾"了吧。

踱着步子走到车边，冷着脸将后座车门打开将资料放在座椅上后，沐佐恩才绕过我身边，在去开驾驶座车门时漫不经心地开口说道："原来你就这点水平，一个小警察都搞不定，这两百块你自己兜着吧。"

什么意思？什么叫这两百块我自己兜着？拜托，乱停车的是他，和我有什么关系？就算我确实没在危急关头阻止悲剧的发生，那也是因为我们确实做错了，人家警察同志秉公办理也没有什么错啊，难道让人家玩忽职守，不讲原则才行吗？

上了车，我一言不发，只是默默地系上了安全带。好汉不吃眼前亏，这点觉悟我还是有的。

我虽然是菜鸟，但是职场黑暗案例却听得多了。不就是拿我这个新人出气加栽赃吗？我认了就是，如果沐佐恩最后真要黑我两百块也不要紧，就算本姑娘为世界和平捐献善款了。

就似看得懂我的心思一般，沐佐恩一边开着车，一边继续冷着脸，一字一句地说："所谓的危机公关，就是将做错的事情引发的后果尽可能地控制在最小的范围内。如果是我们有理在先，那就不是危机公关，而是伸张正义了。今天乱停车是我们有错在先，那个警察说的几个可能性也确实存在。不过，这不是并没有消防车或者救护车真的经过吗？既然我们的乱停车并没有引起最不好的结局，你为什么不争取最小的惩罚，让他把两百块的最高罚款金额变成五十块？再不济也该争取个现场罚款，直接给他两百块让他帮我们代缴罚金。你怎么就那么听话接着罚单看着他扬长而去？你知道这个区的交管所在哪里，该到哪里去缴罚金吗？"

面对他的一连串责难，对那些闻所未闻的"可以争取"，我当然哑口无言。

貌似是故意给我点消化的时间，沉默了几分钟后，沐佐恩又继续开始教训我。

"想说你不开车怎么知道这些罚单细节吗？每个大学生毕业时都一样，除了脑子里还留着刚背过不久的考题以外，根本两眼一抹黑什么都不懂。但几年、十几年后，人和人的差距就出现了。为什么？就是因为大多数人和你一副德行。我再说一遍，这两百元罚单你自己兜着，如果觉得不公平，直接找你的靠山去告状就是了。"

因为第一次遭遇到不公平对待，我一时间还真的不知道该怎么抵抗，一路我都只能咬牙切齿闷不作声。直到沐佐恩再次将车子停回了公司地库，跳下车的我才被他持续傲慢的嘴脸彻底逼出了本性小宇宙。

在电梯厅，我站在他的面前，伸手便将那张已经被我捏得有点皱巴巴的罚单直接塞在了他的手里，然后用我高傲的下巴回敬

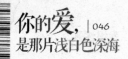
他的主子态度，"你是我的上司，我的工作失误就是你的指导失误。如果你觉得我工作能力不足，有种就把我踢出你的筹备组，做不到的话就自己兜着。至于这张罚单，你自己处理去，反正车不是我的，我才不怕警察最后找上门。"

工作第一天，就敢和主子这么面对面地杠上，还叫嚣着"有种把我踢出工作组"这种开战宣言，别说沐佐恩会愣住，就连我都有点纳闷自己哪里来的底气可以这么嚣张。

我唯一可以保证的是，我叫嚣的时候绝对绝对没有在脑子里出现一点点叶子航的影子，我的底气应该尽数来源于我对这个岗位的毫不眷恋，我的潜意识甚至有点期待因为跟沐佐恩结怨，他真的可以把我踢出这个该死的筹备组，踢出这个可恶的公司。

因为电梯迟迟不抵达，等我嚣张完，我和沐佐恩依旧只能保持着尴尬到不能再尴尬的对视状况。随着冲动过后的心虚弥漫上心头，我望着他的眼神中一定多少暴露我的外强中干，否则，他的眼神里不会这么快速就出现这种我可以定性为"玩味"的眼神。

我这种以毒攻毒的表现在他眼里一定很小儿科吧？唉，覆水难收，覆水难收啊！

幸好，电梯终于还是叮的一声来了，看着电梯门打开的那一瞬间，我真的有种登上诺亚方舟般的感恩之心，唯一的遗憾是，沐佐恩是和我一起上方舟的同伴。

回到办公室，我和沐佐恩还是保持着沉默，很沉默。

因为筹备小组是临时组建的，所以我们所有人不分职级，都坐在一个区域办公。我是最后到的空降兵，所以原本让沐佐恩独自享受的那个办公桌就变成了我的办公桌。也因此，好死不死的沐佐恩就那么坐在了我的对面，继续和我保持着沉默，沉默得让我有点抓狂。

就这样，又过了几小时，当电脑上的时钟显示过了十八点，丁瑛率先关了电脑，背起她的亮橙色"笑脸"名牌包，无比妩媚地对大家挥手告别："沐总，各位，没什么事我先走了，明天见。"

原以为沐佐恩会一如往常点头示意许可，却不料今天他却突然提议部门聚餐，让已经手握门把的丁瑛无比意外，也让还没缓过劲的我的心沉到了谷底。

就算真要通过部门聚餐这种惯例来庆贺小组成员全部到位，也不用赶在今天这个"特别"的日子吧，就在几小时前我还那么对着他叫嚣，在这么尴尬的气氛下，我怎么能全心投入到聚餐中，怎么能咽得下山珍海味啊？

无视我眼神中的茫然，沐佐恩只是继续抬眼望着一脸尴尬的丁瑛，体谅地问她是不是今天已经有了安排，如果是，聚会可以改期。

我满心期待丁瑛开口说是，也满心期待组里其他哪个人能突然爆出一句"抱歉有事"的急急如律令，可最后我的幻想全部落空。不知道是真的刚巧大家都没事，还是不想违逆组长第一次提出的聚会提议，最终，我们所有人都落座于公司附近的一家日本料理店。

这间刚好可以坐八个人的包房里，放着一个长条桌子，桌子的两边各放了四套餐具。因为是菜鸟，最后一个跨进包房的我只剩下唯一的一个选择，就是坐在最边缘的沐佐恩的对面。

妈的！妈的！妈妈的！

自诩优雅有自控能力的我今天已经第三次出口国骂了，我实在控制不住自己的情绪，幸好大家坐下后都将视线集中在了菜单本子上，我的内伤状态除了面前的沐佐恩看得清楚明白外，其他人并不知晓。

第一次参加加盖商务戳印的同事聚会，我深谙美食其次酒精第一的职场法则。不足两小时的饭局上，烧酒、米酒、清酒、梅酒外加啤酒轮番被送到桌面上，大家都不是亲人胜似亲人地频频举杯，貌似杯中真的是王母蟠桃盛会上的琼浆玉液般没命地喝。

因为沐佐恩和司机要开车，他们都只喝茶水。最初，我也坚持滴酒不沾，可怎么都架不住丁瑛的循循善诱，等我将唇沾上了冰冷微酸的梅酒后，我就再挡不住其他几位前辈一人一杯的"见面酒"了。

估计是至今摸不准我的来历，担心空降到这个核心小组的我是皇亲国戚得罪不起，见我一口气喝了五杯梅酒后有点迷茫的眼神，大家也就不再乘胜追击，放过了我，转而去攻击司机大周，直到他被迫交出了车钥匙，举起了酒杯。

坐在桌子的最边缘，有点头晕感觉的我用手肘撑着脑门，看着其他人继续用千奇百怪的劝酒理由对别人灌下酒精，直到轮流出现大舌头、动作迟缓、冲进厕所狂吐等酒醉表现。

根本都是陌生人，估计连对方生辰八字都还不知道，怎么就能胜似亲人般地勾肩搭背称兄道弟？明知道对方的笑容至少一半都是虚伪的，为什么却能相处得那么自然、那么和谐呢？

明明讲话都不利索了，他们怎么还敢继续喝酒？难道他们不怕酒后吐真言，彻底暴露了自己的虚伪吗？

"你没事吧？"

因为桌子并不宽，又加上我这么大咧咧地在桌上撑着手臂，所以当沐佐恩稍稍前倾了点身子，就已经近乎将头凑到了我的脑袋边上。

要不是他发出了声音，我真的已经忘了场子里还有一个人始终保持完全清醒的状态。

"你怎么不喝酒，车子不是可以找代驾吗？"

这句问话脱口而出，连我自己都觉得有点不尊重组长的挑衅意味，可我其实只是真心想知道，为什么他不继续加入这场虚伪的战局，趁着已经大热的气氛和他的下属们称兄道弟拉近距离？提议今晚聚餐的明明是他，估计埋单的也会是他，不是吗？

"怎么，你想敬我一杯？"

自然地，他回应我的这句反问一样不带多少友好情绪，让原本想追加一句补充解释的我直接就将局面过渡到了敌我状态，"不想，也不敢。没有他们那种功力，我怕我会酒后吐真言。"

如果是郑翌哲，听见我这么说，他一定会带着一脸不怀好意的笑逼着我把那些"真言"说出口吧。如果是他在，他一定不会像这个沐佐恩一样用这种摄魂怪般的诡异眼神看着我一言不发吧。

是的，沐佐恩给人很眼熟的感觉，原来是摄魂怪，那种冰冷的、高大的，可以瞬间吸走人的所有快乐和幸福，甚至令人失去意识的摄魂怪！

原来是因为他一直在看着我，难怪我一直觉得冷，觉得莫名其妙的伤心，觉得想睡觉，原来我身边一直坐着一个摄魂怪！

等小周捂着嘴再一次以光速冲向厕所引发大家一阵哄笑后，田副总便用明早的考察为理由对沐佐恩开口建议"来日方长"。于是，所有人都在沐佐恩"希望大家以后精诚合作"的最后陈词中举起了面前的杯子一饮而尽。

终于盼到了散场这个好消息的我当然不会再矫情。尽管我面前杯子里的梅酒近乎是所有人杯子里酒的总和，我照样大大方方

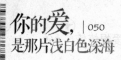

一饮而尽，然后随着大家一起站起身，努力控制住自己有点笨重的步履。

因为大周喝了酒，所以叫了代驾替他开那辆GL8，这车子说是公司配给田副总的，但其实是给部门公用的，这种聚餐的日子，田副总自然乐得做好人，开口让司机把大家一个个送回去。

车子是七座的，除了代驾司机，就刚好只能坐六个人，作为菜鸟的我乐得识趣，站在街边目送他们的车子渐渐开远，庆幸自己不用挤在车上忍受一车厢的酒精味。

刚想伸手拦出租车，一片雪白色就停在了我的面前。缓缓摇下的车窗里，摄魂怪冷冰冰地吩咐我上车。

如果聚餐也算加班的一种形式，那么现在加班已经结束了，第一天上班就工作了足足十二个小时，我真的已经够敬业了，实在没有义务再单独加班。所以，想让我上车，没门！

既然心里有了决定，既然已经没有了其他同事的围观，我对摄魂怪就没有多一点点继续演戏的心情，依旧抱着那种"有种你把我踢出小组"的心态，一脸不耐烦地看了他一眼，便转身后退到车子遮挡不住的地方，对着马路上闪着车灯的出租车用力挥手。

第三章
摄魂怪

摄魂怪，回去吧，阿兹卡班需要你！我这里已经再没有幸福的温暖可以被你没收！

蜷缩在宽大的车后座上，因为摄魂怪近在眼前，我觉得越来越冷，也越来越想睡觉。

被他那么大力地拎着扔上了车子后，我已经彻底相信他真的就是摄魂怪，是连哈利波特都斗不过的强大妖怪。所以，我唯一能做的就是尽量保持清醒，然后在心底呼唤我的保护神，恳求他来救我：郑翌哲，郑翌哲，郑翌哲，我需要你救我，你听见了吗？

可惜，这个该死的正义哥一直没有出现，就算我已经把他送我的戒指摩擦得都发烫了，他还是没有像阿拉丁神灯里的神仙一样跳出来挡在我的面前，让我只能在摄魂怪的看管下，一路被送到大学宿舍楼前，然后一起站在了宿舍门口。

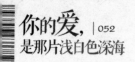

"能自己上楼吗？如果需要，我可以抱你上去。"

自从叶子航来过学校，我真的就没再在学校住过，现在这么突然地回来已经是稀奇的状况了，更别说我身边还有这么一个西装革履、人高马大的型男一直抓着我的手腕，阻止我摇摇欲坠。如此夺人眼球的现场直播谁会愿意错过，在偶遇者奔走相告后，很快，每个窗口都出现了几个黑脑袋，小心翼翼地偷看偷听着。

抬头扫了一眼那些鬼鬼祟祟的脑袋，在等着我回答的沐佐恩不由得满眼戏谑，"看来你在学校名气不小啊！"

用慢一拍的反应瞪了他一眼后，我用力挣脱了他的手，一边努力走直线一边和他说告别语："那是因为麻瓜们不太有机会亲眼看见摄魂怪。早点回去吧，阿兹卡班需要你！"

一直看着江晓卉走"直线"，摇摇摆摆地走进了女生宿舍管理大妈的臂弯内，沐佐恩这才转过了身，重新走向自己的车子。

重新发动了引擎，想着江晓卉口中最后的那句醉话，想着她潜意识里给自己的定义——摄魂怪，沐佐恩再也忍不住嘴角的笑意。

"相信我，去北擎公司后你很快就会遇见你命中注定的那个人。"

脑中，老妹的这句戏谑调侃轻飘飘地飞过，再一次看向任何一间都可能是江晓卉宿舍的那一片宿舍窗口，沐佐恩默默思忖：难道就是你吗？江晓卉，所谓的我命中注定的那个人？

在宿舍大妈的搀扶下，我终于顺利地回到了宿舍，顺利地躺到了床上，顺利地闭上了眼睛，顺利地在脑子里又出现了那个摄魂怪的可怕嘴脸！

猛然睁开眼睛，突然有一股怒气冲上头，我伸手从口袋里拿出了手机，忽略了妈妈的未接电话提示，直接在联系人中找到了郑翌哲的电话，在电话接通后的第一秒就大声开骂："该死的，你在哪里？为什么我叫了你那么多遍名字你都不出现救我？我遇见摄魂怪了你知道吗？我差点就死了你知道吗？你不是黑骑士吗？黑骑士不就是应该在最危急的时候英雄救美的吗？我一直在求你快点出现救我，可你就是不出现，一直不出现！郑翌哲，我恨你！我恨你！我恨死你了！以后你都不用出现了，这辈子你都不用再在我面前出现了，我再也不要见你了，永远不要再见你了！"

一口气大声吼完，情绪过分激动的我突然开始哭，这么多年从来不许自己哭的我因为有酒精的帮衬，开始放肆大哭，直到哭得筋疲力尽，直到直接抱着被子睡着了。

等睡醒睁开眼睛，我揉着疼痛不已的太阳穴，疑惑自己怎么睡在了宿舍里，然后就听到了室友的声音："晓卉，你醒啦，郑翌哲从昨晚起就一直站在楼下，站了一个通宵，你要不要下去和他打个招呼让他放心啊？"

听到室友的话，我愣了几秒。等我努力坐起身从窗口往下望，还真的看见郑翌哲在来回踱步，一副垂头丧气的模样。

他没事来找我干吗？还站了一个通宵，发生什么事情了吗？要是那么紧急干吗不打电话给我呢？难道是因为我睡得太死了没听见他的电话？

下意识地，我在枕边找到了手机，想看看是不是错过了他的电话或者短信什么的。果然，我看到了十几个来自郑翌哲的未接来电提示，还有好几个写着"你没事吧"、"你别吓我，到底出什么事了"、"我马上就到，哪里也别去，等着我"之类的短信。

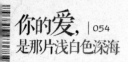

"晓卉啊，你没事了吧？你昨晚对着电话那么骂，那么哭，别说郑翌哲了，就连我们也吓坏了。他来了以后一定要上来看你，可是宿舍大妈就是不许他上楼，我们也没办法，看你睡得很香又不敢把你吵醒，只能答应他等你醒了就第一时间通知他。"

昨晚，我哭了？

所以，脸上的这种紧绷感不是幻觉，而是我真的哭了？

等等，什么叫我对着电话那么骂，那么哭？对着电话？对着谁的电话？晕死！

一头雾水后，我连忙再看手机，果然看见一个长达二十多分钟的通话记录，而电话号码的主人就是郑翌哲。

很想立刻下楼去找郑翌哲解释昨晚我喝醉了，可走到门口，心虚的我又折返回来，小心翼翼地问室友，昨晚我是怎么骂郑翌哲的，因为我真的一点都想不起来了。我很怕酒后吐真言，没少说我心底对他的"累积词汇"。

"你骂他没有及时出现救你，你说你遇见摄魂怪了，你说你差点死了，你还说了好几遍你这辈子都不要见他了之类的狠话。你，真的都不记得了？"

摄魂怪？

啊！

猛然间，我的记忆因为摄魂怪这个词突然接驳了断层，我不仅想起了我搂着被子对郑翌哲狂吼的那些话，甚至还想起了昨晚甩开沐佐恩的手时对他说的最后一句："回去吧，摄魂怪，阿兹卡班需要你！"

想起我醉后的表现那么另类，我真的想死的心都有了。

又看了一眼手机，时间已经接近九点，我慌了神，顾不上室友提醒我先挥手和郑翌哲打个招呼让他放心，就急匆匆换掉了身上满身酒味的白衬衣，穿上一件蓝色雪纺长袖衬衣，简单梳洗了一下，便拿着包冲下楼冲到了郑翌哲的面前。

"晓卉，你没事吧？"

"正义哥，我知道我昨晚醉得很离谱，让你白白站了一夜。我有罪，我很有罪，不过我现在真的没时间对你忏悔，我已经迟到了，我必须以最快的速度赶去公司。这样，今晚我请你吃饭向你赔罪，地点你定，时间的话等我到了公司再和你联系哦。我走了哦，真的对不起哦，我真的真的不是故意喝醉耍酒疯的。"

说完，我用力握了一下郑翌哲的手以示诚意，便向校门口飞奔而去。这个时间，应该很难叫车的，所以，每一秒我都要珍惜。

看着晓卉虽然还有点苍白的脸上又重新出现了清澈明亮的眼神，郑翌哲知道她真的已经没事了，一直悬着的心才放了下来。

原本想跟上晓卉的脚步护送她去公司，可站了一晚、焦虑了一晚的身体似乎有点状况，反正已经得到了晓卉的主动约会邀请，今晚就能再见到她，就不急着朝朝暮暮了，还是去图书馆找个角落睡一会儿比较理智。

一路走向图书馆，郑翌哲再一次回忆起晓卉昨晚对着电话放肆地大喊大骂的那些话，所以，在她醉了的时候，在她有危险的时候，在她最无助的时候，她第一个想到的是自己这个黑骑士？

傻丫头，原来你在潜意识里早已经把我放在了最重要的位置，我却还在患得患失，还在困惑你对我的感情会不会只是阶级友情？好吧，既然你都主动示爱了，我这个大男人也不能太得瑟了。今晚，就让我们把恋人身份彻底地大白于天下吧。江晓卉，今晚在我正式告白后，你就是我郑翌哲名正言顺的未婚妻了。

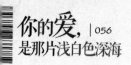

想着，郑翌哲的脸上再一次出现了幸福的涟漪，让他本就是招牌的阳光笑容更销魂了无数倍，让沿途擦肩而过的大一新生学妹们都情不自禁地乱了神魂，再度荡漾了早就准备好在大学里好好恋爱一场的春心……

郑翌哲的这些心思，我当然是不知道的，顺利拦到出租车的我，一路都被"阿兹卡班需要你"的后遗症折磨得生不如死。

就说我是那种会酒后吐真言的人吧，就说不该那么草率地喝下最后一大杯梅酒吧，现在怎么办？覆水难收了吧。

再看手表的显示时间，已经无情地变成了九点半，我已经迟到了整整半小时。现在这个状况，就算一路不堵车，到公司至少也要十点了。

实习第二天就迟到一小时，我还真是有种！

这种表现在任何公司都很有理由被踢出办公室吧？唉，何况我还那么有格调地给沐佐恩取了摄魂怪的绰号。唉，覆水难收啊！

一路纠结着，直到终于站在了办公室的门口，听见办公室里传来昨晚貌似醉得最离谱的小周镇定地汇报工作的声音，我更是只有深呼吸的力气，而没有再跨前一步的勇气了。

"站在门口干吗，等谁帮你开门？有后台的人果然不一样！"

能这么对我说话的自然不是别人，正是摄魂怪，哦呸，是沐佐恩，唉……

再次郑重警告自己再不许让摄魂怪这个称谓出现后，我咬紧了唇，亦步亦趋地跟在了沐佐恩的身后，走进了办公室。

等我们走进办公室，正在向田副总汇报工作的小周自然停顿了一下，所有人的眼神也都自然而然地望向了我——这个今早消失了一小时的菜鸟。

"对不起，我忘记设置闹钟了，所以睡过了头，我一定下不为例。"

错了就是错了，知错能改善莫大焉，这点觉悟我还是有的。所以，面对大家的注视，我鼓起了勇气主动承认错误，然后就是站着等候沐佐恩或者田副总的训斥声出现。

可我怎么都没有想到，等我主动承认错误后，迎接我的会是丁瑛的笑声。而且看得出，除了她，其他男同事也都是忍俊不禁的表情。

"没事，今早看你没能准时上班，我们已经猜到你可能是昨晚有点喝多了。不过，还真没想到小江你人长得可爱，连醉话也那么可爱，竟然让沐总早点回阿兹卡班，哈哈哈。"

被田副总直白地说破后，憋着笑的众人都撑不住了，直接哄堂大笑起来，让我脸红得直接就想钻地洞。此时，我真的很想用杀得死人的眼神去瞪沐佐恩，却实在不敢也没有立场，只能在田副总让我快点坐下开始工作的台阶中讪讪地走到办公桌前坐下，无语地打开电脑，一脸的"冰雹过境"。

"我昨晚把贺总给的资料做了挑选，选了一些重要的内容做成了PPT。小江，你收一下邮件，然后把资料上我用荧光笔做了记号的内容补充进PPT，必须在两小时内完成，这个PPT董事长下午要看。"

"哦，我马上开始做。"

幸好，沐佐恩给了我任务，让我可以不再有闲暇去悼念我的"初醉现形记"，幸好我的打字速度有值得骄傲的资本，所以从我开始输入第一个字到仔细校对完全稿两遍，我都没有用完两小

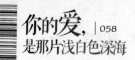

时，成功追回了我早晨迟到的一小时。

可能是没有料到我打字速度那么快，等接过我手中的资料，看过了毫无瑕疵的PPT，沐佐恩抬起头看我的眼中明显带着一丝赞许的痕迹。

"你先去吃饭吧，下午一点把这份资料和这个U盘送到董事长办公室去。记住，要亲自交给董事长本人，别让其他人经手。"

依旧站着，依旧望着沐佐恩，我的情绪又一次被砸到了谷底。什么意思？让我亲手把这些东西交给那个男人？为什么？难道又是那个男人交代的？

不可能，我已经让妈妈转述得很清楚了，我决不要和他见面，也决不要和他们家的任何人见面。别说亲手把资料送到他手里，就是让我把资料送到总办都可能会因此见到叶晓仪、叶知贤甚至席宁姝这些高层。

见我还杵在原地一动不动，沐佐恩抬起头疑惑地望着我，但顷刻间，他似乎恍然大悟了似的，"我差点忘了，丁瑛啊，这份资料你替小江去送。记住，直接交到董事长手里。"

"啊？哦，好的。"

又看了我一眼，沐佐恩用一种因为我而使情况复杂了的不满口气，不耐烦地说："还站着干吗？把资料去交给丁瑛啊，难道这个你也做不了，也要找人替你去做吗？"

其实，我这个人在通常状态下是很理智的，激将法什么的对我根本没用，何况白痴也听得出沐佐恩这句话丝毫不带激将的成分，只不过是单纯的不耐烦，可我还是被激怒了。我竟然忘了我的底线，主动开口拒绝了他的"特别关照"："不用麻烦丁小姐了，我下午也没什么事，我自己去送。"

是吗？你确定？

随着我的表态，在沐佐恩眼底我清晰地看见了这些疑问，这让我本来就有点过分敏感的情绪再一次被最大限度地挑衅。若不是有那个一点钟的前缀在命令前硬生生地限定着，我可能直接就捧着材料大步出门，以显示我有多"确定"。

难怪经常有人说"冲动是魔鬼"，等我在食堂用筷子鼓捣着面前的饭菜，看着时间渐渐逼近一点，才真正意识到我是有多冲动！

如果我猜得不错，别说席宁姝，就连叶晓仪和叶知贤都不一定知道我现在正在公司里和他们吃着一个食堂做出来的饭菜。退一万步讲，就算他们已经知道，也一定不希望看见我就那么大大咧咧地站在他们面前吧。

愿意在心里承认我这个庶女是一回事，愿意公开承认我这个私生女妹妹又是另一回事。何况，我的存在对于公司总经理席宁姝女士来说简直就是各种羞辱中的战斗机，是女人最不能容忍的恐怖片的上限。

而从小就叫嚣骨气尊严大过天的我不但到他家的公司来做一个杂工实习生，还捧着资料像个送快递的小妹一样卑躬屈膝地站在他们面前，要不要再加一句"主子，您的资料我给您送来了"这么有SENSE的台词去PK金钟奖啊？妈的！

可是，这一切都是我自己找来的罪，不是吗？

现在怎么办？除非我立刻人间蒸发，否则我根本没有办法再去拒绝这趟快递差事了。

也不是，还有一个可能性，那就是对沐佐恩讲明一切，然后用董事长庶女的身份命令他自己去送这些该死的资料，反正他早就肯定我是个有后台的主儿，就索性让他直接去见我的后台去。

唉……

要疯了，真的要疯了！

就这样，整整一个小时，我都在捣鼓面前那盘早就凉了的饭菜，一口都没有吃进去，让一大早就开始隐约刺痛的胃再度饿着。直到熬到了逼近一点的行刑时间，我才站起身，把一整盘的饭菜倒进了垃圾桶，还掉了餐盘，蔫着脑袋回到办公室，拿出锁在办公桌里的资料和U盘，走出了门。

"一点零一分，你还真准时，不错，这样的态度才算一个合格的实习生，走吧。"

办公室门口，沐佐恩一边望着腕上的手表，一边调侃我，然后就转了一下方向，貌似要和我比肩同行，先迈出了脚步。

"沐总？"

"哦，我想了一下，这份资料实在比较重要，让你这个刚到公司两天的实习生一个人去送有点草率。所以，我和你一起去，顺便当面感谢一下董事长引荐这么个重要人物来帮助我的筹备组。"

"重……重要人物？谁？"

"当然是贺总，还能有谁，难道是你这个实习生？"

面对我的故作镇静，沐佐恩嘴角微微露出些笑意，让我终于意识到了他刚刚的试探。

唉，看来，我还是暴露了，是吗？

算了，暴露就暴露了！既然他是摄魂怪，在摄魂怪面前哪有可以隐藏的秘密，他爱飘就飘吧，反正我也没有什么快乐幸福可以再被收走了，无欲则刚。

我自己也不知道我心底嘀咕的是些什么跟什么，我只知道随着电梯到达二十八楼的那一秒，我的心完完全全停止了跳动。我这才发现，原来，跨出电梯的这一小步也不是那么容易的。

"如果要回去，现在还来得及。"

身边的沐佐恩似乎看透了我的胆怯，不以为意地试探我的底线。

不用了，用不着，是我自己决定来北擎实习的，她和他们也有权知道我的存在。

想通后，我便越过始终为我固定着打开的电梯门的沐佐恩，先一步跨出了电梯，走在连地砖都写着"高贵"两字的总办专属楼层，我一步步靠近了那扇和群众划清界限的透明玻璃门。

"你好，我是七楼筹备组的沐佐恩，我来给董事长送资料。"

听见沐佐恩自报家门，总办前台的秘书小姐立刻笑靥如花，被烫着了似的站起身，将双手恭敬地放在身前行了一个点头见面礼。

这让我再次确定了沐佐恩的非凡来历。

等秘书进到里间办公区域通传后，我这个公司末等菜鸟便沾了沐佐恩的光，在见到董事长殿下前，先见到了那个我这辈子最不想见到的女人，北擎的皇后殿下席宁姝。

"佐恩啊，你来公司后我一直没时间去看你，还是你有心，主动来找阿姨。"

毫不意外地，席宁姝脸上的亲切微笑因为看见我的那一秒瞬间石化，即使我已经及时低下了头，即使我已经让自己的身子尽量掩在了沐佐恩的身后。

貌似没有看见席宁姝的表情变化，沐佐恩用我从没见过的微笑很绅士地笑着，一秒不耽搁地寒暄起来："在公司我还是和大家一样，叫您席总经理吧。能和北擎合资这个项目，是家父一直的心愿，也是董事长的心愿，我一定会尽全力让这个项目早些动

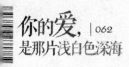

工的。"

"嗯，嗯，是啊，现在向政府拿地越来越不容易了。所以，滨江的那片土地你们一定要尽早落实初步意向才是。你父母这阵子都不在国内，需要的话，我和你叶伯伯随时可以出面支援你们去应酬。"

"我明白。"

"叶伯伯正等着你呢，快进去吧。"

她，始终还是席宁姝，始终还是有着皇后殿下般的姿态与气场，就在她轻松的话语间，我眼睁睁地看着她把我手里的资料和U盘转手交给了沐佐恩，然后看着沐佐恩在前台秘书的引领下独自走进了董事长办公室，单独剩下我直挺挺地站在她的面前。

"怎么回事？"

幸好，我也还是我，还是那个敢伸腿踢得她脚踝骨裂的江晓卉。所以，当她卸掉了虚伪的笑容冷冰冰地对我先开口后，我便也大方地抬起了头，尽可能简短地告诉她现状："有个有权有势的人不遗余力地切断了我去其他公司实习的所有机会，而我需要一个实习成绩才能拿到学位和文凭。我现在是沐总身边的实习生，实习期三个月，所以我陪着他一起来为董事长送资料。"

隔墙有耳，我的态度和我的迫不得已她听得懂就行了，多说无益。

"佐恩管着的这个项目是集团今年最大的一笔投资，佐恩是我们合作方沐锶集团的长子，原本我想让晓仪或者知贤去筹备组帮忙，但是董事长不同意，说这样显得我们对佐恩不放心，而且也不利于佐恩开展工作，毕竟他的身份至今为止只有总办的人清楚。既然董事长处心积虑地把你安排进工作组，一定有他的理由，你好好工作就是了。"

"我最多实习三个月，三个月后我就……"

"实习成绩重要，工作经验也重要，董事长一会儿有视频会议要开，佐恩应该很快就会出来，我还有事，你自己坐一会儿吧。"

"嗯。"

"还有，既然佐恩都知道在公司要称呼我一声席总经理，我希望你也可以。"

我发誓，我真的很想用这一声公式化的"席总经理"来结束我们的对话。可是，所有的声音就那么梗在了我的喉咙里，死死地卡在我的喉咙里，直到席宁姝转身离开了我的视线，我依旧梗着喉咙哑巴一样，依旧只是那么木然地站着。

席宁姝说得没错，沐佐恩果然很快跟着秘书小姐一起出现在我的面前。既然此行目的已经达到，我便跟着他一起重新回到了办公室，重新坐回到我的办公桌前。

一个下午，沐佐恩都没有安排我做什么事，而我就那么静静地望着电脑发呆，握着鼠标的手一次次机械地按动着左键，把黑屏了的电脑重新点亮。

我不知道田副总和其他同事是什么时候走的，我甚至没有听见他们和我打招呼的声音，如果不是面前的沐佐恩也关掉了电脑，站起身貌似要下班的样子，我都不知道时间已经不知不觉过了晚上八点。

"以后，如果我没有特别交代你留下来，下班时间到了你就可以回家了。"

"啊？哦，知道了。您没什么事要我做，那我下班了。"

茫然地站起身，茫然地拿起椅子上的包，茫然地转过身，我的手臂被一股大力握住了，他的脸上又出现了摄魂怪的冰冷表情。

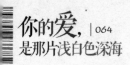

"您？"

要不是沐佐恩加重语气重复，我都不敢相信我竟然对他用了"您"这个字眼。

"江晓卉，我们把话说开了吧。你应该也已经知道了我是谁，既然这样，我们彼此就没有隐瞒身份的必要了。"

"你，知道了？他告诉你了？"

"不就是被未来婆婆刻薄了一把，你竟然一个下午都魂不守舍，既然这点打击都承受不了，何必妄想嫁入豪门？你该明白，灰姑娘的故事只适合写在童话书上。"

未来婆婆？灰姑娘？嫁入豪门？难道他以为我是……

"并没有人告诉我你是谁。不过，白痴都看得懂席宁姝眼里对你的不友好，故意把我支走后，她对你说的那些话应该不会很好听吧？否则，你也不会一下午都是这副人在魂不在的样子了。"

见我没有否认他的推测，沐佐恩这才放开了我的手臂，用和我紧贴的距离向我倾下身体，在吓得我本能地伸手抵挡他的靠近后，才平移了上身，靠向办公桌伸手帮我关了电脑，这才继续说出他的后一半论断："我手里这个投资项目是我们两家都砸断了全部后路才狠下心开始的计划，能把你这个尴尬人物安排到我身边，还指明我带着你到处去见大佬，叶伯伯的态度已经很明白了，既然两老的其中之一已经被你搞定，再搞定另一个不过是时间早晚的问题。"

重新站直了身子，和我再次恢复了合理的距离，沐佐恩的脸上竟然出现了友好的微笑，让他一向冰冷的整张脸反而出现了更诡异的效果。

"难怪你能那么嚣张，你的后台还真不是一般的强悍，果然不是个能被轻易踢走的角色。既然这样，就安心跟在我身边好好工作吧，以毒攻毒向来是最有效的方式，如果席宁姝真的是为了钱否认你，给她送十几亿的见面礼不就行了？"

"十几亿？"

"美金。"

就这样，在我被十几亿美金的天文数字震撼的同时，沐佐恩彻底把我的身份确定为叶家未来长媳、叶知贤的未婚妻这个莫名其妙的角色上。

而我懒得去解释，也实在不想去解释，将错就错地默认了我的灰姑娘身份，要知道，灰姑娘实在比我的真实庶女身份高贵得多，也清纯得多。

"见过你大姑子了吗？"

"谁？"

一起走出办公室，站在电梯厅里，面对沐佐恩突然的提问，我的反应自然迟钝。

"我们两家虽然不是很熟，但我知道叶伯伯有两个孩子，除了你的未婚夫叶知贤，还有一个女儿叶晓仪不是吗？"

未婚夫？叶知贤？切！

通过电梯门的镜面反射，沐佐恩当然没有错过我眼神的些微变化。

"钻戒都戴上手了，应该是求过婚了吧？"

哦，原来是因为我手上这枚黑骑士幸运戒指。

等一下，天，我还和郑翌哲说好一起吃晚饭的，感谢他昨晚在我宿舍外守候了一个通宵，完了完了，我竟然全部忘记了。

发现自己的大意后，我连忙去包里翻找手机。果然，手机上的来电显示数量又是一个惊人的数字，短信息打开后，更是夸张

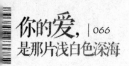

地拉伸了好几个页面。

"电梯来了，你走不走？"

"我还有点事，你先走吧，明天见。"

"嗯，明天见。"

一边向沐佐恩告别，一边拨通电话的我差点被电话里郑翌哲的吼叫声震破耳膜。

"江晓卉，你终于知道接电话了吗？我以为你真的被摄魂怪抓去阿兹卡班了！"

"喂，你吼什么啊？我耳朵聋了你能多长块肉啊？我又不是故意的，手机开振动了，我刚好在发呆，对不起行了吧？你还吼，吵死了。"

直到电梯门在自己眼前合上，沐佐恩还能隐约听见江晓卉耳边手机里传出的低沉吼叫。虽然听不清对方在吼什么，但至少能知道对方应该就是叶知贤，江晓卉那枚戒指的主人。

看着电梯里镜子中的自己，沐佐恩不由得好笑自己的粗心，竟然没有早些看见江晓卉那枚晃眼的戒指，竟然还以为这个江晓卉就是所谓自己命中注定的那个人。

这孩子身上确实有种与众不同的气息，和他以往接触过的女孩子都不一样，绝不是因为她来自寻常人家，是所谓的灰姑娘。

大城市里的孩子基本都是家里捧在掌心的公主王子，反倒是他们这些所谓豪门里的孩子因为家长的终年忙碌，还有身边人习惯用小心代替真心的相待，才会比寻常人更习惯独立，安于寂寞。

寂寞！

是的，就是这个！

终于，沐佐恩还是找到了从昨天初见面就被江晓卉莫名吸引的全部理由，是因为她的小宇宙和他属于同一个频率，他们都是安于寂寞并且享受寂寞的同类。

坐进车里，呼吸着依稀还有一股淡淡幽香的空气，沐佐恩脑中不受控制地又想起了昨晚那个摇摇晃晃的纤细背影，还有她那句好笑的告别语："回去吧，摄魂怪，阿兹卡班需要你！"

"这就是你所谓的酒后吐真言吧？江晓卉，你还真够狠的。好吧，既然我们没有缘分，我就安心当我的摄魂怪，继续等着下一个同类路过我身边。"

坐在公司附近的快餐店里，握着一个汉堡的我不停地打了好几个喷嚏。

刚取了蘸酱回到我身边的郑翌哲抓住了完美的时机，很不客气地开口挖苦道："哟，才分开几分钟啊，你家摄魂怪上司又开始思念你了不成？"

狠狠瞪了他一眼，被汉堡的香气提醒已经一天没吃东西的我根本不舍得再折磨我的胃，便大口地将一个辣汉堡三下五除二地解决了大半，而郑翌哲才刚打开了一个蘸酱小盒子的盖子。

"埃塞俄比亚难民都不至于像你这么猴急的。你嚼了没啊，就那么吞不怕噎着啊？"

"我早饭中饭都没吃，饿死我了。不行，貌似真噎着了，水，快给我水！"

伸手递给我一杯冰可乐，听见我一天没吃饭，郑翌哲的表情自然不会和谐。

"你们公司不给员工吃饭，还是你这个实习生工作多得连吃口饭的时间都没有？"

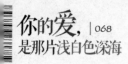

"和别人没关系，是我自己吃不下。唉，不提也罢，反正都过去了。"

说完，我继续把剩下的汉堡吞完了事。胃里有了一个汉堡垫着后，这才伸手拿了一块辣鸡翅开始细细品尝，顺便慢悠悠整理之前沐佐恩对我说的那些和平相处提议。

"又都过去了？你还真的每次都能'过去'得顺顺当当。我这个所谓的黑骑士在你身边不过是个跑腿的，你从来就没有真把我当个男人看待。"

郑翌哲的不满意，我当然理解，看着他的介怀表情，我心底多少有点愧疚。但是，我的那些"过去"、"过不去"真的不是和同学拌拌嘴、堵堵心，或者和上司闹个情绪这么简单的小事情。就算他已经知道我的状况，也一样没有办法替我去走我脚下的路，不是吗？

就像我被那个男人处心积虑地安排在这个办公室，轻轻巧巧地取代了晓仪和知贤才该有的地位，开始接手集团最大投资项目的筹备，他的目的一定不会是想让我这个庶女累积宝贵的实践经验那么简单。

看来，妈妈说他坚决离婚的事是真的，他应该不只是想和席宁姝切断婚姻关系，还想把她直接从公司架空，逼她知难而退、识趣走人。他不让晓仪和知贤插手这个项目，应该就是担心席宁姝会利用这个项目打击报复或者威胁他。

他还真是个可怕的男人，只不过是为了让我这个倔强的女儿认祖归宗，他竟然不惜和一个和他做了几十年夫妻、为他生了两个孩子、操劳了半辈子公司业务的女人恩断义绝。

"我本来已经订好了外滩江边的一家意大利餐厅，决定就着贼贵的一餐牛排和烛光向你正式告白，可我算看明白了，在你眼里我只是你妈发小的儿子，对你的意义充其量只是一个可以凑着头吃快餐的姐妹，别说那些锁在保险箱里的心事，就是你在公司里发生的小事，你也觉得不需要告诉我，你可以靠自己过得去，是吧？"

一把抢过我握在手里许久都一口没咬的鸡翅，郑翌哲貌似真的火了。

"我昨晚整整一个通宵都不敢挪一步，就怕你半夜酒醒了会做什么傻事。因为昨天是你第一天到北擎上班，到他的虎穴自投罗网，天知道会发生什么事情，所以我一直守着你的电话。然后，你一醒过来就一脸没事人似的继续上班去了，让我一晚上的担惊受怕一瞬间变得一点意义都没有。这也就算了，至少你终于主动开口约我了，所以我又傻兮兮地守了一整天的电话，就连去图书馆眯上一会儿都不敢真睡着。结果呢？结果是什么？结果是你又开始自己发呆外加一脸菜色。江晓卉，把心里话说出来有那么难吗？多大点事啊，需要这么吞着、咽着、梗着吗？这年头没了谁地球不也还是继续转，第一天喝醉，第二天不给吃饭，那什么摄魂怪明摆着是叶子航安排来折磨你的，你怎么就不知道三十六计走为上计？我就不信了，这年头还有牛不喝水强按头的？"

"说够了没？说够了吃你的汉堡。"

若不是顾念郑翌哲昨晚为我站了一个通宵，我真的没有这么好的忍耐力。在周围桌纷纷向我投来异样的目光，在他大声念出那个男人的名字刺激我耳膜之后，我还能心平气和地妥协，可对面这个人丝毫不在乎我给的面子，竟然继续得寸进尺，甚至踩到了我的极限。

"晓卉，你别怪我今天话多了，很多事说开了也就云淡风

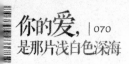

轻了，其实你妈妈早在两年前就把你的事告诉了我妈。如果我没有猜错，叶子航一定是不爽你在你奶奶葬礼上对他们一家人的态度，所以才会这么耍狠地找你麻烦，而你夹在你妈妈和他之间自然为难。我也知道，再怎么说，他也是你的爸爸，所以你表面再冷心里……"

突然，他在滔滔不绝的陈词中闭嘴，是因为看见我拔下了手上的戒指放在了快餐盘里，是因为他终于看懂了我清晰写在眼底的不相往来。

"大家把话说明白了也好，郑翌哲，我们到底是多年的朋友了，我心底对你确实藏着话没错，只不过你一直误会了，其实你们一家人才是让我因为妈妈为难的正主，还有……"说了这句"还有"，我忍不住深吸了一口气，这才有足够的勇气把最后的话说出口："这家快餐店就在北擎边上，店里现在坐着的可能不少是北擎的员工，不过我并不介意让人知道——我，江晓卉，是叶子航的情妇为他生下的私生女，因为这从来不是我硬要藏着的什么心里话，我只不过不想把这身份贴在脑门上，仅此而已。谢谢你请我吃饭，我现在回去了，如果你想送我也行，但最好还是让我自己走，免得我们留给彼此的最后记忆是尴尬的。"

"晓卉……"

"朋友也好，仇人也罢，至少要彼此真的了解，既然我们都不了解对方，何必牵强地做朋友？别固执了，真没意思，走了，结婚记得发喜帖给我。"

如果说这次"分手"还能有点温馨的痕迹，那就是郑翌哲没有无聊地追出快餐店，没有让我再费心思让他明白我不是在"闹情绪"、"借题发挥"。

刚入秋，秋老虎的威力在白天依旧威猛，但一旦进入只有月亮管辖的夜晚，吹在身上的风便多少有了些凉意。我只能再次奢侈地挥手叫了出租车，花了四十多块才回到家，站在了那幢只有一楼还亮着灯的别墅前。

可别小看了这个亮灯的细节，十几年来，这可是我和妈妈之间心照不宣的暗号。虽然我基本都住校，但还是有需要回家取东西，或者因外出活动而回家睡觉的时候。而无论白天黑夜，只要别墅一到三层的所有灯都被打开了，那就说明，家里有那个男人或者和那个男人有关的不速之客在。

幸好，今晚迎接我的并不是灯火通明，让我不用识趣避开，让我可以走进屋子去顺利完成我的道别。

走进门，我一如往常地用一声"我回来了"让坐在客厅里的妈妈快速迎到了门口，接过我手里的包，让我可以腾出手换拖鞋。

"你总算回来了，我正担心你呢，听哲哲妈妈说你昨晚喝多了，哲哲去宿舍守了你一夜。你的手怎么这么冷？你一个人回来的？不是说哲哲和你今晚一起吃晚饭吗？他没送你回来？"

血缘亲情还真的是宇宙中最最神奇的一种关系，现在站在我面前的这个女人明明是给我最多痛苦的女人，明明每做一件事都会伤害我，明明说的每句话都会让我生气，可我依旧没有办法像对其他人那样狠下心来对待，就连大声一点顶嘴都做不到。

不过，今天我要破戒了，就算明知道我接下来说出口的话一定会让她情绪激动，甚至痛哭当场，但我还是必须快刀斩乱麻。这些年，她做错的事已经够多了，她真的没有资格再去伤害别人了。何况，她并不是一个天生的恶人，在她伤害别人后，她承受的痛苦从来不比别人少。

"妈妈，就算你心里真的觉得做有妇之夫的情人没有什么难

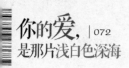

堪的，就算你一直相信那个男人对你是真心的，我也求你偶尔去想想你们之外别人的处境。我今天才知道，那个男人背着席宁姝把我安排在了一个很重要的位置上，估计是因为席宁姝不肯轻易离婚他才做好了鱼死网破的最坏打算。没错，从你这里看，他真的足够有诚意了，但是对席宁姝，对晓仪和知贤来说，他这么做又算什么？你已经抢走了她完整的婚姻，抢走了她孩子完整的家庭，怎么还下得了手去抢走人家最后一份尊严？妈妈，你不是自称很爱那个男人吗？难道你真的不担心那个男人遭天谴最后不得好死吗？"

"卉卉！"

"还有，刚才我确实是和郑翌哲在一起。就在那个男人公司边上的快餐店，郑翌哲对我说，你早在两年前就告诉他们我是私生女，所以他让我别藏着掖着了，说这事没什么大不了的。是啊，除了重新投胎这一条路，我还真的就没办法不是那个男人的私生女，但我至少还能选择自欺欺人地活着。所以，拜托你让我也留下这最后一点尊严，让我能只做你江媛的女儿，不去做谁谁谁的女儿。"

我的语调很平静，但妈妈的脸上已经开始滑落眼泪，这让对这一切看得麻木的我再度加重了不耐烦感，只想尽快结束这一切。

"我今天回这里是要亲口告诉你，这一切是因我而起，所以我不会眼睁睁看着那个男人继续造孽。他是不是会坚持离婚我不管，但只要你们决定结婚，我立刻和你断绝母女关系。妈妈，这辈子你也贪心得够多了，做人还是要有点良知的，所以，在那个男人和我之间，你只能选一个。"

随着一声响亮的耳光，我的脸上多了一个清晰的红色掌印。

因为对这个大力耳光突袭的毫无防备，我的身体重重地侧向一边，重心自然不稳，一个趔趄后便侧身倒在了地板上。

"子航，你疯了？"

根本无法相信我看见的一切，在我面前竟然真的站着那个男人。而他貌似还对刚刚挥下的那个巴掌并不满意，要不是妈妈正死命拉着他，他应该还要继续补上第二个、第三个耳光……

他怎么会在房间里？看样子，他应该从我一进门时就在，为什么他在的时候不把房间的灯都打开？为什么不在我回家的第一时间就告诉我他在？难道是故意骗我进门让我和他不期而遇？

妈妈，你这样做可以啊，即将要做叶太太的人到底不一样了啊，很好！很好！

放下本能抚在脸上的手，我重新站起身，把下巴尽力抬到可以用视线鄙夷他们这对深情鸳鸯的最佳角度，"你在就最好了，免得她转述这些话的时候少了字、缺了标点的留下遗憾。看来，你们还真是决定要在一起了，那我这个外人也该识趣避嫌了。我明天就会去打听断绝母女关系的手续，如果需要去法院办流程的话，也希望江媛女士能尽力配合。还有，叶董事长，明天起，我还是会按时去你的公司实习，如果不想我故意去搞砸你切断后路、孤注一掷的投资，你最好别让我在三个月内听见一点点关于我身份的流言。我身体里多少还遗传了你的黑血基因，真被逼急了，我也会学你一样玩鱼死网破。"

说完，我便捡起掉在地上的包，也懒得回房间打包我的行李，直接冲出了别墅，离开了那一对"璧人"。

"子航，你别追了，你们今晚都太冲动了，这样只会把事情搞得更僵。大家都先冷静一下吧，子航，我求你了！"

即使隔着门，我还是听得见房间内妈妈苦苦哀求那个男人的

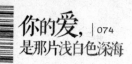

颤音。那个男人估计摔了玄关上的花瓶出气，那声清脆的玻璃碎裂声音丝毫不比他挥在我脸上的巴掌差多少。

小区门口，停着好几辆亮着空车顶灯的出租车，有一辆还是刚刚送我回来的白色世博车，可我没有上任何一辆出租车，只是在路灯下漫无目的地走着。

比先前更凉的夜风肆意地吹在我的脸上，中和了那股持续的烧灼疼痛。

终于自由了，把妈妈交付到那个男人手中后，我的人生彻底改变了！

难怪我的身心都变得轻盈了，就连脚步都变得轻盈了很多。今天真是一个值得纪念的好日子，没有了郑翌哲这个啰唆朋友，没有了妈妈这个沉重的负担，江晓卉，你终于真正自由了，恭喜你！

等一下，我还没有真的自由，因为他们还能找得到我。

口袋里手机的疯狂振动，让我好不容易舒缓的面部表情又一次多了些厌恶。拿出手机，我根本不想去看手机屏幕上的任何提示，直接就把手机扔向了街边的草丛，然后继续轻松地走着，一直走到一公里外的一个公交车站，才在明亮的广告屏幕前的铁皮椅子上坐下休息。

难怪我觉得脚步轻松，直到我坐下后，才发现我脚上一直穿着拖鞋。自嘲似的笑笑，我伸出脑袋对着这条寂静的街前后张望了一周，看见方圆百米貌似都没什么活人会路过的样子，这才安心地继续坐着，思忖着我该去哪里安顿我的今晚。

宿舍是一定不能回去的，先不说郑翌哲很可能会守株待兔，就是我昨晚的醉酒表现也让我实在没脸再回去接受大家的注目礼，何况，我还穿着这双可爱的拖鞋。

　　怎么想都只有去找家酒店先住下再说，等明天下班后再去找房子。想着，我便仔细看了一遍公交车站的线路示意图，然后倒了两辆车，沿途找了一家小店随便买了双便宜的新皮鞋，然后在公司附近的一家便捷酒店开了房间。

　　洗了澡躺到床上后，我始终睡不着。可能是之前的汉堡吃得太猛太快，也可能是吹了一路的冷风，我的胃开始一阵阵痉挛。好不容易找到酒店安静地躺下的我实在懒得出门找药店买胃药，就弓着身子按着胃忍着痛数着山羊，熬了半小时后，也就睡着了。

　　因为酒店离公司很近，又有叫早服务，我提前一刻钟到了办公室。用实习生该有的觉悟，我很主动地用抹布将每个人的桌面都擦了一遍，然后对每个进门的前辈都带着微笑礼貌地问安。

　　一视同仁地，我对进门的沐佐恩问安时一样报以绚烂的微笑。

　　而他的反应却是吓了一跳，貌似我的笑有什么诡异的目的。

　　不给礼貌的回应也就算了，至于摆出这副"一大早见了鬼"的表情吗？切！

　　忽略掉沐佐恩的反应，我去饮水机前给自己泡了杯香浓的速溶咖啡，便回到座位上入定，等候一屋子的主子哪位先给我下达今天的工作任务。

　　"沐总，行政那边群发的邮件你看了吗？"

　　听到田副总的提醒，我连忙打开企业邮箱，果然看见一封群发邮件通知。打开后，我便看到了一条让整个集团管理层脑门前炸开烟花的人事特令：

　　"叶知贤先生已于近日加盟我司，其职务为董办秘书处副秘书长，为帮助叶先生熟悉集团各部门业务开展情况，叶先生将于

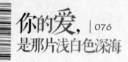

九月六日起到各部门进行挂职轮岗（除商业地产筹备组外），集团各部门请做好协助工作，具体计划请各部门负责人详见周一董办例会记录。"

"哟，太子爷终于开始亲政了？怎么这么快，不是说十月份才回来吗？"

"刚好老太太走了，太子爷回来参加完追悼会，估计也就顺势提前回归了。"

"嗯，幸好我们这里除外，算是逃过这次大检查了。我可没有忘记三年前长公主挂职轮岗一圈后，裁员了十几个中层，当时的场面那个震撼啊。"

要不是被对面那两道火辣辣的目光射得有点眼晕，我都差点忘了我在某人眼中的身份是"未来太子妃"。难怪他要观察我的表情，估计是期待我出现因为我的"亲爱的"被那句"筹备组除外"的限制而不能一起办公的遗憾表情吧。

随着两声礼貌的敲门声，当大家的眼神随之集中到本就大开着的办公室门口时，我看见了一张熟识的脸。除了我和沐佐恩，整间办公室的人立刻光速般地站起身，在办公桌后恭敬地迎候人事总监带着太子爷大驾光临。

"打搅各位了，今天是叶知贤先生第一天到集团，所以到这里和大家见个面。叶先生，这里就是一个月前刚组建的筹备组，主要负责商业地产的前期筹备工作，我给您介绍一下工作组的成员。"

"不用了，别因为我的好奇心打搅大家的工作，因为这个筹备组是我唯一不用轮岗的部门，因为没有机会和大家共事，才想过来打个招呼，你们忙吧。"

虽然慢了一拍，虽然心底感叹"说曹操到，曹操就到"的神奇力量，我还是随沐佐恩一起站起了身，一起面向大门口静静接受太子爷的高贵视线。

只是看似随意地全景扫视了一番，我便重新看见了十年前那个随手捡起石子便大力扔向我的可怕孩子，而我的唇间似乎又感觉到了那股血腥的气息，让我一直隐约痛楚的胃部猛然一阵痉挛，痛得令我都有些站不稳，只能伸手扶住桌角偷偷借力。

幸好大家都还处在太子爷圣驾亲临的兴奋情绪里，没有人注意到我的不自然，更没有人会想到这个一身银色西服，手长脚长的优雅帅哥曾是一个只会扯着喉咙大叫"我要砸死你"的打架常败将军。

等太子爷终于离开了我们这间简陋的办公室，大家才都唏嘘着坐下，开始议论"知贤比去年尾牙时更帅了"、"一回归就有储君气势"、"人靠衣装"等恭维话。而此时，心底各自有小九九的沐佐恩和我自然而然地接驳了视线。

胃又是一阵绞痛，已经没有了叶知贤这个刺激源，我的胃痛应该是因为刚刚喝下的半杯咖啡吧。我还真是活该，明知道咖啡刺激性很大，还那么不怕死地自我虐待。

"小江，你现在有空吗？"

"有空的。"

"麻烦你把这些资料复印一式十二份，然后把七份送到工程部，五份送到预算部。"

"好的，我现在就去。"

当我快速走到田副总的身边接过他手里的一大沓图纸档案时，坐在附近的丁瑛忍不住开口问我："哟，小江，你的脸色不太好，是不是哪里不舒服啊？"

"小丁这么一说还真是，大概是空调太冷了。小周，你去

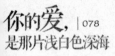

把中央空调的通风口关掉两个，我穿着西装都觉得有点冷飕飕，小江只穿一件衬衫一定架不住。小江啊，以后有什么就直接说，身体是革命的本钱，你倒下去了，我们就缺少一个革命好同志了。"

"我真的没事，谢谢田总。"

不仅嘴上说没事，我还让自己努力露出"真的没事"的笑容，抱着那沓资料走到了办公室隔壁的小会议室的复印机边上，先拆资料上的图钉，然后抽出夹在中间的好多张A3图纸展开做记号，最后才将一沓资料放入复印机上方的自动复印区。

接下来的时间，我只需寸步不移地站在复印机前随时准备补充复印纸就行了。复印好的资料带着温度一张张出现在我的眼前，很有催眠的效果，让我的思绪很自然地飞远了。

叶知贤这小子只比我大三岁，但他从小到大就没成熟过，脑门上刻字般招摇地写着"幼稚"两个字，但今天他看我的眼神中却出现了一个成熟杀手的可怕眼神。

看来我猜得没错，叶家因为那个男人的一句离婚，早已裂痕满布的那幢房子可能连房顶都掀了。万幸的是，叶知贤看见我的那一秒眼底没有惊讶只有愤怒，至少说明他们都知道了那个男人的险恶用心，有一子一女的贴身保护，又有了心理准备，那个男人要完胜席宁姝的可能性至少下降了不少百分比。

出于本能，当我再次想起那个男人，我的手便在同一秒抚上了脸颊，似乎那股火辣辣的感觉又一次攀爬上了我冰冷的肌肤。

"身体痛了，心就不痛了！"

不知道写这句话的人是不是真的经历过心痛的极限，反正在我的人生里，从没有因为身体的痛苦而减弱心痛的记忆。与之相反的是，每每当我受到病痛的折磨时，心痛便会加倍袭来，就似一定要逼得我彻底崩溃般。

　　胃部一阵阵的绞痛让我渐渐浑身无力，而脚上这双不那么合脚的廉价皮鞋也开始配合地锦上添花。忍着痛，花了一上午把所有图纸复印装订好，等我将资料分别送到工程部和预算部，已经过了饭点。反正被胃痛折磨得惨烈无比的我根本不想吃任何东西，便选择了净饿治疗法，回到办公室里一杯杯地灌着温水。

　　下午，作为年轻女性代表，我和丁瑛被公关部邀请去观摩了集团的一个境外路演的预演，填写了直观调查问卷，还穿了一身又一身的礼仪服装做了一回活体模特。为了感谢我和丁瑛的配合，公关部总监盛情邀请我们两个出席部门聚餐，丁瑛自然乐意，而我却婉拒了。不是我不给面子，只是今晚的我实在心有余而力不足，连找房子、买替换衣服这些必须完成的事我甚至都想放到一边，一心只想早些回到酒店躺在松软的床上。

　　回到办公室，除了沐佐恩依旧在电脑前敲击键盘，其他人貌似都下班了。拿起包，我对沐佐恩虚弱地打了个招呼，便离开了办公室，走出了大厦。

　　可我怎么都想不到，我还没走过第一个红绿灯，就有一辆银色的跑车突然停在了我身边，因为刹车过猛，轮胎和地面摩擦出了一声刺耳的噪音。

　　"上车，我有话和你说。"

　　跑车很低，我稍稍低下头便看清了对我发出邀请的车主人的脸。随着摇下的车窗，那股浓郁的杀气更是直接溢出车外，穿透了我的身体。

　　我当然知道，该来的怎么也逃不了，可我今天真的没有力气迎战。暂时我还不想死，更不想就这么简单地死在他的手里。所以，我决定无耻地逃避一次，就一次。

见我对他的喝令充耳不闻，叶知贤自然不肯罢休，打开车门便冲下了车，大步走到我面前挡住了我的去路，再一次重复了他的"邀约"。

"今天先放过我，我真的没有力气和你说什么话。"

我以为我的休战态度至少会催醒叶知贤的一些理智，可惜，叶知贤根本不把我的话放在心上，伸手便大力地将我推向车。已经浑身瘫软的我自然抗不住这一把猛推，只能任由身体重重地撞在车上。

应该是没想到从小花木兰一样的我会突然变得这么"娇弱"，下了重手后的叶知贤愣是定格了几秒，才又大步走到车边，伸手打开车门，一副要继续耍狠直到把我顺利塞进车里的暴君架势。

同一秒，一抹白影闪过了我的视线，又是一声刺耳的刹车声引来了路人的侧目。

"小江，让你在地库出口等我，你怎么自己走到街边来了？"

我应该不是眼花吧，车上走下来的真是沐佐恩吗？

然后，我是幻听了吗？他究竟在说什么？什么地库出口，临走时难道他吩咐过让我在地库出口等他？

随着我茫然表情出现的是叶知贤戒备和充满敌意的视线，他的手依旧牢牢握在我的手臂上。因为太过用力，我的手臂已经出现了些淤青，让走近我们身边的沐佐恩不由得皱起了眉。

伸手，用了不小的力气，这才从叶知贤的禁锢中救出了我。沐佐恩站在我和叶知贤中间，很是坚定地护着我，让我终于能从叶知贤浑身上下源源不断散发出的杀气中解脱出来。

"叶先生，如果你有事情要找小江聊，请明天上班的时候再找她吧。我们还有工作没有完成，先走一步了。"

"沐佐恩，我知道你的来头不小，但请你不要插手我们家的私事。"

"你误会了，我不想去干涉任何人的任何私事，我也不清楚江晓卉小姐和你之间有什么关系，但在公司她是我的下属，没有我的许可，她没有义务去听从其他人的命令。"

面对沐佐恩的官方辞令，叶知贤暂时找不到理由再争论，只能将视线再度转向躲在沐佐恩身后的我，用充满鄙夷的眼神秒杀我的尊严。

"江晓卉，你还真是青出于蓝，才上班两天就找到了厉害的主下手，而且看似效果还很显著。OK，我不耽误你们工作，我们明天见。"

说完，叶知贤便不再看我一眼，重新回到车上猛踩下了油门。因为跑车的突然霸道起步，让路上其他车辆都只能急速刹车或者临时变道才避免了碰擦。

直到他的车子消失在视线内，我才真正松了一口气，将眼神飘回到了身前沐佐恩的高大背影上。

"你不像个会多管闲事的人。"

转过身，接上我的视线，沐佐恩的眼中依旧留着对叶知贤的敌意。

"我只是看不惯对女人一而再下狠手的男人。"

"一而再？"

"以后涂胭脂至少记得两边脸均匀，别让一边脸红得像被人扇过巴掌一样。"

听到他拆穿我，我本能地伸手遮住了脸颊的一侧，一阵心虚。早晨照镜子前我不是没看出一边脸颊的略微红肿，但这点痕

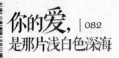

迹，只要不仔细观察根本不明显。

"上车吧！"

听到沐佐恩的吩咐，我大脑再次慢了一拍，思忖着既然叶知贤走了他还要我上车的理由。就是这一秒的耽搁，我的手便被沐佐恩很自然地握在了掌心，然后被带着走到了他的车边。

并不是第一次被男人握住手，郑翌哲这小子之前动不动就爱玩"我女人"这招，可不知道为什么，当沐佐恩握住我的手时，我的心猛然间狂乱地跳动了起来。下意识地，我试图抽回自己的手，却被他更大力地握在了掌心。直到把我送上车，他才放开了手。

在沐佐恩的意识里，我应该是叶知贤的"未婚妻"。就算看不惯叶知贤对我施行家暴，我的身份还是叶知贤的女人不是吗？他怎么可以握起我的手还这么一副顺理成章的样子？

虽然心里还是有牵手后遗症的慌乱在延续，可在他替我关上车门，然后绕到车子另一边上车后，准备要为我绑上安全带而靠近我时，我还是及时醒过神，大力地将他重新推回到让彼此感到舒适的安全距离。

"这里到最近的医院至少有二十分钟车程，你最好还是系上安全带。"

"医院？"

伸手替我翻开了正前方的镜子，又握着我的下巴逼我看向了镜子后，沐佐恩这才没好气地继续说道："你自己看看你的脸色，一个实习生，工作第一天迟到，第二天全天灵魂出窍，第三天准备昏倒在公司门口让救护车直接来接你吗？"

"没那么严重，我只是有点胃疼，吃点药睡一觉就行了。"

见我不再那么充满敌意，沐佐恩也就不再针对我，也懒得再管我是不是愿意系上安全带，直接踩下油门，开往了就近的一家私立医院。监督着我在护士的陪护下做了好几项检查，又替我付钱取了药，带着我去医院边上的一家茶餐厅吃了点清淡的晚餐，看着我吃下了药，沐佐恩又和我一起站在了他的车边。

没有再逼我上他的车，沐佐恩算是又恢复了他的绅士风度。

"你是我的属下，即使只是实习三个月，也有义务尽最大努力好好表现。至于你的私生活，今天我是第一次也是最后一次多管闲事，希望你自己能早点处理好，别再影响工作。这里打车很容易，你自己回去吧。"

"嗯！"

至少应该说声谢谢吧，但我却只对沐佐恩点了点头，轻声嗯了一下便算是答复了。幸好他也没计较，直接开车走人了。

有了特效药的安抚，胃里终于停止了胡闹。我漫步在街上的双脚也不再那么无力，甚至都有兴致抬头望一眼那弯新月，唏嘘一把阴晴圆缺。

"江晓卉，你还真是青出于蓝，才上班两天就找到了厉害的主下手，而且看似效果还很显著。OK，我不耽误你们工作，我们明天见。"

一个人走在路上，我又想起了叶知贤临走时甩下的这句狠话。他话语里那句青出于蓝的定义实在致命，一剑封喉也不过是这种效果吧！

青出于蓝？

也就是说我会比妈妈更有威力？如果一样有个家庭美满幸福的男人被我看上了，他一定不会像那个男人一样，只是愿意花钱养一个不能抛头露脸的情人和一个倔强私生女，他应该会为了我第一时间就抛妻弃子、翻脸无情吧？因为只有这样，我才算真的

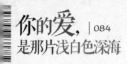

青出于蓝，也只有这样，我才能算真正的无耻下贱，不是吗？

终于，我的眼中还是出现了那种令人厌恶的黏腻感觉，让我只能一直望着天上的月亮，才能逼退那些令眼眶湿润的液体。

沐佐恩根本不理解自己为什么又把车子开回医院附近，然后一路缓缓跟在江晓卉身后，就像他根本不理解自己为什么会在看见叶知贤把车停在江晓卉身边后也停下了车，在看见叶知贤推搡江晓卉时会立刻愤怒地想狠狠对着叶知贤挥出一拳。

只是一个晚上，她的手上就不再有那枚戒指；只是一个晚上，她的脸上便多了一个清晰的掌印；只是一个晚上，她的脸色就变得那么可怕的惨白。

人生如果可以倒带，沐佐恩真的很想去亲自看看，昨晚在江晓卉身上究竟发生了什么事情。如果可以，他一定会出手阻止那些能彻底改变一个人精神状态的遭遇，因为她是他的下属，所以他有责任保护她，也有义务保护她。

随着江晓卉停下脚步，沐佐恩自然也就踩下了刹车，遥遥地望着她就那么呆呆地抬着头凝视着天上的月亮，一动不动，任由风将她身上单薄的衬衣吹得像个气球般膨胀，任由她手里那个装着胃药的塑料袋持续发出刺耳的摩擦声。

她究竟在干什么？难道又不记得自己是一个病人，不记得她明天还有一场注定不容易应付的见面要面对吗？为什么不早点回去躺下，这个女人！她到底想要干什么？

再次有冲动想把车子直接开到她身边，直接把她绑在安全带的保护中，然后亲自送她回到家里，亲眼看着她在温暖的被子里闭上眼睛，然后……

猛然警觉，这辈子自己从来没有对任何一个女人用过那么多次的"然后",而这最后一个然后之后的句子,竟然是一个男人对一个女人完全的占有欲。

只是遇见这丫头的第三天,自己已经对她如此放不下,难道这就是所谓的一见钟情?

究竟为什么,她身上有哪一点致命的吸引力竟然能使自己如此情不自禁?

究竟是什么?!

就在沐佐恩在我身后几十米外停下车,思忖着这些"究竟为什么"时,一直望着月亮的我终于从一阵阵的胃痛伏击中缓过来,又低下头望着脚尖缓步走了起来。

那个实习成绩真的那么重要?重要到明知道会是飓风中心,我还那么义无反顾、一次次冲进去?如果没有那个实习成绩,又会怎样?

如果没有那个实习成绩,我就必须晚一年毕业。而只要我继续生活在他的势力范围内,就算到了明年,一切还是会重复,又会重新回到起点,无休无止!

江晓卉,既然你已经决定和妈妈断绝母女关系,你就不再需要继续留在这个城市,天涯海角都可以是你的新家了。他的势力再大、钱再多,也不见得可以将触角伸向祖国大地的每一寸土地吧。

突然悟出这点后,我立刻如找到了康庄大道般兴奋起来,猛然回过头,对着路边刚巧驶过的一辆出租车挥手,然后在还没坐上车时就兴奋地对司机大叔说出了目的地:"去机场。"

直到亲眼看见出租车真的开到了机场的出发大厅门口停下,

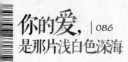
直到亲眼看见跳下出租车走进候机大厅的江晓卉径直走向东航的
售票柜台，对着一屏幕的航班号仔细审看，沐佐恩这才真的确认
了心里一直在提醒着他危机的预感。

今晚如果他没有再折回医院，如果没有这么一路跟着她，如
果没有因为好奇心跟着出租车开了一段路，那么明早等不到江晓
卉的准点出现，待大家确认了一个大活人的凭空失踪，他便成了
最后接触江晓卉的嫌疑人。

沉闷地在心底深呼吸了一口气，沐佐恩一步步靠近那个售票
柜台。直到站定在江晓卉的身边，清晰地听见她伸手递出一张银
行卡的同时对售票小姐道："给我一张九点半去昆明的机票，经
济舱。"

"好的，请把身份证给我一下。"

伸手夺过江晓卉刚刚从皮夹里取出的身份证，沐佐恩转头对
售票小姐直接吩咐道："请把银行卡还给她。"

看到又一次神奇地出现在自己面前的沐佐恩，比起被莫名其
妙地夺走身份证的惊讶，冲击我头脑的更多的是逃跑中途被抓个
正着的慌乱感。

正是因为这种心虚，让看到这一幕的所有人都立刻确定了
"真相"：我和沐佐恩是一对闹别扭的情侣，正在上演偶像剧经
典情节，而他的霸道阻止注定会将这幕剧锁定成大团圆结局。

于是，售票小姐着魔般地直接把我的银行卡交给了沐佐恩，
甚至多少还带着点看偶像的崇拜眼神。

忽略周围的一切视线，拿到银行卡后，沐佐恩对售票小姐说
了声谢谢，便拉着我的手，用拖行李箱的力气和速度直接把我拉
到了候机大厅的一个无人角落。在冲力下，我就像被直接扔进了
这个角落，而这个力大无比的男人就在刚刚还曾叫嚣过，他看不

惯对女人动粗的男人。

"一个手提包，一塑料袋的胃药，你这种逃难的方式还真是新鲜。"

不想回答什么，终于缓过神的我只是想着该怎么才能让他早点把我的身份证和银行卡还给我。同时，我在想除了昆明以外还有什么地方是我可以选择的。

"如果真的放下了，就应该能大大方方站在他面前把他当一个陌生人。你这么慌不择路地逃，只能说明你根本放不下他。"

还是懒得去解释什么，但沐佐恩接二连三的多管闲事还是惹火了我，再加上已经打定主意要闪人消失，我便不再有那么多忌讳，毫不避讳地对他的自作聪明鄙夷了一把，"谁告诉你我和叶知贤是那种关系？不怕告诉你实话，就算加上今天下午在街边的相遇，我和叶知贤这辈子在一起的时间还没和你在一起的时间一半多，要是这样我都能对他'放不下'，那我应该先因为你去要死要活才合理。沐佐恩，你的多管闲事实在过分了，把身份证和银行卡还给我。"

听着我的解释，始终看着我的眼睛，沐佐恩当然捕捉不到一点点我撒谎的痕迹，但他的这种X光射线般的凝视还是让我浑身不舒服，令我本能地想要逃走。

再次把我蠢蠢欲动的身子推回角落，沐佐恩直接用手臂围起了一个小型监狱，把我关在他要求我安静待着的那一寸地砖上。

"你手上的戒指不是订婚戒？"

"女人只要手上戴了戒指，就一定是男人送的吗？你这种逻辑还真是莫名其妙。"

"那你脸上的伤……"

"沐佐恩，你够了！从一开始我就忍着你，并不因为你是我

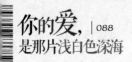

的上司，或者你的来头。让我真正低头的是我的那份实习评语，现在我已经决定不再要北擎的评语了，所以我和你之间也已经没有了关系，敬请自重！"

"没有了关系？你和公司是签过合同的，就算你要离开，就算不写终止协议的书面申请，至少要向人事部口头请辞。在你还没有终止这份实习协议之前，我就是你的上司，只要我没允许，你就没有下班的资格！"

静默了几秒后，我在沐佐恩的不冷静中缓过神来。男人，这种易怒、自大的动物被激怒后，无一例外会变得比女人更不可理喻、更不讲理，和他们沟通的唯一途径就是平心静气，招回他们的理智。

于是，我努力让自己沉住气，收起所有挑衅的眼神和表情，努力用诚恳的态度对沐佐恩讲道理、摆事实：

"沐总，你提醒得对，我确实疏忽合同的事了，现在太晚了，明天白天我会找机会给人事总监打电话，需要的话，我会给他们发辞职邮件。至于我和叶知贤甚至叶家的关系，或者以后你听见的任何跟真相有关的蛛丝马迹，请原谅我在此保持沉默。我唯一可以告诉你的就是，我和叶知贤真的不是情侣关系，更不是什么未婚夫妻关系，他今天下午会那么对我，是因为我们家和他们家之间有点状况。"

"然后呢？"

"然后？"

"既然你找回理智了，我要听的是你的最后结论，你今晚还是要冲动地买张机票逃到叶家人甚至你自己家人都看不见你的地方去吗？"

"我有我必须离开的理由，这个决定是有点突然，但并不是一时冲动。"

"如果是因为在上海找不到能给你实习成绩的第二家公司才要逃去外地，你就是一个舍近求远的傻瓜，叶家是有些人脉能力，但还有不少人不需要看他们的脸色行事，比如说我。"

"什么意思？"

"如果你对医疗器械代理或者进口保健品代理没有什么特别的抵触心理，我可以安排你到我家的分公司去实习。"

"沐总？"

"这样一来，你不但用不到见到叶家的任何人，也不用再见到我这个摄魂怪，我们沐锶也是上市公司，福利和北擎比也差不了多少，每个子公司附近都有员工宿舍可以申请，虽然需要付费，但比起租公寓的租金还是便宜很多。"

必须承认，沐佐恩说的这一切，都是很诱人、很完美的条件，让我渐渐都有点意志动摇的感觉。只可惜，我和叶家的关系真的不是他可以想象的复杂，何况他们家还和那个男人有一项只许成功、不能失败的投资合作，等他知道我的真实身份后，一定会后悔今天的出手相助。而且，问题的关键是，他为什么要帮我？

"沐佐恩，你是喜欢上我了吧？所以你才会为一个才认识了三天的女人，一而再再而三地多管闲事，难道是看见我的第一天就对我一见钟情了，觉得这就是所谓的命运的安排？可惜，你实在不是我理想中的类型，我不想你以后为了我受伤。所以，请把身份证和银行卡还给我，立刻，马上，谢谢。"

"你这段话的真实原文其实是'你们这些社会败类，仗着有钱有势就以为可以为所欲为，女人在你们眼里不过是一件奢侈品，只要想要，总能到手'这些话吧？"

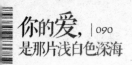

这个男人还真是个可怕的敏感体，无论我怎么拐弯抹角，他都能在第一秒直截了当地揭穿我，甚至比我自己的反应都要快一步。

正在我郁闷该怎么反驳他时，沐佐恩却直接替我安排好了去处，"上海人在上海以外的城市都不怎么有人气，相对而言，昆明也并不能算一个就业的好城市。既然你已经打定主意要亡命天涯，我建议你可以去西安试试运气。西安市民对上海同胞向来友好，加上叶家在西部还没有任何的生意投资，他就算查到你飞了西安，也是鞭长莫及。"

"西安？"看着被重新放回掌心的身份证和银行卡，我机械地重复着沐佐恩的提议。

"西安是个值得细细品味的城市，兵马俑、法门寺、武后皇陵、博物馆……甚至一街一景都可以调剂你的逃亡生涯。顺便说一句，我们家在西安，在整个西部也都没有任何的投资。"说完，沐佐恩便站直了身子，后退了几步，结束了对我的压迫性近距离禁锢状态，将手插进了西服口袋，脸上竟然出现了我从没有见过的微笑，而这种微笑近乎可以用温柔两个字来形容。

"别再一脸茫然了，我只是用最直截了当的方式证明我对你这个丫头根本没有什么特别的感觉。但毕竟我们也做了三天同事，送给你点真心建议还是应该的。好了，我对你的多管闲事到此为止，记得按时吃药。"

一路疾驰在机场高速上，沐佐恩的脸色始终没有一丝回暖，他相信江晓卉今晚一定会真的离开上海，彻底脱离他的视线。

"你是喜欢上我了吧？所以你才会为一个才认识三天的女人，一而再再而三地多管闲事。难道是看见我的第一天就对我一

见钟情了，觉得这就是所谓的命运的安排？可惜，你实在不是我
理想中的类型，我不想你以后为了我受伤……"

真是个狂妄的丫头！狂妄到危险可怕！

难怪叶子航这个近五十岁的老男人都会对她情不自禁，不惜
玩狠手段！

那一次的突然"会面"，席宁姝看向江晓卉的眼中根本就是
写满了女人对掠夺者的戒备和憎恶。如果江晓卉真的和叶知贤没
有什么关系，那么这一切的唯一理由就是和叶子航本人有关了。

难怪叶知贤能对江晓卉那么不顾轻重地下手，叶子航对这个
黄毛丫头的"特别礼遇"，的确能让任何一个旁观者都轻易认定
她的贪慕虚荣。作为席宁姝的子女，别说一个耳光，一记推搡，
就是更夸张的狠手也值得世人体谅。

得出了这番重新梳理后的"正确解释"，江晓卉曾经的忐
忑、慌乱和所有的心不在焉都让沐佐恩加固了她对"这段感情"
犹豫彷徨的定论。

"江晓卉，难得你还知道回头是岸，你的人生如果真的被
这样的孽缘刻下了点痕迹，除了逃去一个崭新的世界重新开始之
外，还真的没有第二条更好的路可以选择了。走吧，干脆地一走
了之也好，走吧！"

望着机场高速前方的一线车灯，沐佐恩踩住油门渐渐加力，
让车子在无数均速行驶的车辆中间穿梭，根本无视沿途不时闪烁
的超速照相机，只想早点远离身后的机场，越快越好。

这一夜，所有人都无眠。每一个人都在期待那一轮红日早点
升起，却不知道迎接他们的这个清晨，只有一场滂沱大雨。

"这雨下得怎么那么销魂，从出租车上下来到公司这点路，

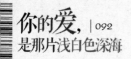

我就完全成了落汤鸡，打伞一点没用。"

"就是啊，要么十几天不下雨，要么就下黄浦江一样，幸好我聪明地让男朋友把车停到地库放我下来，不然就和你一样了。"

"难怪上海的车牌价格永远降不下来，自己有车还是方便。特别是我们这种地铁站公交车站都不在公司门口的上班族，最怕的就是这种销魂天。看着好了，今天整个公司的迟到率一定又创新高了。"

"哟，小江还没到啊，估计也是被堵在地铁口或者车站了，这雨加上这大风，打伞根本没用。大周啊，要不你联系一下小江，看看要不要开车去接她一下。"

"好的，田总。"

听到田总的吩咐，大周便戴上了眼镜，打开电脑找到人事部昨天才发下来的最新版通讯录，按着号码打了过去。结果，他听到的却是"您拨打的电话已关机"的机械答复。

正在这时，丁瑛桌上的电话响了起来。接起电话的丁瑛语气十分恭敬，"早，总监，小江？她还没到公司……不是，今天我们部门都没有外派任务，估计是雨太大迟到了。嗯，我们已经在联系了。好的，等她到了就让她立刻过去，好的。"

挂断电话，丁瑛一脸不可思议地看向对她投来疑惑目光的同仁，顺便瞟了一眼始终专注着电脑屏幕的沐佐恩，这才复述了人事总监让江晓卉一来就直接去叶知贤办公室的吩咐：

"大周啊，再打打电话看，你看仔细点，别拨错号了。"

"哎，好。"

江晓卉的电话依旧躺在路边的草丛里，这两天早已经被其他人反复打到彻底没有了电，大周再怎么打，得到的答复依旧还是已关机。

就这么过了一小时，等丁瑛再次接到人事总监的电话，把情况如实汇报后，又过了十分钟，办公室门口便出现了叶知贤的身影。

一身藏青色的西装，贴身的剪裁和最IN的窄裤腿设计衬托得他的身材更为挺拔。深紫色衬衫领口没有系领带也没有丝巾点缀，就那么敞开着，配合着叶知贤很是阴霾的表情，让人不禁会疑惑，窗外的暴雨倾盆是不是因为老天感应到了太子爷的坏心情才给面子地应着景。

进门后，叶知贤漠视所有人的起立迎接，眼神直接望向了江晓卉昨天用过的办公桌。确定了江晓卉的缺席后，叶知贤这才转移视线望向沐佐恩。

沐佐恩并没有随其他人一起站起身，只是坐在座位上坦然地接受叶知贤的注目礼，安静地等着他先发制人。

"沐总，有时间吗？"

原以为叶知贤会越来越沉不住气，但他的声音中透出的沉稳明显高于沐佐恩的预计，让他反而有些措手不及，"你看我们去哪里聊更合适，是我们这里的会议室还是……"

抬头望了一眼与办公室相隔一扇玻璃门的小会议室，叶知贤心领神会地将沐佐恩的这句"还是"及时补充完整："去我的办公室吧，我需要等一个国际长途。"

"嗯。"

站起身，沐佐恩拿起桌上的手机，跟着叶知贤一起离开了办公室，留下依旧站着的同仁面面相觑。

"她在哪？"

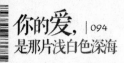

　　"如果你问的是江晓卉，她没有向我请假，我们部门员工联系过她，可惜手机关机了。"

　　"昨晚她没有回酒店，也没有回学校宿舍，更没有回家。她妈妈因为她的突然失踪情绪过分激动晕倒了，现在正在医院观察室里。"

　　听着叶知贤的一连串交代，沐佐恩关注的却是另一个事实。首先，他之前的猜测没有错，江晓卉两天穿了同一身衣服是因为她无处可去住了酒店。但就是这样，只要在上海，她依旧无处可躲，如果昨晚江晓卉没有直奔机场，她便逃不过叶家的地毯式搜索。

　　"昨天我本来想让小江陪着我去考察几个陆家嘴的工地，但因为她胃疼得厉害，便临时取消了计划，把她送去了医院。"

　　胃疼？医院？

　　原来她昨天那惨白的脸色和她虚弱的表现不是因为心虚，而是病了。难怪哪里都找不到她，她竟然住进了医院。

　　"她在哪个医院？"

　　面对冲动到立刻又站起身的叶知贤，沐佐恩依旧一副淡然的神情，"叶先生，我暂时不了解你的工作习惯，但我在工作中很不喜欢公私不分，如果你把我叫到你这里来只是因为你家里的私事，你不觉得有点过分吗？"

　　"她在哪个医院？"

　　"我没有义务告诉你！"

　　"我有理由必须在别人找到她之前先带走她。如果你不想我们两家合作的这个项目因为我家的家务事发生什么大变故，最好快点告诉我她在哪里。"

　　似乎是看懂了沐佐恩眼中的不信任，叶知贤知道自己昨天的冲动的确值得他怀疑自己着急寻找晓卉的动机，便只能再追加一句："除了躺在医院里的江晓卉的母亲，在所有急着找到她的人中，我可能是唯一还带着理智的人。如果你不想看到她死得很惨，最好快点告诉我她在哪家医院。"

叶知贤的这句话让沐佐恩猜到了事态发展的大概情况，估计是知道了女儿和叶子航这个老男人之间的孽缘，江晓卉的妈妈才会气得昏倒，而席宁姝估计也没有要大事化小的心思，至于叶子航，既然已经千方百计把晓卉安排进了筹备组，又让自己带着晓卉去见人，看来真的准备在"资产重组"这件事上下重手了。

如果她没有及时离开上海的话……等一下，这丫头不会最后改变了主意没有离开吧？

抬起头，面对叶知贤渐渐加重质疑的眼神，沐佐恩蹙起的眉头没有丝毫的放松，拿起桌上的便笺纸，把医院地址写在了纸上，便不再废话，直接大步走回了办公室。他急着去确定一件事，在昨晚飞离上海的航班里，是不是有江晓卉的名字。

第四章
物是人非的BLUE

冬去春来，只剩憔悴。残忍的离别是爱情的末路，为你，我深陷那片蓝色沼泽。

一年后。

随着咔嗒一声提示，行李带开始缓缓移动。那些围拢在行李带周围的旅客也随之全神贯注起来，一个个盯唐僧肉似的紧盯着行李带上的大小行李，似乎只要一眨眼工夫的不注意，自己的行李就有被陌生人取走的可能。

站在所有人的身后，我丝毫没有要挤进人堆里的想法，依旧随着耳机里播放的流行歌曲悠闲地观察着这个在一年前根本没有好好参观的机场，欣赏着那个著名的建筑大师描摹在每个细节上的设计……直到面前的人群渐渐散去，直到行李带上只剩下为数不多、无人认领的行李，直到那个纯白色行李箱缓缓移动到面前。

为什么会砸不少的银子买下这个纯白色的行李箱？我自己也没有答案，只是在路过它的时候本能地想带走它，然后和它一起暂时离开这个让我安宁幸福了一整年的城市。

沐佐恩的推荐没有错，西安人民真的比想象中的还要友好。我前后前往应聘的几家公司，都没有过多质疑我选择西安实习的理由，都因为我过硬的成绩和真诚的面试表现，不仅给了我很理想的实习岗位，还给出了明显鼓励我续约留任的高分实习成绩。

而我也真心爱上了这个始终被围拢在古城墙之内的宁静城市，爱上了这个每一块砖瓦都刻着历史的古都，爱上了这片不时飘着柳絮的天空。

如果不是因为必须本人回学校才领得到毕业证书，我可能真的会和其中一家实习公司续约彻底留在西安，彻底忘记我"前生"的一切，绝对不会回到上海，重新扯开差一点就要痊愈的伤口。

坐在机场巴士上，望着窗外熟悉而陌生的街景，我的心渐渐被一块过境的大石无情地碾压。

整整一年，我没有主动和妈妈联系过，虽然无数次冲动到在新手机上输入妈妈的电话号码，想再听一下她的声音，然后告诉她自己一切都好，却最终还是放弃了。

虽然一直担心自己的不告而别会让妈妈伤心欲绝，但我知道我的不孝举动至少还有一点正面作用，那就是让那个男人更有理由寸步不离地守候在妈妈身边保护她。比起我这个倔强的女儿，妈妈应该更需要那个男人的陪伴。

一年了，他们应该已经度过了那场可怕的风雨，应该光明正大地走在一起了吧？

那么，其他人呢，都还好吗？

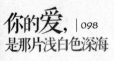

随着这个问题出现在心底，我眼中便只剩下玻璃窗外那些急速后退的风景。我一再默默提醒自己根本不需要心急，一切的答案已经在倒计时，很快就会和我不期而遇。

所有的不期而遇中，第一个正主应该是郑翌哲，这点我早就猜到了。但接下来发生的一切，便需要套用紫霞仙子的那句经典台词："我只想到了开篇，却想不到结局。"

回到时隔一年的宿舍，我的床铺上已经睡了一个陌生的学妹。而我的所有东西，包括那双依旧崭新的香奈儿鞋，都被打包后寄存在宿舍的仓库里。

看到我的出现，宿舍大妈一点没有惊讶，因为这几天都是回宿舍来搬运行李的大四毕业生，她以为我也是来挪走行李的。

既然宿舍没了可以住的地方，我便只能先找学校附近的经济型酒店暂时住下，然后一次次往返于宿舍和酒店之间，蚂蚁搬家一样挪走我的那些被褥和衣服书籍。

在我第三次回宿舍时，我的面前合理地出现了郑翌哲，这个能第一时间知道我回宿舍消息的哥们旧友。

实在想不起来我们最后一次对话时的每一句细节，但我至少能记得我和他的最后一次交谈有并不怎么愉快的Ending，我还给了他那枚黑骑士戒指，貌似还表达了老死不用往来的态度。

所以，再见面时，郑翌哲那陌生且不怎么友好的眼神是正常合理的表现，我一点都没有意外。

或许是因为郑翌哲算是我在人世间除了妈妈外唯一的亲友团成员，也可能因为我早已经预料到会见到他，所以，看到他后我倒是大大方方地毫无意外，甚至还主动扬起脸露出了微笑。

就这样，我们面对面沉默了很久，直到他终于架不住我的厚脸皮亲和态度，终于被我的坦荡荡眼神打败，终于用一声长叹结束了对峙无言的状态，顺便自动扯碎了脸上的冰冷伪装。

"江晓卉，这都过了整整一年了，你怎么一点都没长个？你家主子难道不给长工吃饱饭？"

再次听见典型的"郑翌哲式"对话，我的心头就像一阵春风吹过般舒心，虽然还是习惯性地沉默着没有回答，但这种沉默才正是我的本色，不是吗？

随着郑翌哲一步步走近我，随着他的大手再一次抚乱了我额前的刘海，那一年的划痕轻易地就被黏合在了一起，竟似那场分别只是一周前，只是昨晚。

"见过倔的，还真没见过你那么倔的！江晓卉，我算是服了你了！"

"上面没有我的床位了，我还有最后一床被子需要挪到酒店去，等我搬完了，我请你吃饭去。再这么傻站着，我就要被烤熟了，整整一年没被这么大的太阳烤过了，还真不习惯。"

"还是先去医院看看你妈吧，她状况不怎么好。"

身体已经转向了宿舍门口，但郑翌哲的话让我猛然转身。

"什么叫状况不怎么好？我妈怎么了？！"

"现在知道担心了？你下狠心玩消失的时候怎么不记挂着伯母的身体？！这一年，伯母的身体一直不怎么好，反复住了几次医院。上星期的毕业典礼上，伯母一直坐在家长席上等你出现。直到所有人都走了你还是没有出现，伯母情绪有点激动，当场和……和……同行的亲戚发生了争执，后来就直接被送到了医院。"

我的眼前似乎已经看见了毕业典礼当天发生的一切，那个男人陪着妈妈坐在家长席上，看着别人的孩子穿着学士服领了毕业证书拍了合影，却一直看不见我出现，受刺激是必然的。

不过，那个男人还真的陪在她的身边了，不是吗？

突然警觉到了什么，我放弃了继续上楼搬东西的计划，看了一眼腕上的手表，大步跑向校务处，找到了校务主任，用诚恳的态度检讨了错过毕业典礼的错误，然后阻止校务主任用一切借口拖延我拿毕业证书。不惜用威胁的口吻暗示他，我知道那个男人要求他在见到我后第一时间通知他的事实，并提醒他，再怎么说我和那个男人之间的事都属于私事，他没有权力阻止我拿到毕业证书。

最后，我甚至不惜暗示校务主任可能收了那个男人的贿赂才不肯给我毕业证书。一向心高气傲、视气节高过一切的校务主任受此一激，爽快地将毕业证书交给了我，证明他不过是好心想帮我们父女恢复关系，根本没有也绝对不会收那个男人的钱。

既然达到了目的，我才不管其他的呢，回到宿舍，我把最后一条被褥放回酒店，便和郑翌哲一起在学校附近的一家小饭馆吃起了久别重逢宴。

"真的不去医院看看伯母？"

"既然你能这么快出现在我面前，他们现在应该已经知道我回来了。既然我活得好好的，我妈就不会再担心了。有他在，我的态度不会和谐美好，去了医院反而会让我妈伤心，长痛不如短痛，都这样了，就这样吧。"

对郑翌哲的疑问，我回答得很是实话实说。从小到大习惯了独立，加上这一年的自由自在，我真的不想再让自己成为妈妈和那个男人之间的唯一牵绊。

我已经想好了，最晚明天最快今晚我就飞回西安去，当初的那一句断绝母女关系虽然是气话，但我真的做不到因为顾及妈妈的心情，继续忍辱偷生地活在他们的恩爱里。我也不想因为必须选一个而让妈妈放弃她根本舍不得丢掉的"真爱"，所以还是我继续主动消失才好。反正女儿总要出嫁，只有那个男人才是和她相伴一生的所谓的"永远"。

"晓卉，如果，我是说如果……"

看到郑翌哲支支吾吾的样子，刚把一筷子久违的糖醋排骨放进嘴里的我立刻警觉到了什么似的，扔下筷子一把揪住了他的领子，用能杀死人的眼神逼问他："你千万别告诉我，我妈和那个男人会因为你的通风报信一会儿出现在这里！"

"伯母的情况真的很不好，如果你再一次消失……"

"卉卉！"

一切，还是晚了！

等我得到郑翌哲的答案，妈妈带着哭腔的呼唤声已出现在耳畔。

难怪郑翌哲进店的时候那么辛苦地和服务员小妹套近乎，成功为我们俩争取来了这间能坐四个人的小包房，还以为他是想和我单独相处，原来不过是为了安排这场见面。

手，依旧握着郑翌哲的衬衫领子，我的眼神却比心寒冷一百倍！

"郑翌哲，如果今晚我妈有事，我绝对不会放过你！"

"如果我不这么做，你一定会再次消失，我绝对不会再让你从我身边消失。"

这些对话，我们都没有说出口，但我们在彼此眼中看懂了，就算因为我妈冲到身边将我搂在怀里而让我自然而然地放开了郑翌哲，我依旧狠狠地瞪着他，今晚他做的一切，他的自私，这辈子我都不会原谅他。

今晚出现在饭店里的人除了我妈和那个男人，竟然还有一个

叶知贤，这倒是令我出乎意料。所以，最多只能容纳四个人的包房便再容不下郑翌哲这个外人。他识趣地退出了包房，用那扇油漆都斑驳了的木质房门隔出了一个冰冷可怕的冰窖。

可能是顾忌我妈的身体，当大家在桌边坐下后，叶子航并没有开口说任何话，只是用极度复杂纠结的眼神看着我。而妈妈就一直坐在他身边流泪，止不住地抽泣，继而哽咽，完全无法开口。

反而是叶知贤，先掷出了第一句话："这一年过得好吗？"

听到叶知贤的问话，我将眼神从桌面的菜品上挪了挪角度，将叶知贤纳入了视线。这张比儿时变化不小的脸，和一年前相比倒是没有什么太大的不同，从他和叶子航都是一丝不苟的商务正装打扮来看，叶知贤的陪同出现，可能是因为刚巧和叶子航在一起而已。

很想用轻蔑的一句"当然过得很好，过去这一年是我二十二年来过得最自由、最舒坦的三百六十五天"回答叶知贤。可我清楚，如果我真的说了这句狠毒的话，对妈妈的伤害程度是很可怕的，所以，我最终只是让这句在喉咙口绕了一圈便又吞回肚子里。

见我明明眼底写明了"态度"却没有开口说任何话，叶知贤看了一眼依旧在大颗大颗掉眼泪的妈妈，立刻明白了我没有说出的真实答案。

扫了一圈满桌子的浓油赤酱，叶知贤的表情还是一派淡漠，"点那么油的一桌子菜，你的胃病应该彻底好了。我还担心西安的面食你会不习惯，看来你还真是种在哪里都能成长的青葱一根。"

对于叶家知道我在西安这点我并不惊讶，现在只要上网都能随手"人肉"各种红人，以叶家的江湖地位，要查我的身份证使用记录实在是小菜一碟。所以，我到西安后除了当晚在机场酒店住了一晚，其余时间尽量不用身份证，就是为了避免被他们查出具体位置。

"今晚是我们公司和沐锶的签约酒会，但爸爸还是在接到郑先生的通知后提前离开了签约现场。我知道他们今晚会对你说些什么，所以我就坚持一起跟了过来。那些真相，比起爸爸和阿姨，我本人来开口貌似会更合适。"

"知贤。"

"爸，事情既然已经发展到今天这种地步，唯一不知道真相的人反而是最应该知道真相的一个，这不是很好笑吗？而且，真的能留得住晓卉，让她心甘情愿不再消失的唯一一对症良药，绝对不是阿姨的眼泪，也不是任何人的拜托，而是整件事情的真相。"

我承认，听见他们父子之间的这段对话后，我的好奇心史无前例地高涨起来，特别是那一句"唯一不知道真相的人"。

我真的很好奇究竟有什么爆炸新闻是众所周知而唯独我不知道的。幸好，在得到叶子航默许后，叶知贤便没有再卖关子，直截了当地就在我面前炸了一连串的炸弹，直接炸得我金星满脑，两耳冒火花。

最大的一个炸弹就是，叶知贤竟然不是叶子航和席宁姝的亲生儿子！当年，席宁姝为了合法生下第二个儿子，便在怀孕七个月的时候去了香港私立医院待产，可惜孩子才八个月大时突然羊水破了，虽然经过了奋力抢救，但孩子的心脏还是在离开母体前就停止了跳动。

知贤的亲生母亲是和席宁姝在同一间监护病房里的少女妈妈，生下知贤后知道孩子有严重的心脏病，便丢下知贤逃走了。

失去自己的儿子后，席宁姝便把弃婴知贤紧紧抱在了怀里。见状，医院的护士们也就睁一只眼闭一只眼地默认了席宁姝这

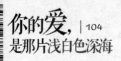

个善心举动，将两个孩子的出生牌互换了一下。等叶子航和叶老太太赶到香港，都以为睡在暖箱里的知贤就是席宁姝生下的早产儿。

担心叶老太太知道真相不肯花钱救别人的孩子，席宁姝便对包括叶子航在内的所有人隐瞒了真相，真心把知贤当作自己的儿子般宠爱。

带着知贤一起回到上海后，叶老太太请了相熟的心血管专家连续为知贤动了三次大手术，这才真正救活了知贤，去掉了病根。

叶子航知道知贤不是自己的儿子，是在知贤第三次大手术时，当天医院附近刚好发生了一起车祸，送进来好几个重伤员，医院的血库突然告急。因为知贤是婴儿，手术用血量不会很多，开一整个血包很是浪费，所以医院希望家属能自己献点血备用。

当叶子航拿到DNA不吻合的验血报告时，当场如遭了雷击一般。他自然不会想到席宁姝是因为善举而带回了别人的弃婴，只当席宁姝做了对不起他的事，怀上了别人的孩子。同样的，怕叶老太太知道后受刺激，叶子航便把真相深埋在了心里。

因为是当着叶子航的面，叶知贤虽然在说自己的故事，却用着最为委婉的语句。但我已经大致能猜到当时的状况，这个心结和误会，很可能就是叶子航和席宁姝之间悲剧的开篇，而算一下时间，这场风波也确实和我妈出现的时间吻合。

似乎是不忍心让知贤继续这样诉说自己的身世，一直默默流泪的妈妈终于抬起了头，将故事继续下去：

"晓卉，你爸爸和知贤的妈妈第一次说开这件事，是因为我怀了你。你爸爸对知贤妈妈开口提离婚的时候，你应该想得到，当大家知道这个真相后受到的冲击都不小。知贤妈妈根本没有背叛你爸爸，而我们却真的做了对不起她的事情。但当时，我真的舍不得放弃肚子里的你，所以还是决定把你生下来，然后独自抚养你长大。可惜，事情只有经历过才知道，一切不会像我想的那么简单。你爸爸知道你的存在，根本不可能真对我们母女不管不顾。他不但守着你出生，还在你的出生证上坚持写上他的名字，甚至在你上幼儿园需要爸爸出席的时候，他都会准时出现。他这么做是可以被当成重婚证据而告上法庭的，可他还是一直坚持这么做。虽然我很小心地不想影响你爸爸的生活，但还是不小心被知贤妈妈知道了我们母女的存在，所以她才会冲到了我们家里，接下来的事情，你应该都记得了。"

是啊，接下来的事情，我当然都记得。因为席宁姝冲到我们家，我替妈妈挡了一巴掌后把她给我们的银行卡冲进了厕所，然后踢得她脚踝骨裂后冲出了家门，一口气跑到附近的大桥工地上摔进了一个深沟里，让一根钢锭伤了血管，流光了身体里近乎一半的血，幸好被工地工人及时看见送到医院急救，才捡回了一条命。

事情搞大之后，叶家所有人都知道了我和妈妈的存在。老妖婆竟然带着叶知贤这个长孙来我家逼我妈对着她跪下，然后大骂我妈不知羞耻，还让叶知贤对着我妈吐口水。当时的我刚出院不久，没有足够的力气和叶知贤打架，就狠狠地在他手上咬了一口。叶知贤被咬得满手臂都是血，被送进医院缝了十几针。老妖婆气得血压升高也住进了医院。

当时，妈妈逼着我到医院对叶知贤说对不起，刚好老妖婆在重症监护室和叶子航争执后情绪过分激动，妈妈慌乱地丢下了我赶去劝架，留下我和叶知贤在病房里又狠狠地打了一架，结果当然是我胜利。

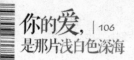

　　也就是这时候，我第一次看见叶晓仪，这个拎着玫瑰花小皮包，留着一头波浪长发的叶家长公主，这个叶家唯一肯对我微笑的人。

　　当时，她跟在席宁姝身后，我和她只是擦肩而过。如果当时她知道我就是那个逼得她爸爸妈妈吵架不休、逼得她奶奶病危、又是咬伤她弟弟的凶手，她应该不会那么友好地对我微笑吧？

　　而我，也终于回忆起了最关键的一点。当时我找到重症病房再次看到妈妈时，刚好听见叶子航在妈妈的坚持下，对着老妖婆发下重誓，发誓在老妖婆有生之年绝对不会和席宁姝离婚。

　　这些年，叶子航确实信守了誓言，而我妈妈也安心她的情人身份。所以一年前，老妖婆的葬礼后，那个誓言终于失效了，叶子航迫不及待地提出了离婚，再次开始了战争。

　　许是看懂了我面部表情里隐含的领悟意味，沉默了一会儿的叶知贤及时打断了我的思路，"其实在你咬伤我后不久，我就知道了真相，一直看不起你这个私生女的我原来才是和这个家毫无关系的外人。我承认有一阵子我有点接受不了这个事实，所以选择了出国留学。奶奶临终前，我把真相告诉了她，奶奶这才知道冤枉了你妈妈，也委屈了你，希望能让你在她的葬礼上送她最后一程，希望我们一家人能从此雨过天晴，相安无事。"

　　相安无事！

　　终于，我又听见了这句刺耳的话。和以往一样，它的出现与周遭的氛围依旧那么不和谐、不搭调，显得滑稽无比。

　　"卉卉，我已经和你爸爸商量好了，他不会再和知贤的妈妈提离婚，也不会再逼你改姓叶，你不用再故意避开我们了。"

　　话还没说完，妈妈的眼泪再一次止不住地流下来。虽然已经年近五十，但妈妈还是一如年轻时的令人"我见犹怜"，特别是她不停流泪的时候，别说她身边这个男人，就连我都情不自禁地有些不忍心。

"江晓卉，我知道你从来没有真心把我当你的爸爸看待，在你眼里，我是世界上最不堪的男人，但我绝对不会卑鄙到对席宁姝恩断义绝。一年前把你安排到沐佐恩身边，原因其实很简单，佐恩的身份公司里还没有多少人知道，如果我把知贤或者晓仪安排进筹备组，碍于他们两个的身份，沐佐恩的威信一定会受到影响，只有把你放进去才最合适。"

说到这里，叶子航长叹了一口气，伸手握紧了妈妈的手，继续说道："当时，我确实想过找个合适的机会公开你们母女的身份，我也真的很想给你妈妈一个名分，补偿你们母女这些年来受的委屈，可这一切的前提是宁姝的一句'愿意体谅'。这些年，宁姝空守着一个名分，我对她的亏欠不少，因为我的心里一直只在你妈妈。但造成今天这个局面她也有责任，很多事情发生了就真的没有办法再挽回，总有一天，她会自己想明白一切的。"

终于，所有人都看似说完了想要对我说的话，然后都将视线聚焦在了我的脸上，似乎在等我整理所有的信息后做总结陈词，而他们最想听见的应该是我的一句"原来如此吧"。

但此刻的我，只是在发呆，一句话也没有说出口。

叶知贤离开座位，直接走到我的身边蹲下，凝视着我的眼睛，说道："我理解你现在的心情，就像我初中刚知道真相的那会儿，也是什么都不想去记得，一心只想逃走，越远越好。放你走之前，你必须再知道一件事，当年你失血过多生命垂危的时候，江阿姨因为惊吓过度一直昏迷不醒。当时血库用血有配额，每个人每天只能用600CC，爸爸在出差根本赶不回来，情急之下，是我妈输了400CC血给你，虽然不能就说是这400CC血救活了你，

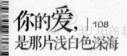

但至少在那一刻，她并没有把你当外人，就像在一年前，明知道我们全家对你的仇视，你却还是不希望伤害到我妈，伤害到我和晓仪。这就是我们大家病态的地方了，更无奈的是，即使你走到天涯海角，这些变态的真相依旧存在。"

当年，救活我的那些血浆里，有400CC是来自席宁姝？！

猛然抬头，我带着探寻真假的眼神望向妈妈。她眼底的惊讶不比我少多少，包括她身边那个男人，一样因为知贤的这番话露出了震惊的表情。

"当时，只有晓仪在妈妈身边，她并不知道家里发生的一切，看着妈妈对医生说可以抽她的血，晓仪以为妈妈只是在做善事救人。等到奶奶病危时在医院再看见你时，你刚揍完我离开病房，她这才知道妈妈竟然救了'仇人'。为了让晓仪不对刚刚苏醒不久的奶奶乱说话，妈妈拉着晓仪到病房外把我的身世告诉了晓仪，却被偷偷拔了输液针跟在她们身后的我听到了全部。我才知道，原来这一切的悲剧其实都是因我而起的。"

原来那一年，不仅是我痛苦人生的开篇，所有人都没幸免于难！

好吧，我承认叶知贤最后这一招完全一剑封喉，告诉了我这样的真相，我便真的走不了了。因为我向来自诩是个恩怨分明的人，既然席宁姝对我有救命之恩，我便该去报恩。就算她根本不屑，我也要守在她的近处，等候一次可以报恩还债的机会。

叶知贤始终凝视着我的眼睛，观察着我眼神中每一点细微变化，直到看懂了我这声隐约叹息背后代表的心意才松了口气，紧握着我的手一个用力，随着一句让大家哭笑不得的总结陈词，把我僵硬的身体拉进了他的怀里，"欢迎回到这个变态的大家庭，叶晓卉！"

也许是因为今晚知道了太多的真相，被这个明明和我没有丝毫血缘关系的哥哥温柔拥在怀里，我却没有一如往常地出现逆反心态，反而自然地把头轻靠在他宽厚的肩膀上。

原来，他和我一样也是个外人，而且比我辛苦百倍，一次次要自己亲口告诉大家他是个地地道道的外人，是造成一切悲伤过往的罪魁祸首。

好吧，既然我们都是外人，既然我因为报恩选择暂时留在这个家里，就让我们暂时抱成团，互相取暖吧。

也许是没有想到我会突然软化态度，看着我在叶知贤的怀抱里始终安静着，叶子航和妈妈惊讶之余都松了一口气。虽然还没明白我为何会发生这样的转变，但他们却相信，有关我的危机暂时得到了缓解，我不会再消失了。

"为了庆祝你回归，哥哥带你血拼去。爸，你送江阿姨先回去休息吧。"

得到叶子航的点头默许，叶知贤便自然地握着我的手，带我走出了这间简陋的小包间。

门外，郑翌哲就站在不远处，靠在油腻的墙上，面部因焦虑而看上去一片死灰。看到我再次出现，他立刻站正了身子，戒备地锁定我身边的叶知贤，一副随时可以出手救我脱离魔掌的备战架势。

"晓卉，要不要和你朋友打个招呼？他可能对我有点误会。"

"他不再是我朋友，我们走吧，多看他一眼我都觉得不爽。"

猜到了我是因为被郑翌哲出卖所以不爽，叶知贤对郑翌哲投去了抱歉的眼神，示意他暂时忍辱负重，然后又做了一个手机联系的手势，才带着我走出了小饭店。伸手拦了一辆出租车，叶知贤对司机说出了目的地——市中心的某家知名商厦。

"你自己的那辆跑车呢？"

"突然听见你的消息，我就直接坐爸爸的车赶过来了，哪里还来得及去开我的车。还有，我换了一台车，完全是因为你。"

"因为我？什么意思？"

"一年前你突然消失，因为有目击证人看见我和沐佐恩前一天在公司门口为了你'双车抢美'，很快公司里就传开了关于你的传言，矛头直接指向我。我那辆车进出公司实在回头率太高，我就去换了一辆正常的商务车。"

说完，叶知贤竟然在车厢里大笑起来。我被笑得毛骨悚然，司机大叔也忍不住回头看看这帅小伙突然发什么癫。

"我在想，等你回到公司从此和我相依相偎，最惨的就是沐佐恩了，对这场'失恋'他可是彻底百口莫辩了，哈哈哈！"

沐佐恩？！

随着叶知贤的调侃，我的眼前终于又出现了这个男人，这个曾一而再再而三对我多管闲事，又在最后一刻对我松开手的莫名其妙的男人。

"说到沐佐恩，晓卉，告诉我实话，去年你走的那一晚，他真的是把你送到医院就离开了吗？"

把我送到医院就离开？当然不是，这个男人无聊到跟踪我到了机场，还差点拦着我不让我离开，要不是我用激将法质问他多管闲事的动机，他或许还不会罢手。

但这些真相只在心中过了一遍，面对叶知贤，我只是随意地用一声"嗯"模糊地做了回答。

"这人还真是奇怪，既然路见不平，至少要坚持到底把你送回家才正常。如果他那么做了，不管他把你送到哪里，你也许都走不了了。那一晚我在酒店门口，郑翌哲在你的宿舍楼下，爸爸在江阿姨身边，大家都等了你一夜，却不想你连夜就离开上海去了西安，你这丫头还真的够果断。对了，还没问你怎么想到去西安的？我以为你会选择云南、西藏、新疆这种另类的地方。"

"西安是个值得细细品味的城市，兵马俑、法门寺、武后皇陵、博物馆，甚至每一块城墙的砖瓦都可以调剂你的逃亡生涯……"

选择西安，只因为沐佐恩的这一句话，不是吗？

"相信缘分吗？"在商厦门口，望着流光溢彩的街景，叶知贤突然对我问出了一句很是无厘头的话，让我除了无语皱眉外，毫无头绪。

"缘分是件神奇的事情，往往第一眼就注定结局，进去后不用东张西望，因为我会把你第一眼看中的东西直接买给你。所以，从现在开始，你要慎重地表现出你的喜好。"

直觉告诉我，叶知贤的这句话拐弯抹角地藏了很多潜台词，是让我选适合我的便宜货，还是别给他丢人要选有档次的奢侈品，或者他根本就没有真正在说那些死物……

难怪女人都会因为血拼而失去理智，当我这个自诩淡定的妞看着那些诱惑人犯罪的包包、鞋子、衣裙后也有点濒临失去理智的状态。幸好，我还记得我银行卡上的余额数字，还记得我不用叶家一分钱的底线原则。

所以，我最终只咬牙选了一身藏青色日式通勤套装，一件白色衬衣和一双黑色百搭款细跟鞋，还有一个黑色妇女包。

看着我的选择，叶知贤一直保持诡异的笑容，什么话都不说。直到我开始翻包包试图自己埋单时，他才伸手拦住了我。

叶知贤伸手把我选中的一切都丢还给专柜小姐，一把推我走到试衣镜前，站在我身后双手紧握着我的肩膀，逼我望向镜中的自己。

"就知道你的眼光有问题，你还真的给我配了一身老处女打扮出来。也难怪，你从小独立，又没有谈过恋爱，当然不会明白温柔才是女人赢得世界的最强武器。幸好一切都还来得及，从今天起，你穿什么衣服，吃什么东西，选什么男人，我都会帮你把关！"

就这样，在叶知贤一再强调"用合理的打扮出现在合理的场合是基本的职场礼仪"下，他霸道地为我选了一堆行头让我逐一试穿。当然，所有的衣服、包包、鞋子都是最新款式，任何一款的标价都可以买足一大家子三代人一个月的口粮。

这期间，叶知贤消失了一小会儿，等他再出现在柜台，手里便多了一个精致的水晶发夹。他随手将我的马尾放散，再将这枚发夹固定在我的耳际，镜子里就此出现了一个美丽的、温柔的、让我自己感觉完全陌生的江晓卉。

看懂了我眼中不那么满意这番变身后，叶知贤礼貌地支开了专柜小姐，通过镜子的反射望着我的眼睛，清晰无比地开口道："做这一切的改变，都只是为了让你以一个合理的形象出现在公司，仅此而已。"

合理的形象？为什么要有一个合理的形象？怎样才是一个私生女的合理形象？

伸手，取下这个闪得我眼睛生疼的发夹，放回叶知贤的手里，我并没有说任何话，只是回到试衣间，脱下了身上那套似咒语般让我窒息的奢华名媛装，重新换回了卫衣和牛仔裤，再次走到叶知贤的面前：

"衣服首饰也都是有感情的，没有两厢情愿何必彼此为难？

你的意思我明白了，我会自己慢慢逛街，找些合适大公司上班的行头的。"

"你的意思是？"

"逛街这种事还是让女人自己随心所欲的好，你先回去吧。"

毕竟是多年来没有多少沟通的半个陌生人，面对我的冰冷拒绝，叶知贤即使有些不满意却也无可奈何。他将一张金色的信用卡交到我手里后，便走进了底楼的英国红茶馆坐着看杂志。

将信用卡放进皮夹子的最深夹层里，我直接走出了这家满目名媛富豪的金色商厦，拐到了旁边的一条小街上，在几间别致的小店里耐心地淘着价廉物美的行头。

过了大约一个半小时，我大方地给自己买了几身新衣服外加一黑一白两双百搭款皮鞋，又买了一个最近很流行的那种可斜背可手提的英伦复古皮包，然后理智地走出了小店，一路走回商厦。

路过一家专卖首饰的小店，我的脚步再一次停住了。望着橱窗里那些被冷光灯照耀的灵动闪烁的各类首饰，我搜寻着能一见钟情的缘分。

很快，一枚被放在角落的墨绿色水晶发夹让我再不愿意移动眼神。嗅觉敏锐的小店老板娘立刻走出了小店，主动和我寒暄，直到我伸手指向了那枚发夹询问价格。

见我选的是这枚墨绿色发夹，老板娘的神情突然有些尴尬，"小姑娘，你眼光还真好。这个发夹是去年进的货，当时就进了五个，一天就全卖光了，就剩这一个因为缺了两颗水钻所以没人要。我去找过批发商换，他那里也断货了，我就把它放在角落里当装饰了。小姑娘，你还是选其他的新到的发夹吧，我这个人做

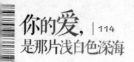

生意向来实在，所以我们家都是回头客。"

听着老板娘的解释，我再仔细看这枚发夹，果然看见蝴蝶结边际的地方有两处黑洞。但不知道为什么，就是因为这点残缺，我却更难将视线从它身上挪开，就似这枚发夹是我失散很久的旧物般不舍得再次弃它而去。

"把这个发夹拿给我看一下吧。"

见我坚持，老板娘自然没有有生意不做的道理，便殷勤地取出了发夹，一边用像天鹅绒一样的一块黑布小心地擦拭着灰尘，一边转过了话头开始锦上添花，"好东西就是好东西，别看它少了两颗钻，识货的还是一眼就能看中。再说这两颗钻在边上，不仔细看还真不一定能看得见，你看这些水钻，都放一年了还是那么闪。"

"多少钱？"

"这个发夹进货就贵，这样，看你诚心想要，阿姨就成本价再打个折给你，一百二十元。"

如果是往常，我一定会鄙视这个阿姨的贪心外加跟她打一场拉锯战。但不知道为什么，今晚的我竟然连还价的想法都没有，直接从皮夹子取出了一张一百元，再从口袋拿了二十元，一起交给了老板娘，然后从她手里接过了发夹，小心翼翼地捧在手心。

可能是没想到我会这么爽快，老板娘拿着钱貌似有点心虚，便伸手又拿了柜子里的一枚银色蝴蝶款式尾戒直接帮我戴到小指上，一脸的和气生财，"好看啊，小姑娘，你爽气阿姨也爽气，送个小戒指给你，以后一定再来啊！"

谢过了老板娘，我走出小店回到了街上，再次望向手心里的这枚墨绿色发夹。失去了炫目的冷光灯的万千宠爱，只凭借路灯暗淡的光，发夹自然没有在小店里那般璀璨，恢复了平凡无比的本质。但即使这样，我依旧还是很喜欢、很喜欢、很喜欢。

站在叶知贤面前，将他的信用卡还给他，根本不需要我说什么，他便先发制人地告诉我他没有收到任何刷卡记录的短信提醒。

懒得解释，也没有必要解释我不用叶家的钱这些无力的原则，因为我清楚自己从小到大其实用了那个男人不少的钱。即使有奖学金，即使我周末都会打工赚零花钱，但我还是会因为学校里的突发事件需要临时问妈妈要一些现金周转，而那些现金，便无一例外来自那个男人的皮夹子。

看到我手里的发夹，叶知贤好奇地抢过去仔细审看，貌似在寻找这个墨绿发夹比他给我选的那个发夹的优势之处。

很快，他便看见了发夹边缘的残次，"卉，你选东西怎么一点也不仔细？这发夹缺了两颗钻，哪个柜台买的，我陪你去换。"

重新夺回我的发夹，漠视他的大嗓门招惹来的瞩目视线，我直接就把发夹戴到了耳鬓，显示着我对它的宠爱。

不再说什么，叶知贤只是静静地凝视我，视线从我鬓边的发夹转到我的脸颊上，来来回回审视了好几分钟，这才让嘴边弯起了似笑非笑的弧度，穿上外套伸手接过我手里的购物袋，挽着我的腰，护花使者般拥着我走出了红茶馆，回到了车库。

"虽然妈妈一直为我留着房间，但回国后我并没有住回家里，一直住在酒店公寓里。这批酒店公寓是几年前爸爸投资的，因为前期市场调研做得不够充分，所以入住率一直不饱和，空房间不少，我刚才帮你也订了一套，以后我们就是邻居了。"

"不用了，我可以……"

　　"公寓不是免费给你住的,一室一厅,配厨卫,有洗衣机和微波炉,餐厅提供自助早晚餐,员工价每月收费三千元。明天起你的公开身份是我的秘书,实习期一年,你的工资税前六千,扣掉七七八八的钱,到手估计也就四千多些。我虽然是你哥哥,但一定会公私分明,我的部门里所有人的工作时间都是每天十二个小时,和我一起上下班不仅能省下一笔交通费,估计大部分时间还能省下晚饭钱。当然,你要是想回去凑齐一家人大团圆我也不拦着,这一年,爸爸一直就住在江阿姨那边。"

　　还能说什么,今晚的大血拼后,我银行卡里的存款已经剩得不多了。现在找房子租金也不便宜,付三押一更是一个大问题。既然有员工价可以享受,又有免费班车可以坐,酒店公寓这种完美的宿舍,我哪有理由拒绝。

　　见我收声,叶知贤便发动了车子,直接开车回到了我的暂时新家——位于北滨江林荫丛中的一长排独立酒店公寓。

　　直到我到达现场,才明白入住率不高的原因。那么一整排的临江酒店公寓,前不着村后不着店,附近没有地铁也没有大型超市,实在缺憾多多。要知道,能选择酒店公寓的一般都是来沪工作的高级金领或者外资高管,对早出晚归身心疲惫的他们来说,满目的黄浦江美景不如一个成型的商业社区体贴实际。

　　"就是这排公寓让公司元气大伤,资金链整整断了三年,到今天都没有完全填回去。黄浦江边寸土寸金,这些公寓继续杵着的全部意义不过是等到土地价涨回亏损值的那一天。这也是为什么老爸再动手商业地产投资项目时坚持拉着沐锶一起玩。这批公寓让他一直心有余悸。打江山难守江山更难,家大业大,只要一个投资计划完败就能一夜之间被活埋。我们家破产的话,集团上上下下几千个家庭也一样会遭受灭顶之灾。所以无论怎样,我们一定不能先倒下。"

听着这番负责任的主子宣言，转过头望着叶知贤的俊朗侧面，我实在不敢相信这个头顶长出光圈的高大男人，就是那个小时候被我狠狠压在身下揍得眼泪狂飙的小屁孩。

虽然余光里发现了我的凝视，叶知贤却依旧微仰着脖子望着公寓顶端的那弯新月，依旧保持手插在口袋里的偶像一哥经典站姿，"男人在专注事业的时候确实会很迷人，何况是个本身就完美的男人。对我动心的话也正常，卉，别压抑自己的感情，我们并没有血缘关系，你随时可以爱上我！"

这才对嘛，这才是叶知贤，那个随时都会散发欠揍磁场的贱小男！

只不过，他现在的个子外加手臂上清晰可见的肌肉实在不是虚的，我只能把沸腾的情绪好好自我约束一下。再揍他一顿虽然是我一直的心愿，但没有必胜的把握之前，我不会轻易动手。

"可以上楼了吗？我很累，想早点睡了。"

见冷幽默并没有如预期般调节我们之间的兄妹气氛，叶知贤似乎有点尴尬，自嘲地笑笑，便重新自然地搂住了我的肩膀，带我走进了其中一幢亮灯最多的公寓，让前台小姐替我打开了从此属于我的那间温馨小屋的门。

洗了澡，换了酒店免费提供的全棉睡裙，躺在铺了纯白床单的松软席梦思上，享受着只属于我一个人的安静空间，听着窗外偶尔传来的轮船汽笛声，我轻易地就进入了梦乡。

第二天一早，我穿上了一身深蓝色细灯芯绒西服套装，配了一件浅蓝色的雪纺蕾丝衬衣，踩上了黑色皮鞋。对着镜子，我拿着发夹比了几下，虽然墨绿色已经接近黑色，但和我一身深深浅浅的蓝色还是有点不和谐，便把发夹放入了包包里，将及肩的长

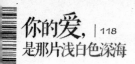

发简单地在脑后盘了一个髻，便走出公寓坐上了叶知贤的车，重新回到了那幢我曾实习过三天的摩天大楼。

"你是我的上司，我的工作失误就是你的指导失误，觉得我工作能力不足，有种就把我踢出你的筹备组。做不到的话，就自己兜着，至于这张罚单，你自己处理去，反正车不是我的，我才不怕警察最后找上门。"

重新站在B2车库的电梯前，镜子中突然出现一年前那个莽撞的我，也出现了那个始终喜欢冰冷着脸的摄魂怪。

摄魂怪就那么透过镜子的反光看着我，静静地看着我。

"佐恩，这么巧！"

沐佐恩？所以，镜子里出现的他并不是我的幻觉？

随着身边叶知贤的招呼声，我猛然转过身，果然看见了沐佐恩，带着冰冷的表情正静静地望着我的沐佐恩。

再一次看见他出现在面前，我的心脏像被划破什么似的猛地抽搐了一下。幸好我身边的叶知贤始终望着沐佐恩，才没有发现我的失态神情。但沐佐恩却将我的所有表现尽收眼底，让我更加无地自容，更加怯懦地想要从他面前快速逃走。

"江晓卉？"

眼神明明已经完全认出了我，沐佐恩却还是多此一举地说了一句废话作为一年后重遇的开场白。

"佐恩，虽然你们以前就认识，但我还是正式向你介绍一下吧，这个是江晓卉，我的亲妹妹。"

在叶知贤这句介绍尾音刚吐出口的第一秒，我和沐佐恩同时望向了他。当然，都是因为那个关键词"亲妹妹"。

面对我们的视线，叶知贤摆出一副无所谓的架势，只是注视我的眼神更加深不可测，让我一时间无法读懂。

　　比我先收回诧异的眼神，沐佐恩伸手按下了电梯门边的按钮。随着LED灯变亮，我才发现难怪电梯一直没到，原来是我和叶知贤谁都没去按这个上行电梯按钮。

　　"难怪认不出了，原来真的变了一个人。"

　　沐佐恩的这句话貌似自言自语，但音量却足够让我和叶知贤听得清楚明白。我知道他是自嘲没能看出我金枝玉叶的真实身份，还曾以为我是攀上叶知贤这个王子的灰姑娘而同情过一阵子。

　　不知道为什么，这一年来，我始终能把沐佐恩和我之间的所有对话记得清楚明白，每每眼前出现类似的高大背影，我都会一念执着地走到"他"身前去证实自己的假设，因为我总有一种感觉，唯一知道我的下落的他会再一次多管闲事地出现在我的面前。

　　可当他真的再一次站在我的面前，彼此这么近距离地开始对话，我才发现，原来他对我而言不过是个曾共事过三天的陌生人。他的眼神、他的语气，甚至他浑身散发出的距离感都让我这一年的忐忑变得无趣至极。

　　用一声深深的叹息终结了刚刚沸腾了几秒的某种不安分，让眼底彻底冻结了某些只有我自己才明白的隐约，我重新抬起眼眸望向了电梯镜面中的这个陌生人，坦然露出了一丝若有似无的微笑，当作对他这句"变了一个人"的全部答复。

　　沐佐恩的办公楼依旧在七层，当他先一步走出电梯，这片狭小的空间缺氧的状况顷刻便得到了缓解。望着电梯上的数字渐渐上升，离开那个"7"渐行渐远，我依旧沉默着。只是，这沉默已经变得轻快了许多，甚至都忘记了我即将抵达的二十八层有许多令我不堪重负的未来……

第五章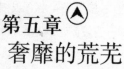
奢靡的荒芜

原来这些年，我只是忘了你是谁，却难以忘记你曾是我的谁。

我并不知道，这个月收入六千大洋的秘书岗位曾是多少妞眼底的肥缺，因为这个等同于太子爷贴身侍婢的岗位不仅可以和高富帅的未婚太子爷朝夕相处，还能有机会接触到隐身太子爷沐佐恩。

世界上所有的女人都一样，虽然都承认现实残酷，但都还天真地坚信灰姑娘童话会偶尔在人间重演，特别是那些有点姿色又自诩青春纯情的公主病患者。叶知贤和沐佐恩的单身早已经成了她们每天努力工作的全部动力，而那些名花有主的过季少妇每天也都很兴奋地等候着八卦旋风的随时出现。

所以，当我的人事调令出现在公司邮箱中，二十八楼以下的楼层都出现了沸腾，那场在一年前被压抑、无后续结局的谣言自然又被迅速点燃，再度刺激了所有人的肾上腺素。

"江晓卉？不会就是在我们这里突然消失的那个江晓卉吧？要真是她，就有好戏看了，我可记得……"

"小瑛啊，电子版合同封面我已经发到你的邮箱，你去把合同副本复印五份，加上封面装订好，下午直接带到会议室去。"

"好的，田总。"

因为沐佐恩走进了办公室，田总很是迅速地打断了丁瑛的亢奋八卦话题。

无视办公室里尴尬的气氛，沐佐恩自顾自地坐回了自己的办公桌前，昨晚的签约仪式上他已经正式从幕后走到了台前。所以从今天起，这个筹备小组进入了解散倒计时。按照原定计划，今天下午的协调会议后，他就正式卸职离开北擎回到自己的公司，让叶晓仪接手名衔转换成"项目执行组"的整个筹备组。

换句话说，如果江晓卉明天出现在北擎的话，他就绝对不会有机会"巧遇"她，甚至可能永远都不会再有机会见到她，不会被她突然的"变身"扰乱全部的记忆。

这一年，究竟发生了什么事情，竟然可以让一个人发生这么大的变化？！

一样还是那双清澈的眼睛，一样还是那么娇小的个子，一样还是那么别扭的气场，但她终究还是变了，变得让他一时间竟不敢认，重新回到眼底的这个女人就是那一夜在机场被他松手放走的倔强丫头。

有种很清晰的直觉，江晓卉选择今天回来绝不是偶然。

但同样源于直觉，沐佐恩深信这场偶遇确实是偶遇，而并非江晓卉刻意安排。她如果愿意见到自己，根本不需要这么复杂地安排，即使记不住自己的手机号，但只要拨通114便可以直接接通北擎的总机找到自己。

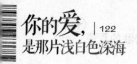

同父异母的亲妹妹？

原来，这才是江晓卉的真实身份，才是她和叶家纠结的真正原因？

想到自己曾一厢情愿地误以为她和叶子航之间的关系而随手施舍救赎，沐佐恩忍不住鄙夷自己的弱智。

难怪在初见叶晓仪时，感觉她眉眼间有种似曾相识的感觉，原来她和江晓卉根本就是亲姐妹，都有叶子航的基因，难怪她们有点相像，特别是眼睛。

"沐总，明天您就要离开北擎了，以后也不知道有没有机会再见到，所以今晚我们为您准备了一个欢送酒会，地点就在隔壁一条街的游艇会所宴会厅，希望沐总能赏光。"

午餐后，在沐佐恩起身准备去往二十八层出席高层会议前，丁瑛用温柔妩媚得能滴出水的娃娃音对沐佐恩发出了邀请。

为了成为灰姑娘最后搏击一把，公关部、市场部以及各个部门的适龄妖精都已经做好了完全的准备，决定在今晚的酒会上各凭本事降伏这块唐僧肉。

但这一切的前提是，沐佐恩这个正主要给面子愿意出席这场欢送会，所以负责发出邀请的丁瑛自然身负万吨重担，压力无比，生怕一向大方出席一切聚会的沐佐恩会因为今早某个"神秘人物"的回归而婉拒赴宴。

幸好，沐佐恩不但欣然接受邀请，还一如既往地表现了绅士仪态，交代丁瑛去追加些好酒让大家不醉不归。这让公司上上下下的美女在松了一口气的同时，慌忙地开始往脸上贴急救面膜，抹各种无瑕粉底，算准时间冲向附近的发型屋，只为能让沐佐恩出现时看见自己最闪亮的完美状态。

今天是沐佐恩在北擎的最后一天，唯一不知道这个街知巷闻大消息的估计只有我一个了。如果我能知道，就不会为了日后经常要见到沐佐恩而暗暗做心理准备了。

"卉，把这支录音笔里的材料清空后带在身边，一会儿开会你记得带着。"

"哦，好。"

接过叶知贤手里的录音笔，我的眼神依旧有点茫然。经过一上午的人事手续，午餐后的我才开始正式进入工作状态，我的第一个工作就是列席高层会议。而出席这场高层会议的人一共有八个，其中四个是叶家人，还有一个是沐佐恩，都是我不怎么想见却无法避开的熟人。

"晓卉，好久不见！"

随着耳边出现温言软语，一股沁人心脾的玫瑰香气窜入了我的鼻息。我自然而然随着这股好闻的香氛松弛了些情绪，随即迎上了叶晓仪的视线。

和许多年前一样，叶晓仪的及腰波浪长发还是那么松软光泽，笑容还是那么美，连眼睛里都盛满了妩媚。除了身上的玫瑰花香水味，她的指间还戴着一枚镶满碎钻的银色玫瑰花戒指，低调地彰显着主人对玫瑰的万千宠爱。

连续打了几个喷嚏后，叶知贤脸上写足了不满，"叶晓仪，你一天不喷香水就活不下去啊？一会儿我就去告诉沐佐恩，你是因为有狐臭才要用这么重的香水压着味道，我看他还要不要娶你。"

因为这句"要不要娶你"，我的心被猛然重击一般，停滞了一秒心跳。

所以，这一年里发生了很多我意想不到的事情，是吗？

难怪今早叶知贤会那么大方地向沐佐恩介绍我的真实身份，原来沐佐恩已经是半个自己人了。

"沐佐恩你是喜欢上我了吧？所以你才会对一个才认识三天的女人一而再再而三地多管闲事。难道是看见我的第一天就对我一见钟情了，觉得是所谓的命运的安排？可是怎么办，你实在不是我的理想型，我不想你以后为了我受伤……"

不知道为什么，我脑子里突然出现了那晚在机场我对沐佐恩说的这段话。虽然当时的我也不过是在玩激将法，但依旧有种羞辱感烧灼得我胸口火热，让我不敢开口回应叶晓仪的主动问候，生怕会从嘴里喷出一把烈焰吓到她。

晓仪自然不会明白我一脸死白的理由，她应该还以为我正尴尬我们彼此的嫡庶尊卑，以为我依旧很不屑回到这个并不值得羡慕的变态豪门屋檐下。

避开我的直视，晓仪低头打开了大号爱马仕凯莉手提包，从包里取出一部纯白的手机递到我的面前，"上班第一天，姐姐送你一个实用的见面礼。手机里已经帮你存好了集团全部关键部门负责人的手机号、邮箱以及分机号，顺便帮你下载了一些好玩的游戏。开机密码是1234。"

再不时尚的人也会知道晓仪手中这款手机刚刚全球发行，国内还没有公开发售，即使在原产国要拿到这款新手机也需要和狂热的粉丝们一起通宵排队才能买到。

所以，这份见面礼比起那双花钱就能买到的白皮鞋比起来，还真的是足够诱惑，让自诩并不虚荣的我也不由得难以拒绝。

见我还在犹豫，晓仪直接就把手机塞进了我的手中，然后从包里取出了另一个一模一样的手机，对着我欢乐地说道："OK，从今天起，我们就开始用姐妹机。我已经让人去意大利预订了两个真皮手机套，我选了玫红的，给你订了个橙色的，在手机套送到前，我们就先一起用裸机吧。"

这就是豪门和庶民的区别，连个手机套都要去意大利预订，而我的手机保护壳从来都是地铁站里或者路边摊上随手买的。

真庆幸自己因为假意看手机而低头，否则一定很难让脸上突然出现的各种神情逃过晓仪和知贤的近距离注视。

寒暄完，留给我们三兄妹的时间就只够各自拿起笔记本，等那场堪称家族大聚会的高层例会开始。

长长的会议桌边放置了十几张舒服的皮椅，真皮弥散的特殊气味交织着咖啡绿茶的香味，再混合了叶晓仪身上的玫瑰香氛，让阳光明媚的会议室呈现出一种高贵的安静，唯一显得突兀的当然只有我这个格格不入的不速之客。

身为董事长和总经理的叶子航和席宁妹相对坐在椭圆形会议桌的一端，他们的身边分别坐着叶知贤和叶晓仪，跟着叶知贤走进会议室的我便自然地坐在了他的身边。早已经等候在会议室里的两名董秘、总办秘书、人事总监则自觉地坐在了外圈靠墙的列席座位。

所以，当沐佐恩最后一个进门后，他唯一的选择，便是坐在我的身边或者坐在叶晓仪的身边。

不知道为什么，明知道沐佐恩一定会选择叶晓仪身边的那个座位，我还是在他步入会议室的时候产生了某种蠢蠢欲动的情绪，虽低着头望着手中的笔记本，却用余光锁定他的每一个动作。

当然，他还是大方地说了一句"抱歉晚到了"后，自然地坐到了叶晓仪的身边。当我"自然地"抬起头时，刚好看见他转过头和叶晓仪互相微笑着打招呼。在叶晓仪眼中，我分明看到了一

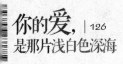
种闪烁，一种太过清晰的闪烁。

所以，一切都是真的。在我离开的一年里，这个多管闲事却又不足够多管闲事的男人还是遇见了他的同类，然后发生了顺理成章的化学反应，只待反应一路引导他们走向合理的未来！

这可真是一场物以类聚的早该遇见，我虽然不小心错过了过程，但幸好赶上了结局，还来得及亲口说一句恭喜。

我不懂我心底这份恭喜背后夹杂的情绪是什么，但我至少能让自己用最最平静的心态去面对沐佐恩对我的那份直视。

突然发现，虽然每一次沐佐恩都会坐在我的正对面，可以比其他人用更短的距离和我对视，可我们之间却永远相隔着冰冷坚硬的办公桌、餐桌、会议桌。

"既然大家都到齐了，我们就开始吧，我先给大家介绍一下新成员：江晓卉，我的三女儿，今年刚本科毕业，暂时先做一阵知贤的助理，等过几年熟悉了公司后，再让她自己选一块自己有兴趣的业务去负责起来。"

叶子航对我的这番特别介绍，对在座的十个人貌似都是多余，可他还是郑重地说了这番话，让会议室里的凝重气氛再一次被推向了极致。

幸好这种高层会议并不是一个茶话会，并不需要大家各自轮流抒发感想，而严密的会议流程也不需要什么完美和谐的气氛作为依据，所以，当叶子航介绍完我以后，便示意董秘开始打开PPT走会议流程。

整个会议很是紧凑，除了沐佐恩和叶晓仪汇报交接情况，叶知贤这边也做了一份很是详尽的轮岗述职报告，董秘这里也汇报了上市公司董事会的近期安排。总之，整个会议室里除了我是个纯粹的听众，每个人都处在重要的位置。

整个冗长的会议过程中，如果不是席宁姝几次若有似无的视线在我的身上打下了鞭痕，我估计已经睡过去无数次了。

始终不敢用同样"不经意"的眼神去回望席宁姝，这个我一心要报恩的救命恩人。在我的心底，她依旧是那个冷着脸辱骂我妈妈下贱的狠女人，她的那句"要么让叶子航狠心抛弃妻子，要么就永远在我面前消失"一直就留在我的心底，成为让我钦佩她敢爱敢恨的证据。

是的，我必须承认，在过去的二十几年里，我不止一次想过，如果可以选择，我宁可要席宁姝这样的妈妈，虽然因为男人的背叛而毁灭了一生的爱情，但她依旧骄傲得让人敬畏。

那些骄傲并不在她冰冷的视线里，也不在那张聚集了公司全部流动资金的施舍卡里，更不在她以德报怨的输血举动中，而在组成她这个人的每一个细胞里。

如果这个世界上还有一个人可以让我无条件地变得渺小自卑，这个人就只能是席宁姝。

"晓卉，公寓还住得惯吗？"会议终了，叶子航突然指名道姓地提问。

我失焦的眼神瞬间恢复了聚焦，望向他慈父般亲和的笑容。我的心头猛地一阵心虚，让我根本没有能力说出任何一个给面子的字眼作为答复。

"放心吧，爸，有我在呢。我会负责把晓卉培养成德智体美劳全面发展的好妹妹的。"

因为叶知贤的一句玩笑，气氛缓和了许多。可叶子航的笑容里含着多少质问的意味，我当然也清楚明了。只可惜，对他的态度，我还是无法做到改变。

"沐佐恩，听说今晚公司为你安排了一个道别酒会，明知

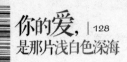

道别不是目的，你慷慨赴义也算应景了，怎么还让公关部加酒啊？"

"道别酒会？什么状况？沐佐恩，你不够意思啊，这么有趣的事情怎么不知会兄弟一声？在哪？带不带我们兄妹一起玩？"

面对叶晓仪和叶知贤兄妹的夹击，沐佐恩抬眼望了叶知贤一眼，然后一边收着桌面的会议资料，一面慵懒地回答道："别做作了，要不是你们兄妹点头首肯，你们手下哪个机构敢玩这种姜太公钓鱼的游戏，要求加酒还不是给你们面子，也算表达一下我愿意凑份子的心意。"

"那还不是因为你不够自觉，来我们公司潜伏了一年，临走一点要表达的意思都没有。不过，我真没想到你小子人气那么旺，我随口的一句提议竟然立刻被执行成了一个堪比尾牙的酒会。看来，你今晚真的是要竖着进门横着出门了。"

"有你在，第一个横下的一定不是我。"

"那不一定，要不我们用一顿晚饭打赌，今晚谁先倒下。晓仪、晓卉，你们两个来做公证人。"

"就是说，无论你们谁先倒下，我都有饭吃？OK，我做公证人。"

随着叶晓仪的表态，大家的眼神自然而然地都望向了我，包括尚未离开办公桌正旁观着我们这些小辈聊天的叶子航和席宁姝。

应该说什么，和叶晓仪一样轻快地边微笑边说"也算我一份"，还是含蓄地点头微笑、温婉默认我的自动加盟，抑或实话实说表示我毫无兴趣？

思维突然因为沐佐恩的凝视而停滞在某个时空里，我依稀记得我的第一次喝醉，我的第一次酒后吐真言，我的第一次倍感无助，我的第一次失态……

"摄魂怪，回去吧，阿兹卡班需要你！"

应该，这一刻，沐佐恩和我一样都想到了那个让我无地自容的时刻了吧。因为，我清晰地在他的眼睛里看见了一丝笑意飘过，而他根本不是一个爱笑的男人！

好吧，为了终结这段不堪的回忆，今晚我一定会守到他喝醉的那个时刻，然后睁大眼睛看着他喝醉后的每一个表现，给我们彼此一个扯平的机会，从此两清，从此便可以安心陌路！

就在我开口想要说什么的时候，沐佐恩突然抢在我前面说了一句："放心吧，你们等不到那一刻，我绝对不会让自己真的倒下的，因为我不想酒后吐真言。各位，我还要回筹备组做最后的交接，先走一步，晚上见。"

说完，沐佐恩便率先离开了会议室，让嘴巴已经微张的我彻底尴尬无语。

因为我们一起注视着沐佐恩离去的背影，所以我并没有看见叶晓仪和叶知贤眼底同时出现了某种火花，也因为沐佐恩的这句"话中有话"让我一时慌乱了理智，错过了发现叶知贤暴露的某种不合理的兴奋状态，因此错过了唯一的自救机会。

不远处，席宁姝把我们几个小儿女的表现看得清清楚楚，她的眼神依旧淡定得可怕。随后，她选择了默默退场，甚至没有多看一眼近在咫尺的叶子航。会议室的空气，因为她的无声表演而再次被冻结得寒若北极。

又看了我一眼，确定我并没有被席宁姝的漠视而伤害，叶子航才貌似放心地离开了会议室。对于他的"偏爱"表现，不仅我，连叶知贤和叶晓仪都觉得有点无趣多余。本来就是，一个独立了二十多年的大活人怎么可能会被几秒钟的沉默伤到，我的身

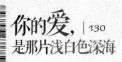

上要是能有什么死穴，那也就只有那句永远绕梁在耳的诅咒，那句我连回忆的勇气都没有的诅咒。

世界上不能用钱买到的东西若真的存在，一定是在银河系以外的遥不可及的时空里。不仅如此，金钱的包装真的可以让一个人至少在外表上高贵起来。

因为晚上的这个告别酒会，叶晓仪在约定的时间拎着一身杏色复古收腰蓬蓬连衣裙站在我的面前，示意我更衣。她开口的理由是我身上的通勤套装不仅拘束，也不适合会所里低矮的沙发座位，坐姿稍不注意就容易走光，换成连衣裙反而不突兀，可以和环境融合在一起，无论站立、坐下都能自如。

看着晓仪换上身的那一条纯黑色紧身高领公主袖名媛及膝连衣裙，看着她衣领外那根奥黛丽赫本款的大珍珠项链，我便不再多话，识趣地换上了那条连衣裙。但我懒得解开脑袋后面的发髻，幸好连衣裙的复古小圆领和我的老气发髻还算和谐，叶晓仪也就不再坚持什么，和我一起坐着叶知贤的车来到一街之隔的游艇会所，走进了宴会厅。

宴会厅里已经放满了自助美食和美酒，陆续到达的员工们都已经人手一杯五颜六色的含酒精饮料开始寒暄。大家说话的声音都不小，但在我们三个人踏入宴会厅的一瞬间，所有的嘈杂声消失得整齐划一。

同一秒，叶知贤原本插在口袋中的手竟然挽上了我的腰，在发现我有点本能地抵触时，俯身在我耳边快速地说出了一桩交易："和我保持暧昧的关系既能满足一下大众的好奇心，也能阻止部分消息灵通者排山倒海地过来敬你酒，这生意你不亏。"

区别于我和叶知贤的自娱自乐，环视了一圈场子没有发现正主的叶晓仪，忽略全场投向她的羡慕嫉妒恨视线，拿出了包里的手机，直接拨通了沐佐恩的电话：

"你们还没有结束吗？今晚你可是主角，你不会想过了半场再出现吧？"

"你们不也是刚到吗？何必以五十步笑百步呢？"

沐佐恩的这句回答，除了握着手机的叶晓仪听得清清楚楚，所有人也都听得清楚明白，因为说这句话的时候，他已经走出了电梯，站在了距我们身后不足五米之处。

合起电话，叶晓仪露出了适宜的微笑，转过身，等候沐佐恩和他的部下一起走近后才一起走过了宴会厅的大门，正式为今晚的告别酒会拉开了序幕。

整个酒会的唯一主题就是喝酒，以各种寒暄为开篇的喝酒，那些精致的美食被冷落得如场内摆设的鲜花一般，成了一种保鲜度随时下降的奢侈装饰品。

走进会场后，我们便兵分两路：筹备组簇拥着酒会的真正焦点人物沐佐恩径直走到了会场的中央，继续接受大家的微笑注目礼；叶知贤继续挽着我的腰，脚步走了一个大弧线直接走到了场子的边际，这才松开了手，伸手去长桌上取了两杯杯子上还挂着新鲜水滴的香槟。

将其中一杯香槟递给叶晓仪后，叶知贤回头问我会不会喝酒。一秒犹豫都没有，我立刻用坚定的"不会"给出了答复。

"是滴酒不沾还是稍微可以应付一杯两杯？"

在我还在犹豫这个追问该怎么回答时，我的手里已经被叶晓仪塞进了一杯橙汁。

她替我回答了问题："这种场合下，稍微能喝一点和滴酒不沾的结局是一样的。今晚我们都不是主角，晓卉你坚持滴酒不沾

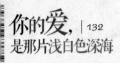

就行，有知贤的淫威在，别说灌你酒，恐怕连不怕死靠近你的苍蝇都绝对不会有一只。"

晓仪这话绝对不夸张，等他们两个被鼓起勇气靠近的公司中层围拢着，开始以各种理由被劝酒而渐渐远离我的视线时，我便成了一个人形装饰品，静止在了满目的喧闹外。这满目的酒会，就像一场现场拍摄中的电视剧，而我，是唯一的观众。

这出电视剧中，男主角有两个——沐佐恩和叶知贤，而女主角当然是唯一的公主叶晓仪。虽然满场不乏美貌帅气的年轻人，可他们三个却实在惹眼，沐佐恩的儒雅沉默，叶知贤的阳光帅气，叶晓仪的妩媚高贵都出众得可怕。

不同于叶知贤时不时对我的关注和叶晓仪的偶尔回眸微笑，沐佐恩自始至终都没有看我一眼，即便我的眼神从飘忽到专注，甚至长时间凝视他的侧面，他对我始终漠视。这才让我开始放心大胆地观察他的所有表现，观察他和叶晓仪之间的关系。

如果他们的关系真如叶知贤所说的已经到了谈婚论嫁的程度，为什么晓仪没有以女主人自居，还让那些眉眼间尽是崇拜加贪恋的女员工们一批批地黏在沐佐恩身边，扬起了一片选妃现场的紧张气氛？

难道是要避嫌？

这应该没有必要，叶家和沐家已经联手了那么大的投资，两家少主若是联姻自然是锦上添花的好消息，难道……

就在我脑中出现了一个隐约的想法，又在叶晓仪不经意飘向沐佐恩的眼神中多少证实了些准确度的时候，我的视线突然被一堆黑压压的影子遮挡住了。

"小江，你一年前不告而别，现在回来了还要我们这些老鸟主动来找你叙旧，实在太不给面子了吧？"

"小江妹妹，田总都开口了，你估计逃不了自罚三杯。"

"别，我可没这意思，你们要欺负人可以，千万别用我做借口。小江，来，为了庆祝我们久别重逢，我先敬你一杯，你用橙汁随意就行。"

说完，田总便仰头干了大半杯的红酒，比喝纯水都干脆。他的姿态立刻引发了筹备组成员的一致叫好声。

就算我真的一点不想喝酒，但遇见这群"老朋友"，田总又摆出先干为敬的高姿态，我实在不好意思真的只用橙汁应付。

我脸上的妥协神情让堪称人精的丁瑛立刻收到了讯息，她极快地帮我在就近的餐桌上取了一杯红酒，换掉了我手里的橙汁。

"小江的酒量我们都清楚，喝酒嘛开心最重要，真喝醉了不仅不舒服，而且也没意思。这样，我提议我们大家一起干了杯中酒，庆祝我们筹备组今晚最后一次大团圆。"

"好，这个主意好，来来来，大家一起把杯子都倒满，圆圆满满地干了这一杯就Over。"

"等一下，既然是筹备组的大团圆，怎么能少了沐总？丁瑛啊，派你去把沐总请过来。"

"收到！"

话音刚落，丁瑛立刻笑靥如花地冲向了另一个人堆中，一边解释着理由，一边把沐佐恩拉到了我的面前，将一整杯的红酒递到了他的手里，又把筹备组员工手上的酒杯斟得满满的，这才在大家的笑声中率先举起了杯子：

"各位，为了筹备组最后一次的大团圆，我们干杯！"

"干杯！"

"干杯！"

在这种欢乐夹杂悲伤的氛围中，望着这些和我只有三天缘

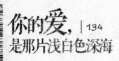

分却似家人般热情的笑脸，我突然也变得有点莫名其妙地热血沸腾。

特别在那一句"最后一次的大团圆"的煽情鼓舞下，便再没有什么扭捏，和大家一样豪气地举起了酒杯，一口气喝干了有近半瓶量的一整杯红色晶莹液体。那略带酸涩的灼热一路烧进了我的胃，在路过心房时，瞬间点燃了被我无意识中深埋的某些蠢蠢欲动。

"你没事吧？"

当然没事，这只不过是我今晚喝的第一杯红酒而已，何况之前我还吃了不少美食，并不是空腹喝酒。所以，如果大家都没有事，我又怎么会有事？

面对沐佐恩的询问，我的心底有着最理智的答复，但我的眼睛却给出了完全不一样的答案。这个答案若不是因为他的眼睛足够深邃，可以让我在他的瞳孔里看见我的整张脸，我估计自己都不知道我已经轻易暴露了心底深处那些可怕的蓝色火焰。

"喝快酒最容易醉，何况这杯红酒的量实在不少，后劲上来后会有你受的。去，到我的车里安静待着，一会儿我有话和你说。还记得我的车牌号吗？"

我不知道我为什么会对他点头承认我还记得他的车牌号，我也不知道我为什么会那么顺从地接过他递给我的车钥匙，我更不知道我怎么会鬼使神差地握着车钥匙真的走出了宴会厅。

但幸好，在我茫然地走过会所前台时，被窗口透进来的清风吹醒了神，及时恢复了被他的视线、他的声音轻易催眠的理智。

将车钥匙交给前台迎宾小姐，假意我是受他所托为他找代驾的助理，在一张便签纸上留下了沐佐恩的名字和他的车牌号，办妥了"交接"工作。

走出会所的大门，深呼吸一口带着江水气息的空气，我的心情立刻被湿润的空气同化出一片潮水。

并不想一个人先回公寓，我决定找个地方让自己安静地坐一会儿，等酒会差不多结束时再回宴会厅，等着和叶知贤完成同进同出的兄妹情深表演。

伴着拍岸的浪涛声，我缓缓地走了十几分钟，一直走到远离霓虹灯的游艇停泊区，找了个路灯下的铁皮长椅坐下来，望着眼前正随着浪花而上下起伏的游艇开始发呆。

这样的安静状态没有撑过五分钟，握在手里的手机便开始警钟般地响起来，这新潮另类的铃声尖锐得让我很是无语。

因为是拿到手还不足一天的新手机，我很不习惯这个没有任何按键只有一块屏幕的薄砖，用手指滑动了好几下提示条，这才接通了显示着叶知贤名字的这通来电。

"你去哪儿了？听晓仪说你喝了一整杯红酒，没事吧？"

"我没事，宴会厅空气不好，我怕那杯红酒会有后劲，所以出来透透气。"

"你现在在哪里，安全吗？"

"应该安全吧，我没有出游艇俱乐部的围墙，我现在在江边停游艇的地方，这里有椅子可以坐着休息。"

"嗯，我想我知道你现在的位置了，那你坐着吧，酒会结束了我会去找你。要是觉得冷，去江边拴着游艇铆绳的地方找一个橙色铁柜子，里面有备用毛毯还有矿泉水。"

"哦。"

挂断电话，我便站起身走向江边，真的在橙色柜子里找到了大量的毛毯。捧着两条厚厚的毛毯再回到长椅边，我将其中一条毛毯铺在长椅上，另一条包裹在身上，在这个温暖的临时的小窝

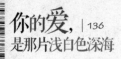

中蜷缩着身体继续发呆。

因为有毛毯的温暖包裹，在不怎么规律的游艇起伏催眠下，加上红酒后劲缓缓上头，没过多久，我就闭上了眼睛睡得迷迷糊糊，直到被一阵猛烈的摇晃再度催醒了神智。

"晓卉，你是睡着了还是昏迷了，晓卉？"

睁开眼睛，我的眼前赫然站着一个高大的黑影，因为背光，我看不清他脸上的任何表情，但我至少认得出这张脸，就算在一片黑暗中。

来人并不是我在等待的叶知贤，也不是沐佐恩，他是郑翌哲！

我相信，我看清来人是郑翌哲后的脸部表情一定不友好至极，否则在我从蜷缩的睡姿调整成坐姿后，我不会看到那么一副幽怨的受伤落寞表情，也不会听见那么一声无力至极的低沉呼唤：

"江晓卉！"

"你怎么会知道我在这里？"

等话一出口，我立刻鄙夷自己多此一问，一定是叶知贤感恩于郑翌哲昨晚的"义气"，所以礼尚往来地想要给他一个与我和好的机会。

果然，在我的理智刚刚得出结论的同一秒，郑翌哲便证实了我的推断。

"是叶知贤给我打了电话。晓卉，我知道你还在生气我昨晚出卖了你，我真的有苦衷，你可以继续保持和我绝交的状态，但看在我们一场交情的分上给我一个机会解释一下我的苦衷，怎样？"

趁着我在犹豫和沉默，郑翌哲调整情绪般地深呼吸一口气，蹲在了我的面前，让自己的视线可以和我的眼睛保持同一水平线，这才再次开口。

"有些话，我必须告诉你，这些话一旦说出口，可能你连恨我的情绪都不再舍得给一分一厘，也从此斩断了咱青梅竹马的情分，但我还是要说出口，给我十分钟，可以吗？"

不可以的话又能怎样？这种状况下，说一句不可以他就会识趣地消失？

郑翌哲的死德行我又不是不了解，就算我像个疯婆子一样捂着耳朵大吼大叫"我不要听，你滚开"这类的废话，他照样有耐心会等着我恢复平静后再重新开口问我"可不可以"。

而且，实在也不至于这么夸张，我也很是好奇郑翌哲这副受尽天下委屈的表情后是怎样的一番解释。

看这状况，他的所谓"苦衷"应该不是我猜测的那样，他是因为不希望我再离开他，不想我再失踪，不想我再无谓地逃避，不想我因为一时冲动而犯下不孝的错误造成终身悔恨，才下狠手和叶家人合作。

"好吧，你说吧，到底是怎么样的苦衷才能让你对我这么下狠手。"

"晓卉，我爱上你姐姐了。我答应过晓仪，只要你回来，一定会不惜代价留住你，让你不再逃避和叶家的关系，哪怕从此失去你对我的友情。"

我必须承认，当郑翌哲说出这句话时，我完完全全被冻结住了。

这个答案不仅打击了我对郑翌哲自以为是的了解，更是让我恍惚了一下，这个站在我面前的男人是不是郑翌哲，那个从来以我的男人自居的正义者、那个会因为我的一个电话而站在宿舍外

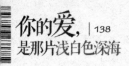
一整晚的黑骑士。

对于我的沉默和震惊的眼神，郑翌哲似乎早有心理准备，稍稍给了我一些调整情绪的时间，他便开始一口气说出这一年来发生的一切。

一年前，当我突然消失后，郑翌哲自然是吓傻了眼，他并不知道我和他在快餐店分开后还在家里遇到了叶子航，并发生了冲突。他只以为是因为他说出我的身世才逼得我不再想回北擎。

一时间，他像疯了一样到处找我，甚至在知道了我在西安后印了几百份寻人启事，准备辞职后冲去西安地毯式搜查我的行踪，最后是因为我妈妈病重住院，才让他暂时搁浅了疯狂的计划。

在医院里，他遇见了叶晓仪，这个唯一愿意来看望我妈妈的叶家人。当时，叶子航和席宁姝的关系就在火山爆发边缘，但叶晓仪却一直忍着心痛，希望用行动证明一切并不像席宁姝说的那样，绝对不可能有"相安无事"的存在。

作为叶家的长女，她会用真心来让叶家彻底打破可怕的战争状态，做到真正相安无事。而她唯一的心愿，便是叶子航收回那句必须离婚的决断。

"虽然只是一个名分，但却是她妈妈的全部。这些年，晓仪亲眼看着她妈妈活在没有爱、没有亲情，甚至没有温暖的生活里。叶知贤逃到国外去了，你也始终回避现实，只有她，始终坚守在那个冰冷的家里。她知道，如果他们真的离婚了，那才是真正的毁灭，而唯一能成全这一切的只有一个人，那就是你。"

"我？"

"嗯，刚开始我也和你一样，根本不理解这句话，但看来事实确实是这样。你爸爸始终觉得亏欠你们母女，他坚持要给你妈妈名分的原因其实是要让你认祖归宗。三个子女中，他唯一在乎的是你，这个残酷的事实虽然让晓仪很心痛，但她却愿意承受，因为她对于父爱已经没有了奢望，她现在只想守住她妈妈，不惜一切代价，看她那样委曲求全我实在有点不忍心，所以决定帮她一把。"

看着郑翌哲带着温柔的目光说着叶晓仪，我的脑海里也不由自主地出现了叶晓仪的完美形象和柔弱的本质。

当知道这样一个完美的公主生活在一个残缺的空间里受尽煎熬，当看见这个公主依旧善良且坚强地守护着家人，甚至不惜委曲求全自己的人生，如果再有几颗晶莹的泪水……

我想，我知道郑翌哲此刻眼底的温柔是怎么出现的了。

是啊，比起我这个独立惯了、寂寞惯了，也坚强惯了的野生妞，叶晓仪更需要他这个黑骑士，不是吗？

"晓卉……"

"至于摆出这副煎熬到五脏六腑的表情吗？不就是爱上一个值得你爱的女人吗？虽然我很讨厌那个男人，但我从来都承认叶晓仪是个完美的公主。而且我知道，这些年她确实过得也很悲惨，也该是她雨过天晴、遭遇好世道的时辰了。"

"晓卉！"

"别，你爱上人家是一回事，叶晓仪是不是会接受你还不好说，明明自己都知道前路艰辛，却用这副姐夫的嘴脸对我，你的厚脸皮我可受不住。不过，为了爱情，无耻出卖朋友这种解释我倒是可以勉强接受，OK，我原谅你了。"

"真的？"

"其实这次回来，我早有心理准备叶家人会有办法堵到我，但我绝对没想到会是你出卖我，现在知道了事出有因，我还有什

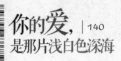

么好矫情的。郑翌哲，我丑话说在前头，不管以后你会不会和叶晓仪修成正果，还是请你记住，千万别再试图干涉我的人生，不管有什么理由都请下不为例，否则，我绝对不会再给你面子。"

"行了，我就知道到底有青梅竹马的情分在，最后一定会是这么美满的大结局。为了庆祝我们的破镜重圆，走，哥哥带你去江边散步看月亮去。"

一瞬间，郑翌哲又恢复成了他原本的样子，也不管自己刚刚对着我吼着爱上了别的女人，照旧自然地拉起了我的手，还是一副我男人的架势不由分说地把我带到了江边，对着近在咫尺的江水大声吼道："我郑翌哲对滔滔黄浦江水发誓，从今天起，决不干涉江晓卉的人生，决不再背叛江晓卉，即使做不了江晓卉的男人，还是会做江晓卉一辈子的黑骑士，若违此誓，罚我一辈子娶不到老婆，洗澡会被冷水烫到，喝茶会呛到，游泳会被鲨鱼咬到，还有什么和水有关，哦，坐船会被冰山撞到，哈哈哈……"

听着身边鬼叫鬼叫的郑翌哲口中不伦不类的发誓，我终于还是被逗笑了，心底却忍不住鄙夷他竟然不敢直接吼出叶晓仪的名字发誓，看得出这小子这次用情还真不浅。

忍不住又想起了叶晓仪望向沐佐恩时的暧昧眼神，那眼神暴露的心动痕迹太过明显，有这样一个高富帅劲敌存在，或者最后我自己才会变成郑翌哲身边的黑骑士守护他的心碎时刻吧？

侧过头，我一直凝望着郑翌哲没心没肺的笑脸，感受着他掌心的温度。

我知道，这一刻我不仅是真心原谅了他，也因为一种难以解释的同病相怜情绪，再一次加深了和他这些年所谓的青梅竹马的情分。

如果这一生我们都会因为爱情遗憾一次，痛心一次，至少我们彼此可以取暖，不是吗？

迎接着我凝视的目光，郑翌哲眼中的笑意突然深邃了许多。我不懂他眼神里的那种感情，也不想去仔细研究，因为我很享受这月光下的片刻安宁，还有郑翌哲这个唯一的朋友重新回到我身边的安心感觉。

站在树下，沐佐恩一直望着江边那一对人，看着江晓卉身上那身杏色连衣裙被月光染出一身柔和的银色光雾，映衬着江面的粼粼波光，让她脸上出现的笑容更显得温婉动人。

在记忆里，江晓卉从来都是冰冷且倔强的，就像一块千年寒冰般有着自己的固执和冷漠，可今晚的她却柔成了一汪清澈的湖水。为什么，因为她身边这个男人，因为他口中那么不伦不类的发誓？

这个男人究竟是谁，究竟是什么时候出现在江晓卉身边的，这些都已经不重要，沐佐恩突然很庆幸自己比这个男人晚了一步，避免了说出那些注定自取其辱的告白。

就在几小时前，在喝了那一整杯红酒后，这丫头望向自己的眼睛里明明写满了自己一眼就懂的讯息，可现在看来，这一切不过是自己的错觉而已。

转过身，沐佐恩让自己冷静了许久，等心中不再因为江晓卉的妩媚而腾烧着熊熊烈焰，这才大步离开了那片树荫，回到露天停车场，冷着脸吩咐代驾发动车，急速离开了这个是非之地。

十分钟后。

"嗯，行，你先走吧，我有点喝多了，本来还想让司机先送你回去，既然有护花使者了，我就不多事了。回去后早点休息，

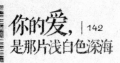
明早还是老时间车库见。"

挂断了电话，叶知贤转过头望向始终望着天上月亮一言不发的晓仪，再一次恢复了静默。

他们两个趁着江晓卉熟睡时躲上了游艇，隐身在幽暗的甲板上，只为了等候今晚这场好戏开场。可惜，结果却并非他们预料的那样战火激烈，反而是郑翌哲和江晓卉冰释前嫌后的重归于好。

"我真的已经尽力了，我以为郑翌哲真的对我动心了，原来他心里始终还是只有晓卉一个，为了重新回到她身边保护她，反而是我被他利用了。"

看着晓仪面无表情地将真相说出口，叶知贤根本不知道该接口说什么，只能将双手握紧冰冷的游艇扶栏，让那刺痛掌心的寒冷减缓内心煎熬的烧灼。

他知道，原本终于可以在今晚结束的一切混乱，因为郑翌哲的始终痴心再次复杂了剧本，让持续了整整一年的纠结最终还是得不到一个爽快的终结符。

嘴边有无数句劝说想要出口，但叶知贤知道任何劝说都没有意义，如果叶晓仪有理智，她就不会耐心策划这一年的报仇，甚至不惜用尽心机去诱惑郑翌哲对她动心。

事到如今，叶知贤清楚，这场战役如果不真的出现个伤亡者，就真的无法有终了的一天。晓仪的报仇心情太过迫切又太过头脑简单，江晓卉比江媛城府深太多，如果被她发现晓仪的动机，最后完败的一定又是晓仪，她的下场甚至会比席宁姝当年惨烈更多。

"就真的那么想报仇吗？就算伤害江晓卉是打击江媛的唯一办法，但你我都清楚，江晓卉是无辜的，你最后真的不会良心不安吗？"

　　"如果江媛能高抬贵手留给我妈最后一点尊严的话，我何尝不想和她们母女相安无事，否则我也不会主动对她示好。可惜，我的委曲求全还是被她们无视了，不是吗？"

　　是啊，如果不是这一年留在上海亲眼看到了席宁姝的体无完肤，叶知贤就不会醒悟在他躲避的这些年里，叶晓仪一个人承担了怎样一种硝烟弥漫的变态人生，也不会内疚到不惜纵容自己一并扭曲了理智。

　　好吧，如果让叶晓仪畅快地复仇能还掉他对叶家欠下的债，能让席宁姝和叶晓仪畅快地深呼吸一次，让局面再度回到变态的平衡，就算一定会伤及无辜也只能忽略不计了。

　　何况，江晓卉从来比寻常人坚强得多，她的战斗力足够让她经得住当一次箭靶。

　　"如果你真想报仇，去和沐佐恩公开恋爱关系。如果可以，订婚就更万无一失了。"

　　"和沐佐恩订婚？为什么？"

　　叶知贤原不想把事情说得太明白，可他知道如果不彻底挑明这个丑陋计划的锋利刀刃所在，处在刀锋边缘的晓仪随时会被误伤到而不自知。

　　"江晓卉的真正死穴不是郑翌哲，也不是她私生女的身份，而是深入骨髓的自卑。她可以挺身而出为江媛挡住全天下的咒骂，却挡不住她自己心里对江媛的鄙视，因为这份鄙视和厌弃，她一定不会在上海待太久。现在江媛身边有爸爸在，而妈这里有我们在，等江晓卉发现这种平衡，她就会再次一走了之。"

　　"所以呢？"

　　望着叶知贤，叶晓仪的眼中满是复杂难懂的情绪，这句询问也并没有真正疑问的语气，竟似她已经明白了叶知贤话中所指，却还是希望他直白地丢出那把可以一剑封喉的利刃。

"虽然我不知道这件事是什么时候发生的，但我可以确定，晓卉已经爱上了沐佐恩，而且动情不浅。"

"沐佐恩？怎么可能？他们之前不是只共事了三天，加上今天也不过只有四天。"

"原本我也不确定，只不过觉得晓卉看沐佐恩的眼神有点奇怪，直到今晚酒会上，她的眼神就没有离开过沐佐恩，还因为一口气喝掉了一整杯红酒差点在他面前失态，这才逃到这里吹冷风。"

"所以，你才急着让郑翌哲过来，就是要确定晓卉究竟更喜欢郑翌哲还是沐佐恩？"

"如果真有感情，再大度的女人也做不到亲耳听见自己喜欢的男人亲口说爱上了别的女人，晓卉对郑翌哲不过是朋友关系，最多有些兄妹情谊，这点，郑翌哲自己都看明白了。"

"是啊，所以，才宁可退而求其次瞎掰所谓的对我动心，就为了继续能守护她，唉……"

再一次深深叹气后，叶晓仪不再凝视叶知贤，抬起头望向了天际的月亮，任由江风吹动她的长发，卷起她身上那股浓郁的玫瑰花香，魅惑了江边的整片夜色。

"好在一切都只是晓卉一厢情愿，从明天开始，沐佐恩就不会在北擎出现，他们再没有接触的机会。等你和沐佐恩抢先一步公开关系后，我会安排晓卉和沐佐恩单独见面。等到她发现了心底的这份感情，不用任何人去质问她，她自己就会相信她因为有江媛的遗传基因，才会那么情不自禁地勾引别人的男人，就连亲姐姐的未婚夫都不放过，这点自责就足够折磨得她体无完肤。以她的骄傲和倔强，她当然不会真的和你抢沐佐恩，她只会比现在更恨江媛，恨到生不如死，而这些恨，便可以整个摧毁江媛。"

听着叶知贤用平静的语气叙述这么一个残忍的计划，满心仇恨的叶晓仪也不由得浑身血液都冻结了起来，使得她暂时没有办法回答什么，只能重新收回了眼神，转过身静静地望着自己的这个弟弟，这个根本和自己没有丝毫血缘关系却是自己唯一信赖的弟弟。

"连你这个心心念念想报仇的人都觉得残忍了是吗？而且这些残忍是对一个无辜的人，一个和你一样从小被伤害得体无完肤，一个和你身上流着一样血脉的亲人。但这是唯一可以真正达到你报仇目的的方法，因为只有同时摧毁江媛和江晓卉两个人，才能彻底摧毁叶子航，这个男人才是你真正想要复仇的对象，不是吗？"

眼泪，终于还是涌出了叶晓仪的眼眶，要承认自己十几年来始终恨着自己的亲生父亲，甚至恨到不惜亲手摧毁他，这种痛苦才是让叶晓仪走投无路的死穴。

看着叶晓仪被自己一语点穿而暴露了脆弱的灵魂，叶知贤立刻后悔了，但事已至此，完全没有办法挽回，他只能伸出手臂将叶晓仪拥进了怀中。

两个都是和他没有血缘关系的名义上的兄妹，两个也都是他真心愿意守护的亲人，可因为沐佐恩的出现，他却必须在两人之间选择一个放弃一个，这种无奈让叶知贤很无力。

这一刻，若说是他在安慰叶晓仪，不如说是他们两个在彼此依靠、彼此安慰。游艇的周围，两岸的灯火随着夜色的加深越发奢靡，可这两个兄妹眼中却是无尽的荒芜。

霓虹不存在，月光不存在，温暖，也从来不存在……

第六章
孽缘茶心

　　我终于知道为什么当心脏仪器显示一条直线后，医生会宣布病人死亡！

　　在被他搂进怀中的这一刻，我的心跳瞬间停止，我第一次感受到了只剩下灵魂不再有肉体的奇幻感觉，我不再能自如地呼吸，不再能控制我的手脚，甚至都不能自由地眨眼。

　　很多年后，我一直问自己，如果这一切的一切我能早一点知道，我会不会还让那一切发生？如果我们大家可以一起回到那个十字路口面对面地看清彼此的心境，我们是不是还会做出同样的选择？

　　可惜，人生就是人生，没有如果，也没有假设。

　　酒会后，沐佐恩便真的彻底离开了北擎。因为他的回归，投资项目的工作重心也转移到了沐锶总部大楼，晓仪每个星期都会去那边两三次，有时候是因为开协调会，有时候是和沐佐恩一起外出考察。

随着项目的逐渐进行，两家公司也渐渐弥散开了沐佐恩和叶晓仪日久生情、好事将近的小道绯闻。

直到每天跟在叶知贤这个工作狂身边同进同出，根本没什么机会接触外人的我也听见了这些言之凿凿的八卦新闻时，这条绯闻早已经是众所皆知的公开秘密了。

唯一可以与此消息相抗衡的另一条人尽皆知的公开秘密，便是关于我的真实身份。我是叶子航二房的私生女，母女俩委曲求全二十多年，终于熬到叶子航让我认祖归宗，这件事最终还是纸包不住火，成了街知巷闻的所谓叶家的"双喜临门"。

能漠视这所有的一切，并不是因为我够淡定，而是一直以来我都疲于应付叶知贤交代下来的沉重工作，做着长工一般不见天日的白领民工。

每天，和叶知贤同进同出的我就像他的影子一样始终被他拴在身后，根本没有机会和席宁姝多接触，所以也根本谈不上找到所谓可以报恩的机会。

而另一边，叶子航和妈妈似乎也信守了诺言，再也没有提及离婚的事情，让我们所有人竟然史无前例地相安无事了好几个月。

其间，我唯一的消遣是在周末的时候被渐渐"确定失恋"的郑翌哲拉着到处散心，不是看电影就是K歌。有时候，他这个自己才出炉不久的前辈会开着车去近郊的空地上教我开车，顺便吃一顿地道的郊区农家菜。

偶尔，当郑翌哲悲伤地提到对晓仪的单恋失败后的种种心痛时，我的心头会不由自主地闪过沐佐恩，会一再想起酒会那晚他对我说出那句吩咐后我如同被念咒般的中邪表现，会想起他曾经

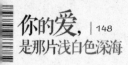

一而再地对我多管闲事的霸道……当然也会想起他对我的嘲笑和刻意漠视，然后对郑翌哲口中的单恋苦楚感同身受一把，待一笑而过后再度将心挖得深一些，将这份多余的感慨再次深埋，决定永远封存那些从不该存在的悸动。

因为逐渐临近圣诞节，街头巷尾开始被圣诞树和大礼物盒装点得色彩斑斓。身在外资公司的郑翌哲在这种大日子来临前自然是忙得焦头烂额，为了购置好他那张写得满满的礼物清单，我近乎花了整个周末的时间，陪他从大商场搜罗到了街边小店，直到连门卫老伯的老式卷烟都买齐备了，才瘫在咖啡馆里歇脚。

明晚就是圣诞夜，又恰逢周末，看着咖啡馆里成双成对的情侣腻味得唯恐天下不知他们正相爱，郑翌哲被刺激得不能免俗地又一次开始发病，"晓卉，要不然你就要了我吧。一个失恋过的男人实在没有勇气再爱了，你施舍点爱心给我吧，一点点都行。对象是你的话，我愿意贱卖自己，而且就你那股砍价的狠劲，等咱结婚后你一定是个持家有道的好太太。"

看到郑翌哲突然抽风，用满脸贼贼的狼笑对着我"求爱"，直害得我被刚喝到嘴里的一口咖啡烫着了喉咙。

刚想咽下咖啡开始反击，放在木质桌面上的手机就开始欢快地振动起来，发出一阵嗡嗡的振动声。

虽然我的手机上有公司上下浩浩荡荡上百人的电话号，但真的会拨通我这个电话的从来只有三个人：郑翌哲，我妈，还有叶知贤。

接通电话，我轻声喂了一下，便等着叶知贤开口。除了工作时间，他从来不主动打我电话，这时候突然来电话，八九不离十是有加班吩咐了。

"在干吗呢？又和郑翌哲混在一起啊？晓卉啊，别说我没提醒你，那小子绝对不是心灵纯净的白菜，他貌似打定主意要耗光你的周末，守着你到人老珠黄那一天。"

因为我从没有告诉过叶知贤关于郑翌哲对晓仪的暗恋之事，所以他和我的同病相怜在别人眼里被看成他在猛烈追求我也算正常。何况这娃江山易改，本性难移，就算心底装着叶晓仪，平时也还是习惯性地以"我男人"的姿态挡着我的所有桃花，所以，面对叶知贤忍无可忍的提醒，我倒是还能一如既往地淡定。

"要不要我开免提让你们两个直接对质一下？还有，貌似那小子还比你大几个月吧？"

看到我笑吟吟的表情，郑翌哲立刻猜到叶知贤在电话里估计没对他嘴下留情，立马露出一副无愧天地的得瑟样，摇头晃脑地开始大口喝咖啡。

"明晚你有空吗？"

"明晚，圣诞夜？什么事啊，加班？"

"哪有圣诞夜找人加班的，是沐佐恩的妹妹包了个场子开圣诞Party，本来不邀请外人，但因为晓仪和沐佐恩现在的关系，她就把你和我也写在了嘉宾名单里凑足了一百人。其实，我一个星期前就收到了邀请，但上周事情多我忘了，刚才晓仪来电话，让我和你出发的时候绕一下路接她一起，我才想起来这档子事。"

明明已经藏得够深了，但叶知贤的一句"晓仪和沐佐恩现在的关系"还是瞬间点燃了我心底的那些躁动。幸好叶知贤远在电话的另一端，看不见我此刻的表情。

郑翌哲又因为听不见电话中的内容，虽然发现我表情僵硬，却不知道我被点穴的具体理由，这才给了我几秒珍贵的还魂时间。

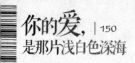

"我可以不去吗？我不喜欢参加这种聚会，而且我已经和郑翌哲约好……"

最后这句当然是撒谎，郑翌哲倒是真约我出去吃圣诞大餐了，只不过我根本不乐意在这种大日子出门凑热闹，我宁可躲在家里早睡早起身体好。

"我已经替你答应了沐家，你以为我喜欢凑在陌生人堆里玩寒暄游戏啊？这不是看晓仪和沐佐恩的面子，顺便再对我们两家的合作声援一下吗？真要严格了说，还真是变相加班。晓仪刚才还问你有没有准备好小礼服，我知道你喜欢自己选衣服，就说你已经买了，请柬上规定衣服上必须有红色和绿色两种元素，你自己看着准备一下吧。"

许是因为我的静默无语，叶知贤怕我被这句强迫加班噎到，稍微软化了些语气，承诺道："放心，真的只是去应个景露个脸就走，后天一早还要开会，我也不想耽误正事，我也真的很不喜欢这种满眼都是陌生人的热闹场合。"

"嗯，知道了。"

挂断电话，我面前的郑翌哲早已经放下了手里的咖啡，安静地等着我选择说与不说。看着他的关切眼神，我知道我的脸色一定很不好，苦笑一下后，我选择用最简单的答复结束他的好奇心。

"叶家亲戚明晚办圣诞Party，叶知贤替我答应出席了，看来是真推不掉了。走吧，陪我去买裙子去，用你男人的眼光帮我把把关，免得我天生丽质难自弃，一不小心就抢了女主人的风采。"

估计是我口中的理由和郑翌哲猜到的八九不离十，所以看着我强颜欢笑地打趣，郑翌哲也就贴心地不再废话，陪着我去女装部选了一身简单保守的黑色短袖及膝礼服，顺便大方地替我结了账，让我早一个晚上收到了一份圣诞大礼。

我很清楚，明晚我是作为叶晓仪的娘家人出席那个Party的，不功不过平安度过才是王道，所以这一身黑色连衣裙实在很合适。至于绿色的元素，我根本不需要另外准备，用我那枚墨绿色的发夹混着就行。

第二天傍晚，我穿上裙子，将发夹夹在了腰际的黑色薄纱腰带上，并把掉钻的边际藏在蝴蝶结的下方。

就这样，这枚墨绿色发夹在薄纱蝴蝶结若隐若现的遮掩下，一扫一身黑色的沉闷，它的点睛作用完全超乎了我的预想，连我都忍不住会多看几眼镜子中的自己。

"他，会因为我的这身打扮多看我一眼吗？"

终于还是忍不住纵容了心底的某种蠢蠢欲动，直到我用力咬痛了唇才觉得足够惩罚自己，这才伸手取下了腰际的发夹，让这一身黑色再度恢复沉闷。然后，我又在化妆盒中找出一支陪郑翌哲大购物后化妆品专柜小姐赠送的正红色唇膏，毫不客气地涂了满唇的妖红。

为了配合这个烈焰红唇，我把随意散着的头发梳成了一个低垂在后脑勺的道姑发髻。可惜，我不会梳那种一弯一弯的刘海，也没有订满珠子的手拿包，否则，这身打扮完全就是二十世纪三十年代上海夜总会里的红牌交际花。

对着镜子中的自己连说了三遍"不功不过"后，我松下了发髻，梳了一个简单的百结辫斜垂在一侧的肩头，让额前中分的刘海自然地散着，这才真正满意了自己的打扮。

正如我所预料的，叶知贤看见我的打扮后，眼中明明就写着复杂，过分的红唇和沉闷的黑色礼服，加上稍能力挽狂澜的柔媚

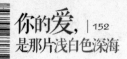

发丝，这身打扮最贴切的评语还真的只有"不功不过"四个字。

而他穿了一身一看就价值不菲的银灰色紧身三扣西服，还是没有打任何领带、领结，一如既往地直接敞着白衬衫领口。他脚上那双尖头皮鞋亮得近乎可以当镜子用，至于Party规定的红绿元素，叶知贤选择了一款夸张的荧光绿运动型手表戴在了袖口。

一身正统的西装配着运动款大手表，这种绝对的不和谐却在叶知贤的举手投足中显得很是和谐。那种不羁的狂放气质配合叶知贤太子爷的身份，还真是天衣无缝。

看到我若有所思的眼神，叶知贤并没有得意于自己的酷帅出镜，貌似比我更有心事的样子，将手里的一个礼盒交给我后，便是一番开口告诫："沐佐恩的妹妹沐西西是出了名的难缠，我和晓仪之前都见过她了，所以她今晚最好奇的神秘嘉宾是你。你这身保守的打扮在她那里一定会被歪曲，说你是怕抢了她的风头才刻意不精心打扮。其实，你根本不必这么小心翼翼，情人眼里出西施，各花入各眼，男人眼里始终都只会注意他在意的女人。"

虽然始终没能琢磨明白叶知贤的这番话里有什么隐台词，但他至少说中了一点，我的这番打扮还真是惹到了沐家二小姐。

来到设在外滩某知名酒吧的Party现场，原本听见我的名字欢欣雀跃闪到我们面前的这个小美女上下打量了我一番后，立刻露出了不爽的表情，丝毫不给面子。

尴尬气氛下，我一点都不介意沐西西直接给我脸色看，只不过有点委屈我的动机被误解，我真的不是因为自视过高才暗藏锋芒，而是……

终于，我还是再一次见到了沐佐恩。作为今晚Party的男主人之一，他一直就在场子中间和亲戚朋友们寒暄着，替任性的妹妹兜着各种无礼数。我们到场时，他正在和一群人有说有笑，直到看见他妹妹貌似对我不那么给面子，才和众人打了招呼走向了我们。

我和叶知贤在来的路上才接到晓仪电话，说她可能下午吃坏了东西，胃疼得厉害，虽然没什么大问题，却实在没有心情再出门参加Party。

所以，我们并没有顺利地将这个绯闻女主人替沐佐恩送到，让沐佐恩成为了今晚九十九个嘉宾中唯一一个没有女伴的男人。

看见沐佐恩走向我们，不等他先开口，叶知贤就先一步上前，哥们儿似的勾上了他的肩膀，告诉他晓仪的缺席理由，并根据晓仪的吩咐，对着他强调、强调、再强调晓仪已无大碍。

只留下沐西西继续用不友好的眼神上上下下地打量我，"是不是有很多人说过你和晓仪姐姐眼睛长得很像啊？"

没有想到沐西西对我这个陌生人开口的第一句话会是这句！对于这句确实很耳生的话，我自然没有共鸣，只能用摇头直接简单地回答了她。

"没有？怎么可能！哦，也对，听说你们十几年都只是各自生活着，一起露面的机会没有，当然不会有人发现。等你们以后一起出席活动的机会多了，就会有很多人发现了。既然认识了，我就不客套了，你这打扮太不优了，走，跟我去化妆室稍微改改再回来。"说完，沐西西便伸手拉着我，不容我拒绝地打算带我去所谓的化妆室。

突然，她的手臂被一个闪过的黑影有力地握住，随之而来的是一声低沉却有力的责备："西西，不许胡闹。"

应该是下手有点重了，沐西西明明已经忍不住龇牙咧嘴了，但她的眼睛却发出一种明显的晶亮光芒。等她脸上的痛楚随着沐佐恩的解力而缓和后，更是换上了一种似笑非笑的狡黠灵慧表情。

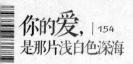

　　"老哥，你是不是误会啦？我不是要赶她走，我只是想带着她去化妆室改一下打扮而已，不放心的话，大可以跟着来啊。"说完，沐西西继续拉着我的手再次走向了设在走廊另一侧的化妆室，离开前还不忘顺便对沐佐恩做了一个超级鬼脸，让在场所有看见这一幕的亲友们都忍不住笑起来。

　　来到为Party特别布置的化妆室，沐西西礼貌地赶走了两个正在边聊天边补妆的女宾后，伸手反锁了化妆室的门，乐呵呵地递给我一张湿纸巾，在我擦唇膏的同时开始了第一轮查户口。

　　等问了我几几年生的，什么星座，血型是什么后，她更直接地开始盘问我的私生活，"晓卉姐，你男朋友干什么的啊？你们怎么认识的啊？到什么程度了？你刚本科毕业，你和你的男朋友不至于到了谈婚论嫁的地步了吧？"

　　在我还在诧异她为什么如此肯定我一定有男朋友了，而没有先问我有没有男朋友时，沐西西紧接着出口的话更是夸张无极限，"晓卉姐啊，我觉得趁年轻的时候还是要多谈几次恋爱，有时候脚踏几只船也不算什么太大逆不道的事啦。比如说，要是你遇见一个优质男人，就算你们彼此都有点意思，这个男人一定会因为你有男朋友了就决定不追你了。等你和你男朋友和平分手了，再想和这个优质男人相处试试，很可能他身边又有了女朋友。要是这时候你又闪开了，就真的是有缘无分了对吧？所以，任何时候都应该是感情为先，为了不错过真爱，偶尔脚踏两只船的不算罪过啦。"

　　幸好，这大段天书貌似是沐西西的呓语，她也没有一定要我回答或者附和的想法，见我擦掉了大部分的艳色口红，恢复了基本唇色，便从我身前跳开，在一大盒子的装饰中翻寻了好一会儿。最终，似乎都不满意，她便又俯身打开化妆桌下的保险箱，取出一个锦盒，拿出了一条镶嵌着一排绿宝石的钻石项链回到了我的面前。

"这条项链其实也蛮老气的，但愿负负得正吧。"说完，她便自说自话地把项链戴在了我的脖子上，让钻石璀璨的光芒闪得我眼睛都疼，"果然不行，看来只有动用我的镇山之宝了。"

喃喃自语后，沐西西又从我的脖子上抽掉了那条冰凉沉重的项链，胡乱塞回锦盒丢回了保险箱，重新在保险箱里找着什么。

实在不想再继续复杂下去，我终于还是主动从手包里拿出了墨绿色发夹夹在了腰间。当然，我还是很小心地用黑色羽纱遮掩了缺钻的那一角，这才转过身让沐西西检阅我的自我补救，"沐小姐，你不用找了，我用这个发夹应该就可以了。"

转过身，看到我的新造型，沐西西眼睛一亮的同时也嘟起了嘴，"原来你是真的随便打扮敷衍我！叶晓卉，你这也太不够意思了吧？"

看着沐西西一秒间变色的气愤表情，我的心也因为她随口的一句"叶晓卉"而撕开了伤疤，渗出了些血珠。

所以，这一场彼此无心的伤害中，我们算是扯平了吧。

"沐小姐，我随妈妈姓江，江水的江。这枚发夹其实掉了两颗钻，也不是什么有名有姓的大品牌，我是怕失礼才没有用它。不过是因为我很喜欢这枚发夹才一直随身带着，你那个保险箱里的首饰应该都价值不菲，就算再合适我戴着也会有负担，所以还是用我自己的发夹吧。有这些纱遮着，应该轻易不会被人发现发夹上掉了钻。"

听到我的解释，沐西西才惊觉口误。心虚不已的她见我好声好气地对她解释，便立刻顺势开始转移话题，算是给出了"互不追究"的态度。

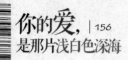
"哟，还真是掉了钻哦，幸好有这些纱遮着，不仔细看根本不会发现。晓卉姐，你再涂点唇蜜吧，可以看起来更精神点。"

"好。"

在我涂唇蜜时，沐西西刚好将保险箱重新锁上。其他翻乱的首饰盒她也懒得收拾，打开门，和我一起回到了Party主场。

看见我们重新出现，始终站在一起的叶知贤和沐佐恩立刻第一时间迎向了我们，视线自然因为我的变身而集中在了我腰间的那枚发夹上。

"漂亮吧，不过我不敢居功，这发夹是晓卉姐自己的。哥，我到处晃悠一下，你替我招呼好叶哥哥和晓卉姐吧。"说着，沐西西便走向了场中，笑着到处和人打招呼，只留下我们三个多少有点尴尬地相对站着。

"知贤，你和小江都是第一次参加西西的圣诞派对，建议你们听到司仪宣布Party开始后最好往后多退几步，免得被她点名上台配合那些幼稚的游戏。"

沐佐恩轻松的语气中虽是调侃，却满溢着对沐西西的宠爱之情，让我一时都有些想不起来他的另一面，那个冰冷到像摄魂怪的一面。

沐佐恩没有说错，随着Party的开场，司仪宣布的一连串游戏内容还真是一个比一个幼稚，连吹肥皂泡这种幼稚园程度的比赛都有，让大家笑成一片后忍不住期待下一个游戏，想看看到底还能幼稚到什么程度。

但别说，就是这一连串幼稚到无语的游戏，让所有穿得一本正经的嘉宾们都从拿着架子矜持观望到渐渐放松神经陪着笑闹，直到彻底恢复了童心争抢着参与游戏，为抢夺钥匙圈之类的小儿科奖励而拼尽全力。

一直躲在人群后看着大家玩乐，我们被沐西西带起的欢乐气氛感染得目不转睛，完全忘了我和知贤原本想借机早退的打算。直到背着礼物包裹的白胡子圣诞老人出现在人群中吼着圣诞快乐，我们才发现时间竟然已经逼近十二点。

在沐西西的狠狠逼视下，圣诞老人表情挣扎地伸手从礼物袋子里掏出一个个圣诞礼物递给嘉宾们。随着那些系着红红绿绿大蝴蝶结的活物小鸡、小鸭、小兔子、小老鼠甚至小水蛇出场时，女嘉宾们自然都吓得花容失色，松手后还继续尖叫连连。那些萌得够可以的小动物们在失去了禁锢后，便自由自在地在场子里四处游走起来。

这场混乱顺利地将Party的气氛推上了最高潮。眼看着还有几分钟就到十二点了，沐西西接过了主持人手里的话筒，满脸纯真，"按照惯例，当十二点的钟声敲响时，会熄灯十秒，等灯再亮起时，没有得到圣诞亲吻的人将被罚，无论男女都要被我的男闺蜜狂吻三十秒。如果不想被他占便宜，大家最好和自己的亲爱的尽情享受这一刻浪漫的时光。哦，对了，因为我哥的女朋友没有来，叶哥哥和晓卉姐又是亲兄妹，所以他们之间可以有一个豁免，至于是谁豁免听晓卉姐的就行，哈！OK，倒计时三分钟，大家快找到自己亲吻对象吧。"

西西的话音落下后，场中所有人都开始笑着找自己的同伴，混乱中还要小心别踩到继续在满场子胡乱游走的小动物们，那场景别提有多欢乐了。

在沐西西的安排下，大钟指针尚在十一点五十八分时，全场就提前一片漆黑。在大家的惊叫中，全场足足暗了两分钟有余。直到司仪开始读秒，大家才在漆黑一片中用一阵暧昧的亲吻声为圣诞夜的最浪漫时刻写下了开篇。

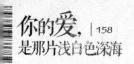

无论如何，我都不可能去亲吻我身边这两个男人中的任何一个，我绝对不可能把我的初吻莫名其妙地交付给一场Party的应景环节。

所以，即便周围一片漆黑，即便耳中的亲吻声让我脸红心跳，我们三个人都没有什么动静，直到灯光重新亮起后，我们依旧保持着不变的站姿各自保持着距离。

幸好，场子里并不只我们三个人没有用热吻迎接十二点，还有几对貌似还没那么熟悉的嘉宾也没有亲吻。在大家的起哄下，再加上已经脱下圣诞老公公打扮的沐西西的男闺蜜嘟着嘴唇步步逼近，这些嘉宾最终都选择用蜻蜓点水般的亲吻交差过关。最后，大家的眼神随着沐西西的指挥一起集中到了我们三个的身上。

"OK，最后三个人，晓卉姐，你可以选择赦免任意一个，给你三十秒选择，三十秒以后，你们之间要是没有主动亲吻的，就便宜我的男闺蜜选一个下手了。OK，大家开始读秒吧。"

三十，二十九，二十八……

在沐西西的带领下，全场嘉宾还真的就开始读秒，而她的男闺蜜也真的开始微笑着靠近我。虽然我知道他不会真的强吻我，但因为倒计时和他的靠近，我还是因为慌乱而一脸惨白，交替望着叶知贤和沐佐恩，希望他们两个男人至少可以有一个出面替我挡一下这么尴尬的状况……

十、九、八、七……

终于，随着倒计时进入了最后阶段，叶知贤跨前了一步，挡在了近乎逼近我面前的沐西西的男闺蜜，让我终于松了一口气。

可谁知，当大家的倒计时读秒因为叶知贤的英雄救美举动停止后，叶知贤却开口说了一句更为可怕的话："其实我和晓卉并不是亲兄妹，我们之间根本没有血缘关系。所以在她未来的姐夫和我之间需要亲吻一个渡过难关时，她根本不用动脑筋选择，当然是我。"

听完这句诡异的解释，看见转过身的叶知贤快速靠近的唇，我顿时失去了正常呼吸、正常心跳的全部能力，唯一可以做的就是用我完全僵住了的身体定定地站着，睁大眼睛等候那个可怕时刻的到来。

"够了！"

再一次，沐佐恩伸手救了我，气氛也瞬间回归到一年前的势同水火。

我承认我的脑袋一片空白，我的眼神也依旧茫然得稀里哗啦，虽然暂时能躲在沐佐恩身后的感觉美妙得近似天堂，可我还是苍白着脸色，毫无焦距地注视着剑拔弩张、怒目相视的两家少主。

"咳，不至于吧，就是一个游戏Happy一下下啦。其实，晓卉姐完全可以选择赦免你自己啊，然后就便宜我男闺蜜可以在叶哥哥和我老哥之间选一个非礼一把，这可是他想了很久的福利，算是超级圣诞礼物啊。哎哟，气氛都被你们搞僵了，看来能挽救这一小点不完美的就只有一件事——对喽，沐西西Party的永远保留节目——天台烟花秀。我今天可是准备了五个超级大烟花，大家先到先得。"

随着沐西西的圆场和礼仪公司工作人员的指引，嘉宾们识趣地一起涌向了天台，直到整个场子里只剩下我们三个和零星几个在努力捕捉满场小动物的礼仪公司员工。

"替我向西西说一声抱歉，她的烟花秀我们就不参与了。"

"嗯。"

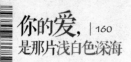

简短地告别后，叶知贤直接挽着我的腰，带我离开了那尴尬无极限的窒息空间。

几分钟后，依旧站立着一动不动的沐佐恩突然用力拉住了某个礼仪小姐的手臂，却漠视这个女孩子又惊又喜的忐忑表情，只是俯下身，从她脚边捡起了一枚差点被高跟鞋踩到的墨绿色发夹。

"老哥，晓卉姐她们呢？难道真走了？我还留了最大的烟花给她呢。"

在天台上等不到江晓卉的身影，沐西西已经猜到他们可能提前退场了，没有完美Ending的Party让她也失去了观看烟花的兴致，便抽身离开天台回到主会场，在走近沐佐恩的时候看见了他手里的这枚发夹：

"晓卉姐好像真的很喜欢这个发夹，就算掉了两颗钻她还是不舍得丢掉，一直就随身带着。我猜这枚发夹可能对她有什么特殊意义吧？老哥，把发夹给我吧，我去让老柯试着找找看一模一样的新发夹，算是我下次见她时的见面礼。"

摊开手却始终等不到沐佐恩将发夹放到自己的手里，沐西西的嘴角忍不住弯起一丝不屑的鄙夷弧度，"世界上最卑鄙的男人不是始乱终弃的浪子，而是你这种不敢抢自己喜欢的女人，又不肯拒绝烂桃花的懦夫。和你比，叶知贤完全更有资格得到晓卉姐，为你的所谓爱情节哀顺变吧，老哥！"

说完，沐西西大力地推了一把沐佐恩以示泄愤，然后大声吼着男闺蜜的名字再次冲上天台找他出气去了。只留下沐佐恩依旧冻结着表情，望着掌心里的那枚发夹雕塑般地站着……

在从南外滩开往北外滩的一路上，我和叶知贤都没有说一句话，只是望着车窗前方静静默着，就算是红灯时间，我们也一样各自保持着禅定般的安静。

其实，当我的视线里不再有沐佐恩的存在，我的状况就已经恢复了大半，但因为Party后遗症，我依旧需要一点时间才能开口。直到叶知贤把车子停在车库里熄了火，转过头望向我，我才主动说出了第一句质问："为什么那么做？"

正如我预料中的，叶知贤完全误会了我的质问所指，误会我的质问是在不爽他俯身吻我的救赎举动，而根本没有想到我其实是在生气他唐突出口的那一句"我们并不是亲兄妹"。

"如果时间可以倒回去，我宁可让沐西西的男闺蜜夺走我的初吻！"

"你在说什么，你还清醒吗？"

伸手挡开了叶知贤的手臂，阻止了他试图摇晃我的举动，我再度恢复了儿时曾对叶知贤露出的凶残暴虐嘴脸，一把捏住了他的下巴，努力凝视着他的眼睛，连眨眼的瞬间都格外吝啬，用尽了可以使出的全部力气，只为了让他在被动地听我吼叫时，能看懂并不善于表达的我说出这些苛责时的真心：

"我相信今晚要是晓仪在，她也会宁可让沐佐恩亲我，也绝不会允许你随便说那句我们并没有血缘关系的废话。听着，叶知贤，对于席宁妹和叶晓仪，你欠的债更多，多到必须用一辈子的儿子身份、弟弟身份去还债。所以，我郑重地警告你，如果你再敢在外人面前不经大脑随便说什么话，试图撇清你和叶家的关系，我绝对不会轻易放过你！"

就这样，我咬牙切齿，用近到可以感受到对方鼻息的距离瞪视着叶知贤，直等到他想清楚了我这些话的真实含义，直到他相

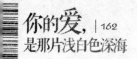

信我的愤怒并不是因为他掠夺了沐佐恩吻我的机会，而是因为他说出的那句"没有血缘关系"。

看清了他眼底的"了解"，我才放开了他被我捏红的下巴，让自己太过用力而快抽筋了的手指得到了释放。

一边揉着手指，一边避开他的视线，我继续说出最后一句有点伤到我自尊心的恳求，"我真的没有办法让那个男人离开我妈妈，我也没有能力把一份完整的父爱还给晓仪，但幸好席宁姝和晓仪身边还有你在。我们大家都很清楚，事到如今，你已经是让天平不倾斜的唯一砝码了。所以，算我求你，无论今后发生什么状况，千万别为了我强出头，更不许为了我伤害到席宁姝和晓仪，当然还有你自己。再说了，我也没有你想的那么脆弱和需要保护，不记得了吗？我和你之间，常败将军是你不是我！"

说完这些话，我依旧下意识地揉着其实已经不酸麻的手指，静静地望着我的膝盖。

在经过一番思想挣扎的静默后，我终于还是继续开了口，一口气说出了我心底深处的所有话："我知道，你的心病便是那句'没有血缘'，你的死穴便是认定你自己才是这场灾难的真正罪魁祸首，所以你一直在自虐，用这些别人根本不会介意的咒语一遍遍伤害你自己。我知道，你始终都在报恩，寻找一切机会报恩，但你真的只是个普通人而已，保护席宁姝和叶晓仪已经足够让你心力交瘁，就不要再负担一个我了。否则，总有一天，你还会去负担我妈，彻底走进死巷。其实，你比我幸运多了，至少你已经找到了可以报恩的方法，而我还是毫无头绪。我真的很想有一个机会可以一次性了结，这样我就可以彻底还清一切，让我的人生重新开始，再不用留在你们所有人的眼睛里让大家都度日如年。"

说完这些话，倒空了堵在心口的所有情绪，我浑身舒畅，先一步打开车门，很孬种地不敢看叶知贤一眼，只是自顾自地向他告别："我先上去了，明天见！"

看着走向公寓电梯的晓卉，叶知贤竟似绳索绕喉，始终只能静静地望着她的背影消失在自己的视线内，徒留给他一个死寂般的空间独自承受。

脑子里全是晓卉无助地站在他和沐佐恩之间的惨白脸色，还有自己逼近她时的害怕却无法自救的绝望眼神。还说自己没有那么脆弱和需要保护，这个白痴丫头根本是不堪一击的废物一个！

不知道为什么，随着这份得意情绪的升腾，随着那个注定胜利结局渐渐成形在不远处，一股剧痛也随之伏击了叶知贤的心脏，就像有一只无形的手伸进了他的胸膛试图捏碎他的心脏，痛得他近乎无法自持。

始终就只是安静地坐着，直到口袋里的电话疯狂地开始振动，看见电话上的名字，叶知贤才惊醒，他竟然忘了和晓仪的约定——在离开后第一时间立刻通知她。

"知贤，你现在说话方便吗？"

"嗯。"

"怎么了，发生什么事了吗？是不是计划进展得不顺利，难道晓卉她对沐佐恩并没有我们预想中的在意吗？"

听到晓仪带有试探口气的揣测，叶知贤知道她又开始反复了，可惜这一切的反复并不是她的真心，她心底想要复仇的疯狂念力远远超过她自己的想象，如果不让她真的释放出心底那个魔鬼，总有一天，她会真的成为一个连她自己都不放过的可怕魔鬼。

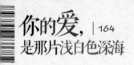

所以，叶知贤绝对不会纵容晓仪的反复，他只想加速那场毁灭的到来，让一场大爆炸彻底炸开笼罩叶家十几年的毒雾，让席宁姝和晓仪重新看得见蓝天白云，让所有人都能重新开始新的人生。

"我刚把晓卉送回公寓，你应该一直就在外滩附近吧，去找沐佐恩吧，他应该还没走太远。"

听到叶知贤的话，电话另一端的叶晓仪也突然陷入了沉默。确实，为了不让自己错过露面的最佳时机，今晚她的车就一直停泊在外滩的街边，看着欢度圣诞的人们从她车边擦身而过，很是享受只属于她一个人的寂寞寒冷圣诞夜。

始终，叶知贤都是最了解自己的男人，如果不是因为她深信叶知贤和妈妈是世界上唯一不会伤害自己的人，她对他的戒备甚至会超过她对江晓卉的恐惧。

"无论我做什么，你都会永远站在我这边，就算你已经知道我可能是个疯子，你还是会站在我和妈妈这一边，是吗？"

问出这句话时，晓仪有些控制不住地微微颤抖。可能是在冰冷的车厢里坐了太久，可能是对叶知贤突然变得过分沉默而感觉不安，所以，她才需要叶知贤的一句肯定作为定心丸。

深叹一口气，叶知贤努力让自己的嘴角出现一抹温柔，就似叶晓仪就在面前般安慰道："放心吧，我一直都在，你也根本没有疯，你一直很清醒，你现在的不安就是因为你太过于清醒。我说过，晓卉绝对不会和你抢沐佐恩，但我必须再提醒你一句，如果你今晚还是得不到沐佐恩，你可能真要改写你的计划了。"

"怎么说？"

"窈窕淑女君子好逑，何况这个淑女今晚被沐西西搅局后，眼睛里的单恋情愫连我和沐西西这两个外人都看懂了，沐佐恩就绝对没有理由看不见。"

"好了，够了，不用再说多余的废话刺激我了，你早点睡吧，明早不是还有一个视频会议吗？晚安！"

听到晓仪愤愤地挂了电话，叶知贤知道她是真生气了，但愿这股子醋意为今晚的计划锦上添花，但愿她能真的做到力挽狂澜。

不知道自己为什么会用"力挽狂澜"这个词，叶知贤的脑海里尽是江晓卉擦去红唇和沐西西一起重新出现在自己面前的那一刻。

那一刻，她确实很美，美得完全陌生。

如果说计划中真的有什么值得不安的，应该就是晓卉今夜的这刻美丽。何况，她的美丽最后还笼上了无助的完美诱惑外衣，但愿沐佐恩不会真有所动心，但愿！

第二天早晨，某酒店套房。

睁开眼睛的同时，沐佐恩感觉到一阵针刺般的头疼，伸手按摩着太阳穴，才发现四肢很是无力。

"你醒了？那我把窗帘打开了哦。"

耳边突然出现女人的声音，恍惚中的沐佐恩猛然坐起身让自己找到了声音的来源，看见了拉开窗帘后转过身，站在阳光里正对着自己微笑的叶晓仪：

"你怎么在这儿？"

说出这句质问，沐佐恩才发现自己并没有睡在自己的房间，而是宾馆套房的床上。出于本能，他低头望向了自己的身体，看清了身上依旧完整的衬衣长裤，甚至连袜子都没有少一只。

"放心啦，我没有趁你酒醉非礼你。沐佐恩，我可是因为你

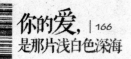

的一个电话就出现在你面前，还忍着胃痛守了你一夜，你真的没有要对我说一句'谢谢'的想法？"

脑子里继续一片混乱，沐佐恩很努力地想回忆起些什么，想知道自己为什么会睡在宾馆里，而叶晓仪又为什么会说这些莫名其妙的话。

"真不记得了？昨晚你在酒吧喝酒，然后打了个电话给我，说了很多胡话，我就猜到你喝多了，就用APP找到你。等我到酒吧的时候，你已经趴在吧台了，没有办法，我只好请酒吧的服务生把你扛到最近的酒店。我还是第一次看见有人醉得不省人事，别说，还真蛮新鲜的。"

听到叶晓仪的提醒，沐佐恩似乎找回了些记忆，貌似他是和叶晓仪通过电话，不过，他怎么记得是她打来的电话，当时自己确实喝多了几杯，但应该不至于醉到不省人事。

正疑惑着，叶晓仪已经拿着一杯橙汁送到了沐佐恩的面前，并顺势坐在床边，近距离地凝视着沐佐恩的脸色。

渐渐地，她微蹙起了眉心，露出了担忧的神色，"你的脸色不怎么好，宿醉的感觉一定不好受吧？男人怎么都喜欢用酒精排解压力，我也见过爸爸喝醉过很多次，幸好知贤暂时还没这个毛病。"

"谢谢。"

伸手接过了橙汁，沐佐恩很是客气地表示了感谢，语调中的距离感让叶晓仪的脸色顿时闪过了一抹灰色。

"怎么突然对我这么客气，搞得我们像陌生人一样。"

将橙汁直接放在床头柜上，沐佐恩并不适应和一个女人在同一张床上这么暧昧地说话，揭开了身上的松软羽绒被，便从另一边的床沿下了床，直接走进浴室站在了镜子前。

　　镜子中的自己并没有像叶晓仪说的那么脸色不好，但确实有着拒人千里外的表情，也难怪叶晓仪会觉得委屈。

　　接了触手冰冷的自来水简单地洗了脸，大脑被冷水刺激后彻底恢复了清醒状态。

　　沐佐恩再次走出浴室，一边用纯白的毛巾擦干脸上的水渍，一边用友好的态度向叶晓仪重新开口："看来我昨晚真的喝多了，害你一晚上都没休息好。你是想留在这里睡一会儿，还是现在就让我送你回去？"

　　"所以，你想起昨晚对我说的话了？人都说酒后吐真言，我是不是可以理解你对我说的那些话都是真心的呢？"

　　看着叶晓仪似笑非笑的表情，看着她轻咬着唇一副少女娇羞状，沐佐恩不由得背脊一丝丝发凉。以他对叶晓仪的了解，她绝对不是一个会随便开玩笑的女人，难道自己昨晚真的借着酒劲对她说过什么奇怪的话吗？

　　就在沐佐恩迟疑时，叶晓仪似是鼓起勇气般地走近了他，伸出双臂直接环住了沐佐恩的腰，小心翼翼地将自己的脸贴在了他的胸前，"佐恩，谢谢你昨晚喝多了，否则我永远不知道原来我在你的心底是那么重要。其实，第一次见到你时我就对你动心了，我只是没有足够的勇气先开口，才会缠着老爸答应让我和你一起做那个地产项目。"

　　这一瞬间的轻颤，绝对不是演戏！

　　让自己贴近沐佐恩，让自己听见他有力的心跳声，感受着他无动于衷的呆立，叶晓仪每个细胞都因为紧张而颤抖，说出了那句做作的台词后，她便开始满心期待沐佐恩的反应。

　　她很清楚，虽然她口中的一切都是假的，但只要沐佐恩在听见她的告白后能有所回应，哪怕他什么话都不说，只是伸手搂住

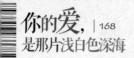

自己正在颤抖的身体，便能让这场"两情相悦"的爱情完满，否则……

"求你了，佐恩，求你告诉我，你并没有真的爱上江晓卉！"

可惜，沐佐恩始终都没有举起手臂，没有如叶晓仪期待的回应什么，他用沉默给出了另一个答案，那句"否则"之后的另一句答案。

眼泪，终于还是滑出了眼眶，瞬间打湿了沐佐恩的白衬衫。那片薄如蝉翼的遮挡直接染成了一片透明，却依旧壁垒般坚固地横隔在叶晓仪和沐佐恩之间，依旧无情。

当然，清楚自己的心里在意的女人是谁，即使根本不记得叶晓仪提及的任何细节，但沐佐恩依旧自信他绝对不会对叶晓仪说什么肺腑之言，如果昨晚他真的借着酒意说了什么，那也只可能是因为自己把叶晓仪当成了她，毕竟她们有着太过相像的一双眼睛。

轻推开紧紧依偎在自己怀中的叶晓仪，沐佐恩的眼底盛满歉疚和心虚。

这些，再一次刺痛了叶晓仪的眼睛，也瞬间撕扯了她最后的不忍。

江晓卉，其实我并没有真的恨过你，我始终只是恨江媛，恨我爸，恨她们夺走了我和妈妈的全部幸福。现在看来，我根本不该忽略你的存在，有他们两个魔鬼的遗传，你怎么可能是个善良的人，践踏别人的幸福应该早已经成为了你的本能。

"晓仪？"

抬起眼，满眶的眼泪让叶晓仪根本看不清沐佐恩的表情，却也加重了她的楚楚可怜和茫然无助。

沐佐恩已经到嘴边的话变成了一句更为伤人的婉转之言：

"你是我遇见的女人中最完美的一个，你值得任何男人对你动心……"

没有再让沐佐恩继续说任何话，叶晓仪直接捧住了沐佐恩的脸颊，用冰冷的唇直接终止了他要出口的那些残酷宣判。

绝对没有想到叶晓仪会这么主动！感受着叶晓仪的柔软嘴唇，被动地品尝着主动流入他唇齿间的微咸眼泪，被动地呼吸着叶晓仪身上的清甜香气，沐佐恩体内残余的酒精随时有被点燃的危险。

幸好，他从来都是理智的男人！

幸好，昨晚，有一个妖精早一步占领了他的心脏，刻下了一句可怕的咒语，阻止他再对其他女人动心的永恒咒语。

所以，被叶晓仪主动吻着的每一秒，沐佐恩的脑中都清晰地出现了江晓卉的身影。这身影清晰到让他无法忍耐。他想要立刻见到她，告诉她，自己已经快要被她逼疯了，而她必须对此负责任。

猛地推开叶晓仪，沐佐恩直接冲出了卧室的大门，随手拿起沙发上的西装外套，穿上鞋，头也不回地走出了叶晓仪的视线，无情地留给叶晓仪满房间的屈辱。

跨出电梯走进酒店大堂，沐佐恩直接步向总台支付房费，却被告知有位女士已经结清了账，还多支付了一份蜜月早餐送餐服务费，只要电话通知餐饮部，包含玫瑰花束、香槟酒的蜜月套餐十分钟之内就能送到房间。

正在疑惑这一切是不是叶晓仪安排的，沐佐恩身边已经多了一个一脸欢乐的妞。

"是我付的啦，圣诞快乐！老哥，你怎么一个人先下来了，我家新嫂子呢？还在睡啊？"

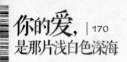

看着身边奇迹般出现的沐西西，沐佐恩习惯性保持沉默，等候沐西西自己说出后续的话。

果然，闪烁着晶亮眼神却等不到什么回答后，沐西西觉得很是无趣，撇了撇嘴，便机关枪似的开始了自问自答的游戏："是想问我怎么知道你们在这里的？昨晚我玩得太嗨了点，都没注意你什么时候离开的，到哪里去了。早晨起床听说你一晚上都没回来才担心你出事，就打了电话给你。结果嘛，是我新大嫂接的电话，说你还在睡。我知道你这个男人从来不懂浪漫，所以呢，就很乖地在去公司的路上绕过来锦上添花一把。谁知道你竟然这么早就下来了！怎么啦，难道晓仪大嫂对你昨晚的表现不满意，所以把你扫地出门了？"

正说着，另一个女主也出现在了大家的面前。

"哇噻，还真是夫唱妇随。还以为只有我老哥是工作狂，原来我大嫂也一样，实在可惜了我的一片心意，更可惜了那顿超贵的蜜月早餐。"

一边说着话，沐西西的眼神却没有错过任何细节，包括沐佐恩胸前衬衫上的泪渍，还有叶晓仪眼神中的慌乱和心痛涟漪的余波。

沐佐恩乍然离开后，叶晓仪过了好几分钟才缓过神。她猛然警觉他可能会直接去找江晓卉，彻底破坏原定计划，这才顾不得整理自己的情绪也冲出了房门，一心只想赶在沐佐恩之前赶到公司。

眼见这种预料之中的状况，沐西西心底确实有点感觉无趣。但是，她依旧闪动着狡黠的眼神完全不露破绽地演着幼稚，一把钩住了叶晓仪的胳膊，笑嘻嘻地通报她的其余壮举："嫂子，我已经飞速帮你扩散了你和我哥开始同居的大好消息，我家所有亲戚都已经知道你和我哥的关系有了实质性的飞跃，某个男人绝对休想对你始乱终弃。不过，是真的能修成正果，还是变成屈辱的前女友，就只能顺其自然了。晓仪姐，我相信你是真心喜欢我哥的，所以无论结局怎样，你都不会后悔的，对吧？"

面对沐西西的话中有话，面对她近在咫尺的X光视线，心虚的叶晓仪当然无法完全藏住内心的所有阴云，只能故作镇定地努力微笑，一言不发，以不变应万变。

幸好，沐佐恩并不想继续看自己的妹妹丢人现眼，一把拎着沐西西的领子，拎小鸡一样让她松开了爪子，宣布了中场休息，"既然你开车来了，先送我去公司再去医院检查一下脑子，本来就不太正常，昨晚的烟花估计直接把你炸脑残了。"

"别拎我的衣服领子啊，我会被你勒死的。有话好好说嘛，沐佐恩，你快松手啊，我不能呼吸了！啊，救命啊！"

看着他们兄妹以壮观的姿态离开了酒店，叶晓仪虽然依旧惊魂未定，但终于稍稍放松了些警戒。她知道有沐西西这个搅局者存在，沐佐恩绝对不会马上去找晓卉，她有足够的时间赶在他们两个再次见面前，把木已成舟的事实散布得人尽皆知。

事情正如叶晓仪预料的那样顺利，因为沐西西的"亲眼见证"，不仅双方长辈都知悉了沐佐恩和叶晓仪的恋人关系已确定，一直断断续续飘在两家公司上空的绯闻也终于有了正大光明的落脚点。

既然是普天同庆的好消息，我当然没有理由不知道沐佐恩即将成为我姐夫的喜讯。听着茶歇间里女孩子们讨论这件事时的羡慕口气，我的心反而有着前所未有的平静。

沐佐恩确实是个值得女人托付终身的好男人，虽然他有时候

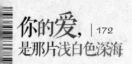

过于冷，但就凭他能对无足轻重的我一再多管闲事，就证明他是个善良的人，何况他还是所有女人都期待遇见的高富帅，和晓仪又是门当户对的王子公主。

我承认，如果对方不是晓仪，我应该会很嫉妒。但因为是晓仪，我的全部情绪就只剩下满满的祝福。当然，对于我实在没有办法处理的失落感，我统统总结成"粉丝够不着偶像"的无聊心境。

"晓卉小姐，总经理请你去一下她的办公室。"

挂断了内线电话，因为总办秘书的这一句礼貌通传，我开始不由自主地深呼吸。

回到北擎已经有一段日子了，席宁姝不但从来没有主动找过我，就连开会遇见都不会和我说一句话，今天怎么突然找我，还是在叶知贤出差去北京商务部开会的第一天。

我当然知道，无论怎么调整，我都不可能改变我呼吸不畅、心口被重压的状况，所以也就不再奢望拖延时间能出现什么奇迹。

忍着前胸后背都抽痛的不舒服感觉，我拿起笔记本，鼓起勇气出现在了相隔十几米外的总经理办公室门口。

"进来吧。"

从她低沉的口气就听得出，席宁姝知道来的是我。打开门后，我果然看见了正坐在办公桌后的席宁姝收起了惯有的商业笑容，只剩下满脸的冷漠表情。

硬着头皮走到办公桌前站定，我努力想挤出一丝微笑，也试图说一句礼貌的开场白，却最终无力地发现，我的脑子里根本一片空白，完全找不到一句合适的开篇语。

"知道我找你来干什么吗？"

席宁姝倒是完全开门见山。

"先坐下吧。"

顺从地坐在了黑色皮椅上，牛皮的冰冷触感穿透薄薄的通勤套装直接刺激了我的皮肤。那种冰冷的触觉和鼻息里窜入的浓郁真皮气味让我更为局促不安，我甚至都不敢靠向松软的沙发靠背，只是僵硬地保持着一动不动的坐姿，继续等候席宁姝开口。

"既然是知贤的跟班，知贤去北京商务部开会你为什么不跟着？"

"他说这次的行程很仓促，而且他也是第一次去北京人生地不熟，等下次……"

"听说你愿意回到公司来的唯一理由是想对我报恩？因为我曾经输血给你，所以你不想欠我人情。"

猛然，我的脑子嗡的一声响了起来，我真的没有想到席宁姝会这么直接捅穿我藏在心灵深处的东西。而这句报恩，我从来没有对任何人说过，就算叶知贤也应该只是猜测我回归的动机，而没有确凿的把握。

"看来我是说中了你的心事了。如果是这样的话，你完全没必要继续留在北擎，我当初输血给你不过是不想叶子航回来因为愤怒你的受伤而波及晓仪和知贤。我输血给你完全是为了暂时息事宁人。而且，当时就算我没有主动输血给你，你也不会死，B型血并不是稀缺品种，当时除了我之外，有的是好心人愿意救你。"

随着席宁姝一连串的叙述，我终于稍稍放下了心中的不安，因为我找到了她主动找我的动机，她这段解释的重心不过是那一句"你完全没有必要留在北擎"。

我真的能理解席宁姝的感觉，别说她，连我都有点不懂现在

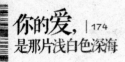

的世道！

　　我一直真心以为，对我这个情人生下的私生女，大家就算不至于当面唾弃，至少会在背后窃窃私语，会从骨子里轻视。

　　谁知道，因为我头顶那个叶家三小姐的头衔，所有人竟然都默契地漠视我脖子上那块私生女铜牌，不但都对我恭恭敬敬的，甚至连称呼都从"江小姐"变成了充满体谅的"晓卉小姐"。

　　一直旁观着这一切的席宁姝当然会受刺激，能忍到今天才开口赶我走，已经算她忍功登峰造极了。

　　"你的意思我明白了，我会走的，但要是因为你今天找我谈过话我就立刻离开北擎，很多简单的事情就会又变得复杂。一步步来吧，等知贤回来后，我会让他帮我申请外派到外地分公司的机会，然后再找合适的机会彻底从北擎消失。"

　　应该是没有想到我一开口就是这么直白的Ending，直接且简单地接受了她的命令。

　　席宁姝安静了好一阵后，才重新调整情绪切换到下一个话题："我和叶子航，作为两大上市公司的董事长和总经理，我们的婚姻关系会直接影响股票的涨跌，而公司市价涨跌的每一分钱都会引发蝴蝶效应。我不想让那些几十年都在为叶家打工的老员工手里的期权莫名其妙地缩水，这些钱是他们养老的保障，也是他们对北擎劳苦一生应得的回报。我相信那么多年都过去了，江媛也不会在今时今日突然在乎起那张结婚证，一切不过是叶子航的一厢情愿。"

　　说实话，我并不懂什么期权、股票，但我还是听懂了席宁姝的意思，却也终于被她对待此事的态度触动了内心深深的内疚。

　　这场失败的婚姻里，席宁姝真的没有犯下什么大错，她唯一的过失不过是没有及时告诉叶子航她想救一个可怜的小生命，但如果叶子航能给予她多一分信任，或者能选择开诚布公地交谈一次，一切的误会就不会发生。

在得知真相后，我曾不止一次怀疑过叶子航根本是利用席宁姝的善良故作沉默，甚至庆幸席宁姝为他谋杀的这段婚姻创造出了一个完美的不在场证明。

再一次深深呼吸后，我继续将话说得更直白彻底："他要的不过是我屈服，他是因为不能随心所欲地控制我才不爽。如果我愿意任他摆布，他就不会再提离婚的事情了。"

"所以你才来公司，甚至不惜被公开身份，你以为这样就能暂时息事宁人，能给我，给晓仪和知贤带来喘气的机会吗？江晓卉，看来你还真是忘了我提醒过你的那句话，我说过，我们之间永远不可能相安无事。"

不知道为什么，我有种直觉，席宁姝所说的这句话背后有一种可怕的隐藏含义。这股可怕的力量正聚集成一片乌云迅速笼罩在我的头顶，我甚至都能感受到那股暴风雨来临前夕的强烈低气压。

"既然话都说清楚了，希望我们今天这样的单独见面会是最后一次。在你走之前，我还有一句话提醒你，江媛真正在乎的人不是叶子航，是你。就像我现在只会在乎晓仪和知贤一样，一个母亲在急于保护自己孩子时是根本不会在乎别人死活的，包括她自己。好了，我该说的都说完了，你好自为之吧。"

我的身体从席宁姝的办公室走了出来，但我的灵魂却没有走出席宁姝的话语形成的那片真空。整整一个下午，我都呆呆地坐在办公桌前，直到窗外的天色从蓝变成黑灰。

叶知贤出差前交代过司机接送我上下班，可我今天突然不想这么早回公寓，便让司机先行下班。我披上大衣缓步走出了公司

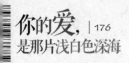

的玻璃大门，沿着花岗岩街面开始漫无目的地走着。

我何尝不想今晚就离开这一切，何尝不想再回到西安，哪怕那些掩在尘土中的兵马俑都比我这个活人更具有生命力。我甚至想穿越回任何一个朝代，重新开始我的人生。

可我根本走不掉，不是吗？

抬起头，茫然地望了一眼猛然出现在我身前挡住我去路的巨大黑影，疑惑着这个男人为什么在很宽敞的道路上一定要选择和我一样走在凹凸不平的盲道上。等我看清来人的脸，所有的疑惑便再不见，只剩下被突袭后藏不住的慌乱和一身僵硬。

"如果不拦着你，你准备走多久？一整夜，还是一辈子？"

没有表情，没有温度，他还是一样的冰冷，一样的让人惧怕，原来他真的只有在单独和我在一起时才会暴露摄魂怪的本性，唉……

不知道为什么叹息，甚至根本不知道自己在叹息，而我的叹息却让沐佐恩的脸色瞬间变得更冷，冷得足够让方圆百里的活物都凝成冰雕。

"我是来还你发夹的，你那天掉在酒吧了，西西说你很喜欢这个发夹，所以……"

他的掌心，果然躺着我的那枚发夹。不对，是一枚和我的发夹一模一样的另一枚发夹。因为，这枚发夹的缎面上毫无瑕疵地排列着全部的钻石，而且比我的那个在橱窗染了一年灰又饱经太阳酷晒的发夹颜色鲜艳太多。

"这不是我的，你搞错了。"

"这个是全新的，和你那个一模一样。"

"你也说了只是一模一样而已，所以，它不是我的发夹。"

沐佐恩和我静静地对视了足足一分钟有余，才重新开口道：

"看来那个发夹果然有故事，我把它放在车上了，这儿离你们公司有点距离，不想和我一起再原路走回去拿的话，打辆车吧。"

耳际，刚好传来外滩海关大钟的一阵声响，竟然已经八点了。所以，我整整傻走了一小时了吗？那么他呢，怎么会在这里突然出现，难道他……

不敢再继续纵容自己去找答案，因为那会让我顺便拐弯去寻找沐佐恩跟在我身后走了一小时的理由，然后会让我继续拐弯去纵容自己出现更多邪恶的猜测！

这一秒，我只想早些终止这场多余的独处。

"那个发夹没有什么故事，不过是我偶然爱上的小玩意，我买下它的时候就是缺钻的，现在我对它的新鲜感已经没有了，你替我扔了吧。"

逼自己狠下心舍弃那枚发夹，拒绝了可以和沐佐恩近距离相处的诱惑，我重新跨出脚步。不仅如此，在转身离开之前，我竟然还大胆地做出了和沐佐恩擦身而过的勇敢举动。

用尽了全身的力气忍耐，在江晓卉和自己擦身而过的那一瞬间，沐佐恩终于还是伸出了手，握住了她的手腕，阻止了她的执意离开。

他不是真的来还发夹的，虽然为了找这样一枚一模一样的发夹确实费了很大的周章。用发夹当借口，他是有一句话一定要问她，无论答案是什么，他都想亲耳听见江晓卉说出口。

如果彼此的心之间不是隔着一个叶晓仪，如果脚下的这条盲道可以带着我一路走向一个只有我自己的安全时空，我一定不会那么用力地试图挣脱沐佐恩的禁锢，我也不会拼命阻止他说出任

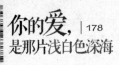

何一句已经被我预见到的问话。

沐佐恩，我知道你拉住我是为什么，我知道你要问出口的话是什么！

是，我确实不小心让你看穿了我的贪心！

是，连我自己都不知道为什么会对你心动！

是，我至今都不懂为什么你明明五行属冰却能一次次差一点就烧掉我的理智！

但幸好，我这个人最大的优点是自知，我绝对不会让你有机会训斥我的自不量力，我也绝对不需要你来提醒我不该让晓仪为难。

和那个残败的发夹一样，对我这个人存在的担忧，你直接扔掉就行了。

可惜，我的力气根本敌不过沐佐恩，无论我怎么挣扎，无论我怎么忽略手腕的疼痛一心想逃开他的禁锢，他依旧能轻易把我拽回他身前更近的距离。

"你在怕什么？是不是已经猜到我要问你什么？"

心有灵犀这件事如果不是出现在一对恋人身上，注定会是一场悲剧的开始，正如我和沐佐恩此刻的状况，明明已经猜到对方心中所想，却还是因为偏颇了些微的重心而变得面目全非。

一切战争暂时终止，是因为沐佐恩终于还是放开了我的手臂，却更为牢固地将我锁进了他胸前的方寸宇宙。

我终于知道为什么当心脏仪器显示一条直线后，医生会宣布病人死亡！

在被他搂进怀中的这一刻，我的心跳瞬间停止，我第一次感受到了只剩下灵魂不再有肉体的奇幻感觉，我不再能自如地呼吸，不再能控制我的手脚，甚至都不能自由地眨眼。

"放心吧，我会给你足够的时间去整理你的感情，我会等你离开他之后再靠近你。如果你永远都离不开他，我就永远不再出现在你面前就是了。但你必须答应我，绝对不再逃避心里对我的感情，因为我已经看穿你了，你心里明明有我！"

街对面，坐在一辆黑色本田奥德赛里，一个把鸭舌帽压得很低的女孩子看着街对面相拥在一起的俊男靓女，大力拍了一下驾驶座上男人的大腿，顺便爆出了一句愤怒："完蛋了，这下输彻底了！"

自然地，驾驶座上的男人立刻因为皮肉剧痛而发出了一声哀号，立刻又换来沐西西更为严苛的体罚。沐西西挥手对着他的后脑勺便是重重一击：

"你疯啦？那么大声，要是被我老哥发现我在监视他，信不信我杀了你！"

顾不上后脑的再度悲催剧痛，这男人立刻伸手捂住了自己的嘴示意自己"回头是岸ing"，这才打消了沐西西继续挥起手掌的念头。

"西西啊，你说什么输彻底了？佐恩哥不是很男人地把这女孩子制伏了吗？"

"切，那叫什么制伏啊？你以为女人的心强抱一抱就能收服了吗？爱情这场战役谁动情深谁就先输了。可输归输，手段还是要有啊，你看人家晓仪姐，为了得到我哥不惜下安眠药玩木已成舟的狠招，而我哥就一点出息也没有。傻乎乎跟着人家走了那么大老远，竟然连个强吻都没有，如果我没有猜错，他一定说了'我不会勉强你''我会等你对我动心'之类的孬种废话。唉，气死我了，看不下去了，走了走了！"

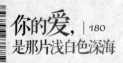

"去哪？"

"我不知道，开车啦，快点，我说你快点啊！又欠揍啊？！"

本来就不敢忤逆西西，何况公主正在暴怒中！

柯晓东始终只是让车子保持直行，即使红灯时，余光都不敢转过去瞟一眼西西。以他对沐西西的了解，她现在的沉默绝对不是在自我调节情绪，她一定是在想什么损招试图力挽狂澜，所以最聪明的举动就是保持置身事外，做一个纯司机、纯木偶、纯空气。

果然，在车子开了不过五分钟后，沐西西立刻想到了一个貌似可以以毒攻毒的绝妙主意。吩咐老柯把车子掉头再次开回刚才的位置，沐西西拿出手机拨通了电话……

第七章
夙世缱绻

每个浑蛋的心里都住着一颗受过重伤的心，所作所为不过是想让全世界的人陪他一起痛，好让自己的与众不同不再那么明显。

好不容易等到自己重新恢复了心跳，继而再度恢复了手脚的支配权，才做得到后退一步，主动离开了沐佐恩的温暖怀抱。

"放心吧，我会给你足够的时间去整理你的感情，我会等你离开他之后再靠近你。如果你永远都离不开他，我就永远不再提多余的废话就是了。但你必须答应我，绝对不再逃避心里对我的感情，因为我已经看穿你了，你心里明明有我！"

在心底，我已经把这段奇怪的话反复咀嚼了不止十几遍。直到此刻抬头，像看外星人一般地看着沐佐恩，我很想让他翻译一下他说的这段外星语，却不知道怎么组织语句，幸好他始终都是一个喜欢掌握主动的男人。

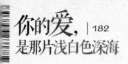

"那晚在游艇俱乐部，我看见你的男朋友了，那个很阳光的大男孩。"

郑翌哲？原来他以为郑翌哲是我的男朋友？

等一下，他怎么会看见我们，难道他去江边找过我？

哦，是了，那天明明说过"有话要说"。

"我不知道这个男人是你在西安认识的，还是你在去西安之前就认识的，但如果他在你最无助的时候可以让别的男人乘虚而入，就不算一个太称职的男朋友。"

很庆幸，因为话题中出现了郑翌哲，让我或多或少又找回了些自我。顺便地，也因为想到了郑翌哲，我想到了他心底的女神——叶晓仪。

"那你自己呢，算是一个合格的恋人吗？你和晓仪的关系就差没有登上晨报晚报申江导报举国欢庆了，你现在又在干什么，检验我是不是可以被乘虚而入？"

"我和晓仪之间什么都没有，一切都是误会。"

男人无耻起来还真的是足够让女人嗟叹。这些日子，我和知贤都不知道被晓仪提及沐佐恩时脸上的幸福闪瞎了多少次，他竟然在这里脸不改色地对我说"一切都是误会"。

"他说得没错，我们之间，一切都只是误会。"

循声，我和沐佐恩同时转过头，看着赫然出现在面前的叶晓仪。我受雷击般地连退了好几步，心虚方才和沐佐恩的暧昧是否尽数被晓仪看在了眼里。

因为这份心虚，一股相当不祥的预感突袭了我的五脏六腑，慌乱得我都没来得及想为什么叶晓仪会在这么准确的时机下出现在我们面前。

"你跟踪我们？"

　　面对沐佐恩冰冷的质问，晓仪的脸色已经差到无法再差，但她还是用力地试图微笑，特别是对着我微笑。

　　"知贤说如果他不在身边看着，晓卉一定会不好好吃饭。我本来想回公司接她一起去吃晚饭，刚好看见你们一前一后走在街上，就……就开着车跟着你们走到了这里。"

　　在这么尴尬的状况下，费心做解释的竟然是晓仪，这种怪异的状态让我实在无地自容，也真的不敢再多看一眼晓仪尽力掩饰的受伤表情。我知道，如果我还有良知就该立刻消失，让他们这对正主好好聊聊，解释清楚这所谓的误会。

　　可我该怎么离开，该用什么理由离开？

　　正无助时，街对面突然冲来一辆急速大掉头的高大黑车，戛然停在了街边。车门打开后，跳下一个一身休闲装的少女，就算一顶压得很低的运动帽遮住了她大半的脸，但我们还是很快就认出了来人是沐西西，沐佐恩的妹妹。

　　"哎哟，我还以为我眼花见鬼了，没想到还真是你们三个。这叫什么，有缘千里来相会吗？晓卉姐，上次圣诞Party上的大乌龙，我一直想亲口对你说句对不起，既然这么巧遇见了，我做东请你吃顿大餐算是赔罪怎样？"

　　被沐西西热情地勾住了手腕，看着她一脸青白蛇千年后雷峰塔外重逢的激动神情，我竟然鬼使神差地就被她轻易带着走到了那辆奥德赛边，直到沐佐恩快一步走过来伸手按住了已经被打开的车门。

　　"西西，你自己先走吧，我和晓卉还有话说。"

　　因为处于"比较远离"叶晓仪的视线范围，沐西西的脸上终于卸下了伪装，借用帽檐的遮挡，直视沐佐恩的视线里尽是鄙视：

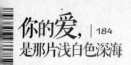

"哥,我是在替你解围,请你别这么不知好歹。你们三个现在这状况,你觉得你还有立场对晓卉姐说什么吗?放心吧,我会直接送她回家,等你这边弄明白了再去找她就是了。"说完,西西便坚持推着我上了车,等她也坐进车里后,便关上车门吩咐老柯开车闪人。

上车时,我不经意看见了被西西扔在副驾驶座上的手机依旧亮着屏幕,而屏幕上赫然显示着最后一通电话记录,通话记录的名字不是别人,正是叶晓仪。

所以,是晓仪打电话让沐西西来救急的是吗?即使亲眼看着自己的男人在对其他女人玩暧昧,她依旧会因为我的处境而用心是吗?

隔着玻璃车窗,望着一身玫瑰色大衣裹身的叶晓仪渐渐远离,一种似曾相识的记忆冲击着我的脑海。

她刚才那种受伤的眼神,真的很像当年的席宁姝,当年的席宁姝也曾用这样满含恨意和鄙视的眼神看着我妈妈,但她最后却还是伸出手挡住了去往鬼门关的我的去路。

原来,善良还真是与生俱来的某种特异功能,加上席宁姝后天的言传身教,晓仪早已经是一个不折不扣的天使,一个有着玫瑰色翅膀的天使。或者,她们两个上辈子真的是天使,因为犯了小错才被罚下人间成了母女相依为命,然后一起受尽苦难。

母女!

因为这个名词跃入脑际,我突然被点醒了什么般地吓了一跳。

"江媛,有你这样的妈言传身教,她总有一天也会和你一样变得下贱无耻。"

这句话,这句经常出现在我梦里把我吓醒的话,终于第一次，在大白天清晰地出现在了我的脑海中，把我心底的所有阴暗面顷刻照得无所遁形。

原来如此！

原来真相是这样的！

难怪我自己都觉得对沐佐恩的动心来得莫名其妙，原来，一切都有注定的理由！

不是吗？如果我真是单纯地喜欢上了沐佐恩，那就应该发生在一年前，当时他那多管闲事的举动，让我有足够的理由动心，可我却那么迫不及待地离开了他，切断了一切暧昧。

等我回来，当我再度遇见沐佐恩，我便对他轻易动心了。为什么？因为他已经是叶晓仪想要的爱情，成为了别人的男人，成为了一个要抢才能到手的猎物。

类似的猎物还有一个，郑翌哲！

在我坚定地要和郑翌哲绝交后，我又那么轻易地原谅了他，再次恢复了和他"如胶似漆"的暧昧战友关系，不就是因为他告诉我他爱上了叶晓仪吗？我感兴趣的并不是他这个人，我兴奋的是重新夺回他的过程。

等到他终于完败，等到他的身边、他的心里又只剩下一个我，我又一次不屑一顾地想要丢弃他。今晚，我丝毫没有想起过他这个黑骑士，不是吗？

我，原来是这样一个怪物！

一个连自己身边最亲的人的血都不肯放过的魔鬼！

顿时，我的眼眶中出现了眼泪，这种我从来最怕的黏腻液体。

难怪，席宁姝要对我说那么一番话，因为她早已经看穿我的本性，看穿了我的手段。

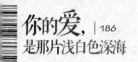

"停车！"

近乎呓语般说出了这句停车，我的心依旧在痛，我逐渐感觉缺氧，必须下车去呼吸一下新鲜空气。

不懂我怎么突然叫停车，转身看见满眼眼泪的我，沐西西自然吓了一跳，"晓卉姐，你怎么了，你怎么哭了？"

刚好一个红灯，听见西西的话，老柯充满好奇心地转过头也望向了我。

我顿时警觉了什么，猛然对着他大声吼道："别转过来，不许转过来！"

我知道我这副泪眼婆娑的丑陋样貌不过是我心底魔性使然，因为我心里根本没有什么悲痛的情绪，可我暂时控制不住这些眼泪，所以，我决不能让老柯有机会看见我这副楚楚可怜的样子，不能再祸及一个无辜的人。

下意识地伸手握向车门准备随时下车，谁知我竟然轻易地就打开了车门。我猛然找到了地狱出口般浑身亢奋，顾不上左边车门外是从另一条街左转过来的大量车流。

"晓卉姐，晓卉姐，当心车啊！要命了，她这是这么了？该死的奥德赛，加个开车后自动锁车门的设计会死啊？！都是你，早让你换车了！喂，你怎么还在发呆啊？没看见晓卉姐精神状态有点不正常啊，你快点去把她追回来再说啊。"

"可车怎么办，我总不能把你丢在路中间吧？"

"你真的脑残了，我当然会把车开到路边去。死老柯，你再不下车去追，我现在就把我脚上的七寸跟直接钉在你脑袋上！"

老柯这才想起，沐西西无论什么打扮都喜欢穿着七寸跟弥补身高不足。所以，她就是有心追也根本跑不起来，这才让他去追，换她自己开车。

因为慢了好几拍，等老柯追下车的时候，我已经安全地跑到了人行道上，如果不是因为发现老柯竟然跳下车飞奔来追我。如果不是被他口中充满担忧的呼唤声吓到了，我根本不会再次慌不择路地开跑，再一次冲回了路的中央，然后在一阵刺耳的喇叭声中本能地停了脚步，本能地闭上了眼睛……

重症观察室里，江晓卉的腿上缠着厚重的石膏，脸上罩着厚重的氧气罩，浑身上下插了无数根管子，床边的监视器上的心跳声成为整片死寂中唯一的声响。

虽然已经脱离了生命危险期，江晓卉还是没有苏醒的迹象，CT显示她的脑子只是轻微的脑震荡，并没有大的出血点，不可能有血块压迫神经导致她昏迷，所以她总会苏醒。即便是这样，沐佐恩仍然守护在晓卉的床边整整三天三夜，等候着她苏醒。

另一边，听见晓卉遭遇车祸生命垂危的消息，江媛爆发了生命中最严重的一次心脏病，来不及看一眼重伤中的晓卉就被直接推进了手术室。叶子航也顾不得江晓卉，在江媛身边寸步不离地陪护着。

叶知贤在北京参加商务部的重要会议，当然无法立刻抽身，在得知晓卉发生车祸后，他只是沉默了很久，然后用一句"知道了"便结束了全部的对话。

最让人出乎意料的是席宁姝，听见江晓卉病危，江媛也病危的消息后，便将自己锁在了房内，一步不出房门，连晓仪也不见，只是一个人静静地沉思着什么。

在悲剧中，唯一还能坚强的只有叶晓仪，因为所有当家的骤然消失，她一个人撑着整个公司的运营，奔波在两家公司之间，因为终日劳累加之被夺爱后的心力交瘁，她的脸色自然日渐憔

悴，让所有旁观者都很是不忍。

坐在床边的椅子上，沐佐恩只是默默地望着晓卉紧闭的双眼，望着她一动不动的身体。他的拳始终紧握着，因为太过用力，手背上的青筋都爆裂般地青紫起来。

明明可以苏醒，为什么始终不愿意醒过来？！

这是沐佐恩百思不得其解的。三天三夜，他始终没有离开医院一步，只要医生允许他便安静地守在晓卉的身边，握着她冰冷的手，却从来无法把温暖传递给她半分，也始终没有等到她睁开眼睛的那一瞬间。

如果不是面临永远失去的惧怕，沐佐恩还真不知道原来自己对江晓卉的感情已经到了这么深的地步。在听说晓卉出了车祸时，他就已经濒临疯狂的状态，在看见病危通知时，他更是差一点亲手掐死了沐西西。

看着晓卉靠呼吸机而微弱起伏的胸口，看着她苍白的脸色，沐佐恩把手中紧紧握住的手轻轻放到了唇边，轻声说着他的誓言："江晓卉，你还真的就是我命中注定的那个人。在看见你的第一眼我就已经注定万劫不复。都怪我觉悟得太晚，又不够果断，才会让你误会我和晓仪有什么。没关系，我会等你醒过来让你亲眼看见我的心，一辈子不够的话，下辈子也算上就是了。晓卉，你必须为我醒过来。"

"先生，我们要给病人换一下导管，能不能请你暂时回避一下。"

听见护士的温柔话语，沐佐恩才放开了晓卉的手，重新站起了身，这才发现因为太久地坐着，自己的两条腿已经僵硬麻木到无法轻松站立。

等到双腿恢复了知觉，沐佐恩回眸看了一眼依旧沉睡着的江晓卉，才走出了重症监护室。

重症监护室外，长椅上坐着满目迷茫的叶晓仪和她身边明显忐忑不安的沐西西：

"哥，你出来啦，晓卉姐怎样啦，醒了吗？"

轻轻摇头回答了沐西西，沐佐恩布满血丝的眼睛目不转睛地望着叶晓仪。他很清楚，叶晓仪的突然出现一定有理由，或者是公司出了状况，或者是江媛术后出现了危机，或者还有其他的理由……

"你们聊吧，我进去陪陪晓卉姐。"

误以为叶晓仪的缄口不语是因为自己这个电灯泡在一边站着不方便，沐西西很是识趣地挪着步子移向监护室。

重症监护室只允许一个家属陪着病人，所以，一直被老哥霸占着探视时间的她虽然也三天三夜没离开医院一步，却始终没有见到过晓卉，不过是做买饭买水的小跑腿，所以她刚好趁此机会去看一眼晓卉。

"护士在替她换导管，现在不能进去。"

听到沐佐恩的喝止，沐西西的嘴不由得又嘟得半天高。她就知道，要不是被医生赶出来，老哥根本不会舍得离开病床、离开江晓卉半步。

望着沐佐恩疲惫的脸色，满布血丝的双眼和胡楂丛生的下巴，叶晓仪明明有心理准备却还是震惊不已。沐佐恩和晓卉之间一共不足五天的缘分，竟然会让他对晓卉痴情到如此境地！

深叹一口气，晓仪终于还是站起了身，一步步地靠近沐佐恩，似乎有什么话要出口，却几度梗在了喉咙口，直到不远处的电梯门缓缓打开，一个高大的身影大步流星地走近了他们。

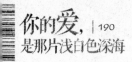

在沐佐恩看清来人并预感到危险的同时，他的脸上已经被叶知贤的一记挥拳揍得不偏不倚。因嘴角豁裂和牙齿松动而涌出的大量鲜血，顷刻染红了沐佐恩的嘴唇，很是触目惊心。

沐西西立刻吓得尖叫起来："哥，你没事吧？"

"沐佐恩，你给我立刻滚出医院，滚！"

忍着满嘴的血腥味，伸手推开八爪鱼般拉着自己的沐西西，重新站直身子望向叶知贤，沐佐恩努力克制着心中升腾的狂烧怒火。叶知贤是晓卉的哥哥，他能理解他的愤怒，也可以体谅他的误会。

已经挥出一拳的叶知贤似乎并没有满足于沐佐恩的识趣，他的那句喝令并不只是说说而已，他的拳头也没有因为沐佐恩的忍耐而放下。若不是有叶晓仪突然挡在了他的身前，阻止了他的继续挥拳，他应该会一直揍到沐佐恩永远站不起来为止。

"就知道你下飞机后会直接冲到这里来闹事，所以我才赶过来守着你。知贤，你给我冷静点！"

"为什么让他陪着晓卉，难道你想亲眼看着他逼死晓卉吗？"

即使面对着的是晓仪，叶知贤的神情也依旧很是激动，怒吼的声音丝毫没有减弱。

静静地凝视着叶知贤，晓仪始终面无表情，失去血色的嘴唇上干纹明显，完全不再有往日的玫瑰光泽。

"晓卉一直昏迷，如果你这样大吼大叫能吵醒她倒也不错。"

被晓仪冰冷的话语提醒后，叶知贤果然看见楼层其他病房已经有家属探出头对叶知贤这群人露出了嫌恶的眼神。有些人手里已经握着遥控器，只等情况再严重时立刻呼叫医院保安来清场。

　　再望向沐家兄妹，叶知贤终于变得冷静很多，深呼吸克制着残存的愤怒，对晓仪用近乎吩咐的语调丢出了一句话："你和他之间不是还没整理清楚吗？既然我回来了，我会守着晓卉，你们去把该说清楚的话都说干脆了吧。"

　　似乎没有料到叶知贤会说这样的一句话，叶晓仪始终目不转睛地凝望着叶知贤的眼睛，直到反复确定了他眼底的坚定意味，才无力地说道："我们之间本来就是误会一场，一直是我一厢情愿，根本不需要什么整理，等晓卉醒过来，我会亲口告诉她这个真相。至于晓卉是不是愿意接受这个事实，就不是任何人能强求的了。还有，江阿姨手术后至今都没有脱离生命危险，医生说她已经不能再受任何刺激。"

　　"所以呢？"

　　"所以，我们胜利了！虽然就这么轻易地打败了她们，甚至都没有用上一个回合。虽然这样的胜利很是不过瘾，但我们终于赢回了一局。"

　　这句"所以"之后的话，叶晓仪当然不会真的说出口，也没出口的必要，叶知贤当然明白真相，他不过在自欺欺人而已。

　　就在空气突然凝滞得有点不合逻辑，就在沐西西在叶知贤和叶晓卉这对姐弟彼此凝望的眼神里看出了些端倪时，重症监护室的磨砂玻璃门突然被打开，一个护士疾步跑了出来，直接冲到了沐佐恩面前，"病人醒了，医生担心她只是间歇性苏醒，希望家属能立刻进去和她说说话，帮她彻底清醒过来。"

　　听到护士的这句话，叶知贤和叶晓仪的身子都不由得一僵。就在这个间隙，沐佐恩已经大步走向重症监护室，却被身后的沐西西一把拽住，"老哥，冷静！医生是让家属进去，现在有知贤哥和晓仪姐在，貌似还轮不到你啦。"

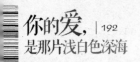

"放手！"

"哥，你忘记啦，晓卉姐还不知道你和晓仪姐已经整理清楚了。你这么一进去，保不齐晓卉姐被你吓得又急着逃到她自己的世界里去，彻底不肯再醒过来了。"

看着沐佐恩根本不顾沐西西的阻拦还是要冲进重症室，叶知贤当然不会让他如愿，两个男人互相抵着对方的肩，再次剑拔弩张地近似世界大战前夕。

"在这个世界上，除了爸爸和江媛，江晓卉的真正家属就只有我一个。"

话音落下，叶晓仪便走过了两个男人的身边，推开了重症监护室的磨砂玻璃门，走到了床边，看见晓卉双腿绑着石膏，口鼻上戴着呼吸机，浑身插满了各种管子的惨烈景象，心不由得一阵抽搐，痛楚直达每个细胞。

"痛……痛……"

江晓卉确实有微弱的苏醒迹象，但她口中发出的声音很是轻微，要凑到她唇边才能听清她的呓语。

听清晓卉是在喊痛，叶晓仪立刻紧张地望向了站在一边专注地看着监视器各项数据的主治医生。

"林护士，把镇痛泵调高些度数。"

"好！"

随着护士将接连在晓卉脊椎上的那根管子末端的一个电子控线上的数据微微调高，晓卉口中的呢喃渐渐变得小了些，呼吸也渐渐变得平静。

"镇痛泵里的麻醉剂虽然剂量很少，但对她的苏醒一定有反作用，家属最好不断和她说话，让她能完全醒过来。"

听到医生的提醒，看着晓卉轻微颤动的眼睫毛，晓仪挣扎了很久却还是做不到去触碰她的手，也做不到伸手替她擦去额上的细密汗水，只是俯下身在她的耳边轻声开口道："晓卉，我知道你为什么不想醒过来，我也知道你在怕什么，你一直很聪明，聪明得让我很害怕。我知道，总有一天你会看清楚一切然后再一次彻底打败我，可我还是想让你醒过来，因为只有你醒过来了，才能亲手把他还给我。晓卉，我要你醒过来，把你欠我的都还给我。"

"只有你醒过来，才能亲手把他还给我……醒过来，把你欠我的都还给我。"

这些是我在半昏迷状态中听见的全部。就是这些话，在强烈的痛楚中断断续续听见的词组，让我渐渐恢复了意识，终于顺着说话声彻底走出了眼前那一整片白色的迷雾。

睁开眼睛，我看见了晓仪的脸，她依旧是那么美，窗外射进的阳光刚好照在她的长发上，让我清晰地看见了笼在她头顶的那一片金色薄雾。

我这是在哪里，我的鼻子上罩着的是呼吸器吗？是了，我想起来了，我应该是不小心被车子撞了，所以这里一定是医院。

所以，我又一次被救活了吗？因为叶晓仪的存在？就像当年的席宁姝一样？

"病人，听得见我说话吗？如果没力气说话，你可以点头。"

随着医生的问话，我的视线暂时离开了晓仪，看见了站在床边的医生护士。

轻轻点头之后，我试图要动一下身体，腿上强烈的疼痛和麻木感让我吓到了，我的第一反应是我的腿可能已经被锯掉了。

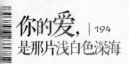

"江小姐，你已经脱离了生命危险，但你的左腿有两处骨折，右脚脚踝也有一处骨裂，我们替你做了接骨手术，手术很成功，只要术后好好配合物理治疗，不会影响走路。现在，请你试试举起右手。"

听到医生的安慰，知道自己的双腿都还在，我才稍微放心了点。努力将右手提了提，浑身没有气力的我根本无法高举起手，只能让右手手掌稍稍有了些指间动作。

"可以了。"说完，医生便对着晓仪露出了欣慰的笑容，开口宣布着好消息："病人的意识很清醒，神经系统也开始渐渐恢复，今晚让她继续在这里好好休息一下，明早再送回普通病房。今晚不需要家属陪护了，明早你们直接去普通病房等着就行。"

谢过医生后，晓仪便离开了我的视线走出了监护室。因为腿上的痛实在厉害，而罩在鼻子上的呼吸器也让我很是不舒服，脑子也昏昏沉沉有很想睡觉的感觉，我便不由自主地闭上了眼睛。但我却没有真的睡着，耳朵里清晰地听见监视器里我自己的心跳，还有医生和护士之间的所有对话。

"你们别说，血缘关系还真有感应，那帅哥陪了三天三夜都没用，这边亲姐姐一来就叫醒了。"

"那也是因为病人先有了苏醒的迹象，我倒是觉得那个帅哥陪着三天三夜才是根本原因，那是爱情的力量。"

"你们要八卦回办公室去再继续，病人现在需要休息。"

"哦。"

随着护士的集体嘘声，我的耳中再没有了任何的动静，除了监视器扩音器里继续出现的我的心跳声。

所以，我整整昏迷了三天三夜？

有个帅哥守了我三天三夜？是谁呢？应该是郑翌哲吧，也只有他才会让全天下人都误会我是他女人，不是吗？

镇痛泵里的麻药虽然让我有点昏昏欲睡，可腿上逐渐清晰难挨的剧烈疼痛却让我浑身一阵阵发颤，我不得不让自己闭上眼睛去回忆我倒在这个病床上之前所发生的一切，以分散注意力。

那一阵刺耳的喇叭声、慌乱中避之不及的出租车、老柯对我的追逐、我夺车门而逃、可怕的眼泪、沐西西的临危救援、晓仪的猛然出现、沐佐恩的莫名告白、沐佐恩的凝视、沐佐恩的拥抱、沐佐恩的心跳、沐佐恩的叹息声……

随着倒带般将我脑中的记忆一幕幕回放，我的脑海里再一次被无数个沐佐恩清晰占满，清晰得让我甚至产生了幻觉，幻觉到他走到了我的身边，握住了我的手，然后在我的身边发出了又一声叹息。

不敢睁开眼睛，我很怕这一切并不是幻觉，很怕寂静的病房里真的有沐佐恩存在。我知道，不管他和晓仪之间究竟是误会还是事实，有了晓仪的那句"亲手把他还给我"，我就不该再对沐佐恩有任何一丝的贪恋。

沐佐恩，从此之后，你只能是晓仪身边的男人，即使你注定会成为她记忆里的一份悲伤，你也不再与我有关，这便是你我之间这场偶遇的唯一结局。

就这么闭着眼睛半清醒半昏沉恍恍惚惚地过了六个小时后，我的耳中隐约听见医生说有一个病人急需使用这间抢救室，要把我提前挪到普通病房。为了减少转移过程中伤口的疼痛，医生为我再度加重了镇痛剂的剂量。在彻底失去知觉前，我隐约感觉我曾被一个人小心翼翼地抱在怀里，他的怀抱很温暖、很熟悉，让我足够感觉安心……

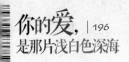
　　再度睁开眼睛，已经是早晨，我身上的管子和呼吸器终于被取走了，唯一牵制我的只有两条腿上的厚重石膏。所以，我可以自由地转头望向窗外，从阳光的照射程度来看，应该时间还早。

　　将头侧到另一边，我看见了一脑门熟悉的乱毛，这间独立VIP病房在窗前明明安排了一张足够躺倒的沙发床，可郑翌哲还是就这么直接坐在椅子上，趴在我的病床边睡着了。

　　"江小姐你醒了？医生说你今天开始可以吃流质了，食堂送来的是肉松粥，现在还热着，你趁热吃一点吧，我来帮你把床摇起来。"

　　对我说话的一位中年大妈，看打扮貌似是病房的专职护工，来不及提醒她轻声，郑翌哲已经猛地坐起了身，让我看清了他布满血丝的双眼和一头的蓬乱鸡窝。

　　"你醒了？有没有觉得哪里不舒服？腿还疼不疼？要不要先喝点水？晓卉，你听得见我说话吗？"

　　看到郑翌哲一副灾后难民的形象，听到他对我说了这一大串关心的话后，我的心头真有股说不出的莫名滋味。

　　看见护工大妈送到床边的热粥，郑翌哲这才猛然想到了什么似的继续开口道："医生说了，你体内的镇定剂残余成分要全部代谢掉，估计至少还得一两天。感觉浑身没有力气是正常的，所以一定要尽力多吃点东西补充体力。"

　　说完，郑翌哲便熟练地用遥控器把我的床缓缓地抬升了四十五度左右，然后又伸手扶起我，帮我在身后加了一个松软的枕头，整个过程熟练得堪比专业护士。不仅我，连那位护工大妈都不由自主地露出了惊讶的神情。

　　"动作很到位很熟练是吧？这叫熟能生巧，来，再让你见识一下本人的喂饭技巧。"

一边说着话，郑翌哲还真的端着粥碗坐到了我的身边，用调羹搅拌着加入细碎肉松的白粥，然后取了一勺开始吹气。别说，他的这些动作还真的有模有样，都快赶上我妈的细腻周到了。

想到了我妈，我立刻有一种不祥的预感。我出了车祸，我妈一定会时刻守在我身边才是，而且她绝对不会让我喝医院煮的粥。

"郑翌哲，我妈呢？她为什么不在？她是不是因为我出车祸又病倒了？"

听见我的质问，郑翌哲的动作有一秒的停滞，直到把第一勺白粥递到了我的唇边，才轻描淡写地对我说道："伯母的心脏当然受不了你出车祸的这种惊人消息，她确实又住院了，但好在并没有生命危险。这事说来话长，你先把这碗粥喝了，我再慢慢告诉你。"

听见这样的答复，我的心才稍稍放松了些，配合地努力咽下一口又一口的白粥。

可能是换了姿势，可能是体内的血液都集中到胃部去配合消化了，我还没有喝完一小半粥，便又有了天旋地转的眩晕感觉。

没有力气说话，我只能摇头示意我感觉很不舒服。郑翌哲见状立刻放下粥碗，然后帮我放平病床，按下呼叫铃叫来了医生和护士。

医生为我做了一番细致检查后，确定我只是出现了术后单纯性贫血症状，吩咐护士帮我在手背上插入了营养液的针头，这才退出了病房。

因为营养液对身体的缓缓增援，我的眩晕感觉消退了很多。

郑翌哲守在我的病床边，始终凝视着我，让我更清晰地看见了他眼睛里密密麻麻的血丝。

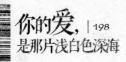

看到我的凝视，郑翌哲明白我在等他告诉我关于我妈妈的一切近况，知道再拖不过，只能硬着头皮对着我开口道："晓卉，你先答应我，接下来我要说的事情你必须听全了再激动，因为这件事过程虽然很曲折，结局却是好消息，OK？"

得到了我的微微点头示意同意，又等我深呼吸调整了情绪，郑翌哲这才正式开口道："你知道，这一年伯母一直就是医院的常客。她的心脏本来就有点问题，随着年纪增长体质变差而情况加剧恶劣，半夜经常出现只有三十跳的危险状况。你出车祸后被送到医院，医生很快就发出了病危通知，这消息没人敢瞒伯母，所以伯母还没赶得及看你一眼，就因为心脏病突发被直接送进了手术室。"

见我脸色不好，郑翌哲连忙握住了我的手，用坚定的表情安抚我，"我说过，过程曲折但结局是好消息。放心，手术是一直照顾伯母的那个老医生亲自主刀，这个手术就算不是因为你，伯母也迟早要做的。手术很成功，你妈妈心脏上现在有一个起搏器帮助心脏稳定跳动，暂时没有生命危险。"

心脏起搏器？我妈已经到了需要靠装这个机器才能帮助心脏跳动那么严重了吗？她现在怎么样了？不行，我要立刻去看她，立刻！

见我情绪激动，郑翌哲当然不会坐视不理，伸手按住了我的肩膀，一脸严肃，"就猜到你还是会不理智，医生说了，手术虽然很成功，但还有术后后遗症、并发症的危险性在，所以在三个月甚至半年的恢复期内伯母必须卧床静养，不能受到任何刺激。你这么冲过去目的是什么呢？是要提醒伯母这几天其实你一直昏迷不醒，还是要伯母亲眼看见你的双腿都断了的惨烈样子？"

不错，这个世界上可以轻易刺激到我妈的人，我是唯一的一个！

　　同样的，我也一样，虽然我对我妈有很多不满意，也一直恨她的软弱，我甚至可以做到不再见她，可以做到努力不想念她，但我绝对不想失去她，绝对不想！

　　"现在知道怕了？乱穿马路的时候你脑子里在想什么？江晓卉，活该你被石膏搞得木偶一样吃苦头。放心吧，我会回到伯母身边替你守着，伯母要是看见我能放下你去守着她，就会真心相信你一切都好，也能放心了。"

　　我当然知道我妈从来就把郑翌哲直接当作了未来女婿来信任，也知道在我失踪的一年中郑翌哲早已经把我妈当作了亲妈在照顾。就算这次重逢后我们整理清了彼此的关系，他也还是那么尽心尽力，如果我妈真有个亲儿子，估计也不过如此了。

　　突然，一股复杂的感情攀升到我的心头，这份纠结着歉疚和感恩的感情让我做不到继续沉默，"谢谢你。"

　　见我的唇动了几次后最终说出的竟然是这句礼貌用语，郑翌哲的眉心反而皱得更紧，连带着脸色也变得更为灰暗。

　　"谢什么？谢我愿意做免费陪护，还是谢谢我亲手喂你喝粥？"

　　"谢谢你一直都在。"

　　江晓卉并不知道，她这样一句简单的、清澈的、由衷的感谢，会在两个男人的心底埋下多么可怕的一场灾难。

　　站在病床边的郑翌哲自然是被点穴般的无法再动弹，只是静静地望着晓卉，加倍珍惜每一秒的流逝。

　　这些日子以来，对江晓卉了解得不能再了解的他早已看清她的心里有另一个男人的存在，但他还是执着地守护在她身边，并

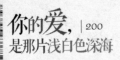

且毫无怨言地替她守护着江媛，为的就是有一天晓卉回过头能发现——他，始终都在！

如今，当心愿得偿来得这般突然、这般轻易，反而让他有些惶恐忐忑，不敢相信听见看见的一切是真实的。

另一个听见江晓卉这句话的，是刚好走到病房门口的沐佐恩。

昨晚，因为黑骑士郑翌哲及时出现，才让始终相持不下的沐佐恩和叶知贤暂时停了战火。

勉强被沐西西逼着到附近的宾馆梳洗了一番又睡了几小时后，沐佐恩一大早便急不可耐地赶到了医院，却在走到病房门口时听见晓卉对郑翌哲说出的这句"真心告白"，顿时被点穴当场，再没有力气跨出一步。

同时听见这句话的，还有眼睛下有着两团很深的黑眼圈的沐西西，她当然也知道晓卉的这句话对老哥的绝杀效果。耳朵里的余音尚未消散，她立刻转头看向沐佐恩，还果真就看见了老哥被瞬间KO（技术性击败）的惨烈景象。

西西心里真替老哥不值，明明是他几天几夜衣不解带地守着晓卉姐，却被一个最后陪了一夜的男人轻松松抢了功劳。

当然，沐西西也不是不知道，这几天翌哲苦忍着对晓卉的思念和担忧，心甘情愿地代替她照顾伯母，这种大爱和用心良苦比起老哥的痴情着实还高了一个境界，但是吧……

当沐西西心底还在被一堆蚂蚁挠着时，沐佐恩已经猛然转身，大步走向了走廊尽头。他连等候电梯的耐心都没有，直接推开了楼梯厅的门让自己消失在走道里。沐西西急得也顾不得多想什么，连忙用一声大吼刻意暴露他们的存在，坚决要为貌似不战而败的老哥埋下点翻盘的伏笔。

"老哥，你这是干吗啊？都到病房门口了，至少进去看一眼晓卉姐打个招呼再走啊。老哥，你等等我啊，你走那么快，我穿着高跟鞋跟不上的啦。"

吼完这句长句子，沐西西依旧站在病房门口半步没有移动。她脚上的七寸高跟真的没办法陪着沐佐恩走下十五楼的楼梯，所以，她宁可做一个大电灯泡无耻地破坏病房里的浪漫好气氛去。

推开门，忽略掉病房内死僵的氛围，沐西西满脸挂满了不是亲人胜似亲人的温暖笑容，径直冲到晓卉的床边：

"晓卉姐，你终于醒了，真是太好了！你昏迷的这些日子可真的吓坏我了，我真的真的真的很怕你不能再醒过来，呸呸呸。"

沐西西眼底的感动完全不是伪装，在亲眼看见晓卉被车撞飞的那一刹那，她真的体会到了三魂七魄都吓出肉体的神奇感觉，所以，看见晓卉还好好地活着，她真心感恩老天的给面子。

望着江晓卉即使在病中，即使脸上毫无血色，即使眼中无神得很，还是有着一种独特到难以形容的美，沐西西不由得理解了老哥的必然沦陷。想着老哥守了三天三夜却还是错过了这一刻的"劫后重遇"，她忍不住又无奈地深深叹了一口气。

转过头，望了一眼依旧呆站在一边的郑翌哲，这个轻易打败老哥的劲敌，沐西西的神色就没有那么温柔了，"喂，这位护工先生，看见有客人来看病人怎么也不给拿一把椅子，真是不专业。喂，你还愣着干吗？我现在要和晓卉姐说点悄悄话，麻烦你回避一下。"

如果不算昨晚换病房时的匆匆一撇，郑翌哲和沐西西根本就是陌生人。眼见着这个个子不高年纪不大的小毛丫头竟然对自己称呼陪护，还一脸主子赶下人的嘴脸，郑翌哲自然傻眼。

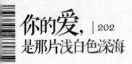

　　见郑翌哲完全不给自己面子，沐西西也完全没有耐心等他回过神，直接就一把把他推出了病房，小声对他说道："喂，陪护，我知道你知道我是谁，我也知道你知道我干吗对你不爽，我更知道其实你知道晓卉姐对你的感情离真爱远着呢。就算你现在乘虚而入赢了一局，也不代表你会一直不败。大家完全可以继续公平竞争，所以现在换我替我老哥力挽狂澜，麻烦你自觉退场先。"

　　被沐西西这一大段"我知道"、"你知道"弄得本就因为疲劳而慢一拍的脑神经更加反应迟缓后，郑翌哲还没来得及回应点什么，沐西西又欢乐地走回了病房，顺便反锁了房门。

第八章
迎风微凉

再惊险刺激的过山车，坐习惯了也不过是迎风一场；再恐怖幽深的夜路，走习惯了也不过是月影微凉……

雨过天晴，天空竟然出现了一道炫目的彩虹。坐在叶知贤的车里，晓仪痴痴地望着天空中出现的那一道彩虹，目不转睛。

"真的要杀人吗？"终于，一直缄默的两人有人先开了口。

因为叶知贤的主动转头，姐弟两个的视线在这一整片晴空也照不暖的车厢里直接冻结成了一线。

叶晓仪知道，叶知贤还在生气她现在坚持要去江媛的医院，而不许他第一时间赶回江晓卉的病床前，防止沐佐恩再次靠近。

静静地望着叶知贤，晓仪用一句反问转移了话题："我猜，你心底一直坚信江晓卉是故意逃避沐佐恩才昏睡不醒，又是因为感应到了你的靠近才苏醒的。既然你都已经那么自信了，何必担心沐佐恩比你早到医院？"

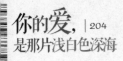

"现在任何一丝风吹草动都可能刺激到江媛，如果不想她真的死在你手里，一会儿到病房时，你最好收敛一下你的演技。"

"即使不是沐佐恩，还会有下一个男人走近江晓卉。难道每一次你都只有让我去抢走她身边的男人、摧毁她的爱情这一个办法吗？"

面对叶晓仪始终的答非所问和莫名其妙，叶知贤终于忍不住了，"你到底在说什么？"

"无所谓，就算你始终都只能想到这一个办法，我还是会尽力而为。因为除了这样不分是非地帮你，我实在想不出还有什么办法能让你继续站在我这一边。奶奶已经不在了，爸爸有江媛母女，我妈有你和我，这座天平还算平衡，我们大家暂且能相安无事。至于别人的爱情甚至别人的死活，我从来懒得介意。"

如果叶知贤敢站到晓卉那一边去，让这个天平就此倾斜失去平衡。为了保护妈妈，也为了自保，她一定会演绎一个可怜弃妇的哀怨，把沐佐恩和晓卉的"孽缘"放大数倍，明知道这样做一定会逼死江媛也在所不惜。

晓仪当然清楚，知贤完全听得懂她说的每一句话，他只是不愿意面对事实而已。所以，她决定不再辛苦地和他打哑谜，直接在最后一段话中清楚明白地表明了警告，终止了这场苍白冰冷的姐弟对话。

静静地望着叶晓仪，看着她眼底燃烧的偏执魔焰，叶知贤的背脊完全冰冷。任凭身后的汽车不断地按动喇叭提醒他信号灯已经转为绿色，他依旧做不到去触碰方向盘，做不到再继续将车开往江媛的医院，去演一场虚伪至极的温情探访。

听着身后车阵的刺耳鸣笛声，望着叶知贤满眼的复杂眼神，叶晓仪重新望向了窗外天空的那一道彩虹，近乎喃喃自语道：

"她们母女与生俱来就有勾引男人的天赋，你挡不住也是自然。希望你能记住，只要你还姓叶、只要你还有一点良心，就别在我妈活着的时候暴露这份感情，我唯一能帮你的只有不让任何男人太顺利地得到她。快开车吧，只有去探望了江媛，亲眼看到了她的'危险'，我才有足够的理由去找沐佐恩演苦情戏，让他暂时顾全大局和江晓卉保持距离。"

"告诉我，你要的最终结果到底是什么？"

面对叶知贤近乎怒吼的发问，叶晓仪露出了温婉如玉的一笑，轻启朱唇，一字一句地说道："终结所有的悲剧，让'他们'和'我们'从此真的相安无事！"

"那就别再那么复杂，我直接给你这个结局就是了！"

突然踩下油门，叶知贤根本不顾头顶上有一排电子警察探头，将车子在已经闪动黄灯的情况下直接大掉头，在一片可怕的急刹车声中横冲直撞地霸道驶回。

从叶知贤忍不住开口，晓仪就知道他最终还是会这么做，不顾她的警告和威胁，不按她的计划缓缓而为，找到所谓的借口，一切的目的不过是为了能早些去晓卉的医院，早些冲到她的病床前看见她。

对这一切，晓仪完全无所谓，因为她的心早就免疫了世上所有的"出乎意料"，再惊险刺激的过山车，坐习惯了也不过是迎风一场；再恐怖幽深的夜路，走多了也不过是月影微凉。

病房门口，郑翌哲只是安静地坐在长椅上，并没有因为沐西西的喧宾夺主而愤怒，甚至没有试图打开病房的门，没有夺回晓卉身边唯一守护者宝座的野心。

这一切，都因为他看清了晓卉眼底的心痛！

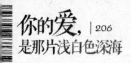

不过是听见了沐佐恩的"来过"，她便这般如临大敌，这份深埋的感情竟然是这么的厚重，这点真相让郑翌哲中招得毫无防备。

心，自然是剧痛难忍，那早就散落一地的碎片，每一处细微的痛楚叠加起来，竟比心脏完整时的痛楚还要剧烈，让郑翌哲痛到没有了迎战的力气，唯有拱手让出全部的领地。

步出电梯，叶知贤和叶晓仪第一眼就看见了呆坐在走廊长椅上的郑翌哲和那扇紧闭的病房门，他们立刻误会了病房里是沐佐恩正在单独陪着晓卉，叶知贤的脸色顿时阴霾得可怕。

"既然爱她，为什么还要让别的男人有机会靠近她？郑翌哲，竟然大方到把自己喜欢的女人拱手送人，究竟是你孬种还是你根本没有那么爱晓卉？"

看见叶知贤气冲冲地拎起自己的衣领，一副要立刻挥拳的冲动，看着他嘴角被沐佐恩回击后尚未愈合的伤痕，郑翌哲一时间有种错觉，似乎看见的是镜中的自己。

没错，都还没有正式开战，他就已经选择了退出。但如若有一天发现沐佐恩没有好好守住和晓卉的感情，他一定会和现在的叶知贤这个兄长一样暴怒，他一定也不会轻易放过沐佐恩。

"病房里只有沐西西陪着晓卉，两个女生之间的谈话，我一个大男人硬杵着又何必！"

推掉了叶知贤拽着自己领子的手，郑翌哲给出了一个没有YES or NO的写实答复，不露痕迹地避开了爱和不爱的敏感话题，顺势走到了病房门口，吼着沐西西出来开门。

听见叶家姐弟到了，正在为晓卉刮苹果泥顺便为老哥做说客的沐西西当然不能再充耳不闻，放下了调羹和半只苹果，走到门口开了门：

"晓仪姐，知贤哥哥，你们这么早就来啦。"

"你不是比我们更早？不是说好几天没合眼了，怎么不多睡一会儿？"

"宾馆的床不舒服，所以回家前绕过来看一下晓卉姐。既然你们来了，那我就走了，晓卉姐已经可以吃半流质了，所以我为她刮了苹果泥，这东西容易氧化，你们记得早点让她吃了哦。"

见沐西西识趣，郑翌哲也就把晓卉交还给了叶家兄妹照顾。这对同父异母的姐弟比他想象中更关心晓卉，这点是他一年来细心观察后得出的安心结论。

而且，叶子航陪了江媛一夜，他也需要早些去接替他，让最近健康状况也每况愈下的叶子航可以去休息一会儿。

和郑翌哲一起退出病房，沐西西一路跟着郑翌哲走在冰冷的医院走廊里，不时地侧过头偷偷观察他的表情、眼神，还有脸色，终于点头首肯道："陪护，我必须承认，你是我见过的最Man的男人，明明深爱却放手得那么有种，实在很帅！"

根本不管郑翌哲对她的无视态度，沐西西坚持和他一起站进了电梯，一起来到了地库，甚至直接爬上了他的车，还自顾自地绑上了安全带，这才让心痛到无力的郑翌哲不得不转过头，对着这个情敌的妹妹冷下脸下逐客令："下车！"

"陪护，你还是继续戴回那张面对叶家兄妹时的虚伪面具比较好，你这样的本色态度不利于我们交流。我虽然是你情敌的妹妹，但我现在想让你聊一下晓卉姐的事情。我保证，这事情和我哥丝毫没有关系。"

"你自己下车还是我把你扔下去，我给你三秒钟时间，一、二……"

　　紧紧拉着安全带，沐西西一副打死我也不下车的无赖模样，闪开眼神不去看郑翌哲一脸要吃人的暴怒表情，一口气毫无标点符号地说了一大段话："晓卉姐依旧处于危险状况，可惜你和我哥都太轻敌，我有足够的证据可以证明，无论最后晓卉姐是不是会和我哥在一起，她都会先中箭身亡。给我十分钟，只要十分钟就够了，千万别逼我动手，我从小就熟练柔道跆拳道空手道，我不想和你打架，要是我和你动手了，我们就真结下梁子了，再合作就不容易了。"

　　就算沐西西说的话怎么听都像小孩子在说天书，但因为话语里涉及晓卉，也涉及叶家兄妹，郑翌哲才把已经打开的车门再次重重地合上。

　　系上安全带后，郑翌哲便发动了车子。一路无视沐西西试图开口的状态，直接把车开到了自己租的小公寓楼下。

　　跟着郑翌哲一起下了车，看着面前普通得很的公寓楼，沐西西忍不住有点犹豫，但最后还是大步跟着郑翌哲一起走了六层楼梯，气喘吁吁地来到了他家的房门口，等着他拿钥匙开门。

　　"从小就熟练柔道跆拳道空手道？走个六楼都能气喘吁吁？"

　　对郑翌哲的挖苦完全漠视，第一次踏进一个男人的单身公寓，沐西西满眼都是好奇。

　　等到看见一片混乱的纯爷们狗窝，她立刻笑得欢畅无比：

　　"哇，你这狗窝乱得太爷们了，晓卉姐没有爱上你真是她的损失啊！"

　　"我一会儿还要赶回伯母的医院去，洗个澡换身衣服差不多也就十分钟，你要说的话现在可以开始说了。"

　　伸头看了一眼连门都没有的浴室，沐西西一脸迷惑，"你要当着我的面洗澡？"

"你浑身武艺还怕什么，转身或者闭眼，我要脱衣服了。"

将干净衣服放在抽水马桶盖上，郑翌哲伸手就开始脱毛衣，根本没把站在浴室门口的沐西西当活人。

还以为郑翌哲不过是吓唬吓唬自己，等到脱内衣的时候他自会走进浴帘，所以沐西西就大方地坐在了抽水马桶上，把他的干净衣服放在膝盖上，在心里组织开篇的语句。

谁知道，郑翌哲真的就在她面前直接脱得一丝不挂，唯一的礼貌是在脱内裤时，稍微转了转身，只给了沐西西一个背影养眼。

沐西西惊得直接就张大了嘴，完全地被震撼住了，"我靠，失恋竟然能让一个大男人这么自暴自弃，我算见识了！郑翌哲，其实在晓卉姐昏迷的那几天，我让朋友偷偷调查过你，所以我对你和晓卉姐的关系还是有点了解的。我接下来说的话连我哥都不知道，你是全世界第一个听见的人。"

将半个湿漉漉的身子探出帘子，伸手取了玻璃架子上的沐浴露，郑翌哲的脸上依旧毫无表情。热水让他冻住的身心稍稍恢复了些，却还不足以恢复正常，所以他根本没有太注意沐西西口中的一切。

"我第一次见到晓卉姐是在圣诞Party上，那天我也邀请了晓仪姐，可她突然说胃疼没有来，所以我哥哥便少了女伴。现在回想起来，我可以肯定晓仪姐是故意不出现的，就是为了给晓卉姐和我哥之间单独接触的机会。"

说了第一段开场白后，听着流水打击地砖的噪音，沐西西担心郑翌哲不专心听会错过重要细节，便站起身直接站到了浴帘边，加大了声音，"我记得我哥哥曾经对晓仪姐说过，她的眼睛

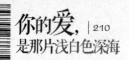

很像一个人，我当时还以为那是我哥泡妞的烂招，后来才知道，那是我老哥早就喜欢上了晓卉姐的证据。不过，这些都不是重点，重点是那天Party结束后，我老哥一个人去酒吧喝闷酒，我呢就偷偷跟着我老哥想捉弄他，谁知道我竟然看见晓仪姐神奇地出现在酒吧，还付钱让人递给我老哥一杯加了安眠药的矿泉水。喝了这杯水，已经喝得半醉的我老哥很快就趴下了，接着晓仪姐就让人扶着老哥去开了房间。当时，我还很佩服晓仪姐，觉得她下手够果断，相信她是真心喜欢我哥，我才决定偏心帮她扩散了她和我老哥关系确定很快会订婚的消息，搞得人尽皆知。"

浴帘猛然拉开，沉浸在讲故事情绪里的沐西西被赤裸裸的郑翌哲吓了一大跳，眼神本能地就顺着水滴下滑。幸好他腰里围了一块浴巾，这才让沐西西没有看到什么。

"你想说的到底是什么？"

看着郑翌哲不耐烦的表情，沐西西有点挫败感，伸手将他的衣服丢在了一边，生气地说道："你先擦干穿上衣服吧，我等你出来。"

坐在客厅里的单人沙发上，环视着这间小得还不够她更衣室大的小公寓，沐西西的兴奋劲已经失去了大半。

见到郑翌哲走出浴室，她立刻迎上去，终于说出了重点："我怀疑这一切是叶家兄妹故意设的局，他们利用晓卉姐对我哥动心，故意要造成晓卉姐想从晓仪姐身边抢走我哥的假象。不过，晓仪姐貌似有点高估了她自己，所以才有点措手不及。"

"韩剧看多了吧？都说完了？那你可以走了，不送。"

见自己把秘密都说了，郑翌哲却一副听小孩子讲自编童话的不屑表情，沐西西也怒了，一把挡住了郑翌哲的去路，彻底做回了自己，"死陪护，多听几句话你会死啊？你以为就你关心江晓卉啊？我也是几天几夜没睡觉没洗澡没换衣服呢。要不是被晓卉姐车祸前的精神状态吓到了，我也不会有这么另类的想法。既然你无所谓，我也懒得再和你说话，反正这一切绝对没有那么简单。你等着看好了，他们这次没有得手，一定不会善罢甘休，叶家一定还会有大事发生的。"

说完，沐西西便趁着郑翌哲不注意，抬腿就是一个飞身踢，直接踢中郑翌哲的右肩，等郑翌哲一个趔趄重重地坐倒在地后，才得意地转身开门闪人，留下了一句尾音："一个大男人，一点防女人之心都没有，难怪你情场大失败，节哀顺变吧，屌丝！"

在开往医院的路上，郑翌哲一直在反复琢磨沐西西最后的这句诅咒，虽然沐西西之前叨叨的所有话他一句都没记住，但最后这句话却直指要害地让他忘不掉。

一个大男人，一点防女人之心都没有！

难道那疯丫头说的是真的？看似温柔又善良的叶晓仪心里，一直算计着要害晓卉吗？

应该不会吧？晓卉消失的那一年，她一直对自己说她是那么担心晓卉，那些表情、那些眼泪难道都是假的？

眉间，终于还是聚集了一片阴霾。眼见已经快到江媛所在的医院，郑翌哲才尽力让自己重回平心静气的状态，让自己暂时忘记这一场正在进行的混乱。

江媛的病房门半掩着，不时有护士脸色凝重地走进走出。这种情景在这几天已经出现过不止一次，江媛的病情根本就比郑翌哲转告给晓卉的要严重许多。

"伯母又不好了吗？"

"嗯。"

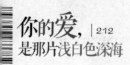

听着叶子航的这声"嗯"，看着他始终望着病房内那道遮掩起来的淡橙色帘子不肯移动一丝注意力，郑翌哲知道江媛这一次的"不好"貌似很严重。

这种时候，一切结局貌似只能依靠医生的尽力和上天的心意，所以郑翌哲也就不再废话，安静地并肩站在叶子航的身边，耐心地等候在病房外。

"媛媛的激动是因为太害怕了，才会控制不住自己的情绪。"

"太害怕？"

因为叶子航的这句"太害怕"，郑翌哲再一次被触动了某根神经，猛然转过头，猜到了这句话背后的含义。幸好叶子航依旧只是望着病房，并没有转过头迎上郑翌哲的视线。

"晓卉去西安前，沐佐恩和知贤曾经在公司门口为了她争执过一次，这事媛媛知道，母女连心，她怕晓卉会真的喜欢上沐佐恩，一直怕得要死。"

"如果伯母是怕晓卉受伤的话，倒是大可以放心，这几天，沐佐恩寸步不离地守着晓卉，谁都看得出他对晓卉的感情不浅。"

"这才是问题！现在所有人都认定沐佐恩是晓仪的未婚夫，也都看好他们两个。晓卉一回上海就抢走了沐佐恩这个准姐夫，晓卉要面对的舆论压力绝对不是一句感情不浅就能解释的。我和媛媛都是过来人，她怕晓卉会和她一样一辈子被人戳着脊梁骨，受尽闲言碎语。"

"真要计较，其实是晓卉先认识的沐佐恩，这件事很多人都知道。"

"晓卉的身份公开前或者还有人会这么想，现在大家都知道晓卉是我的私生女，都会顺理成章地相信当初是他们兄妹不和，沐佐恩是为了晓仪出面用姐夫的身份打圆场的。所有人都会认定晓卉是为了报复我、报复宁姝、报复知贤，才故意抢晓仪的未婚夫。晓卉决不能和沐佐恩在一起，至少在媛媛脱离危险之前不能。"

听到叶子航平静的分析，郑翌哲终究还是沉默了，虽然有满腹的话想要为晓卉解释，却组不成一句完整的话语。

"小郑，我知道你对晓卉的心意并没有变，你肯放手不过是因为你太在乎晓卉了，你的好心能不能成全晓卉还不清楚，但这样做一定会让她永远失去媛媛。如果你真心为晓卉好，现在就回她身边守着，别让沐佐恩和晓卉真的在一起，至少拖延到媛媛彻底脱离危险的那一天。"

"或者还有其他的办法，或者让晓仪出面……"

"其他的办法？你指的是让晓仪公开承认她和宁姝是一对失败的母女吗？归根结底，这一切都是我的错，错在当年没有坚持离婚，才会让媛媛和晓卉有今天的为难处境。小郑，算伯父求你，求你为了晓卉救媛媛一命。"

话音落下，叶子航终于还是转过头望向了郑翌哲。这个叱咤风云的商界大佬，这一刻再没有了以往的霸气和嚣张，只不过是一个随时会失去妻子的无助中年人。在他的眼睛里，郑翌哲第一次看见了害怕，以往江媛数度病危时都不曾出现过的极度恐惧。

这是我的病房，是我的主场。

即便我是个只能平躺的病人，即便我该用亲和的微笑感谢来探望我的人，何况这两个还是我的"亲人"，但我始终都不敢将视线飘向叶晓仪。就算她只是静静地站在一边什么话都没有说，

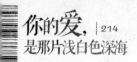

我的耳中还是清晰分明地回放着她的那句拜托——"只有你醒过来，才能亲手把他还给我。"

我突然很怀念那个让我很不舒服的呼吸机，如果此刻我戴着呼吸器，就可以什么话都不用说，只要用心虚弱就行。

"既然沐西西在这里，沐佐恩应该也来过吧？他去哪里了？去找医生沟通你的病情，还是去花店买鲜花了？"

刚想感谢叶知贤开口将我从尴尬中解救出来，却突然发现他的语气中充满了陌生的敌意，难道，他知道了我出事的那天曾被晓仪撞到我和沐佐恩单独相处？知道我心中曾对沐佐恩有过非分之想？知道了我魔性天成？知道了我的可怕？

"他没有来过。"

这句回答已经冲到了我的喉咙口，却还是被我硬生生地咽了回去，并不是因为心虚沐佐恩曾过门不入，而是因为叶知贤满眼的愤怒火焰。

他这是怎么了？为什么要用这种看凤世仇人的眼神看着我？就算我真勾引了沐佐恩，这不还没有铸成大错吗？

沐佐恩说过，如果发现我放不下郑翌哲，他会自动离开，而我的心早已坚定地要把他完整地还给晓仪。

所以，今早沐佐恩转身离开已经是我们之间的最终结局，我们彼此连暧昧都没有来得及，更何况其他。

正在思考用怎样的语句才能把我想公示的这个结局点到即止地讲明，耳边一声重重的叹息让我浑身的血液再度凝结成冰。

"是真的想知道我这个人在哪里，还是想知道在她心里我究竟处在哪个位置？"

为了不让眼中突然出现的眼泪冲出眼眶，我慌忙闭上了眼睛。可惜，这样的自救却让沐佐恩一步步靠近的脚步声更似重锤般重击在我的心口，痛得我近乎窒息。

我知道，他的叹息代表了什么；我知道，他接着会说什么；我也知道，这是老天给我的唯一的赎罪机会，让我真的能亲手将沐佐恩还给晓仪。

可是，直到这一刻我才知道，在这场卑鄙的掠夺中，我竟然不小心赔上了我的全部真心，所以才会在面临失去的时候痛得无法自持。

幸好，从门口到我病床的距离并不长，那些钻心的踩踏脚步声终于还是停了下来。

沐佐恩应该已经站在了我的病床附近，因为我又能感受到那片能迅速冻住天地的寒冷。

"知贤，我不知道你的愤怒究竟是为晓仪抱不平还是因为其他。如果是因为晓仪，我可以不厌其烦地一遍遍回答你，我和晓仪之间只是一场误会，我们没有相爱，也没有发生过任何超越朋友的举动。我喜欢的女人是另一个，从我看见她第一眼时就开始喜欢了。如果真要追究早晚，晓仪才是后来者。但这个女人对我并没有什么特别感觉，一切不过是我的一厢情愿。"

心底有一股冲动，真的很想睁开眼睛望向沐佐恩，告诉他事实根本不是这样的，却被心头紧追而来的"事实"再次打败。

是啊，即使我已经知道了自己的真心，即使我已经会因为沐佐恩的一声叹息、一句喜欢而烧灼掉全部的理智，可我靠近他的丑陋动机是我无法逃避的死穴。

我也没有自信可以维持这份真心多久，或者等下一个目标出现后，我便会又嗜血般的浑身亢奋，再不记得曾经出现过的所谓真心。既然这样，我何必让好不容易迎来的这个结局面目全非。

就让一切，永远封存在沐佐恩的这句"一厢情愿"中吧！

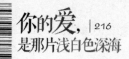

既然已经说服了自己，为什么我的心还会这么痛，痛到即使闭着眼睛都没有办法阻止那些眼泪？

难道是我的魔性又发作了？因为它不舍得就这样结束一切？因为这样的结局根本不是完胜，反而更像是一场同归于尽，所以它并不满意？

正当我想伸手为自己擦掉眼角的泪睁开眼睛时，有一双手早一步触碰到了我眼睛周围的皮肤，这股冰冷的触觉猛地刺激了我，让我迅速睁开眼睛。

"这些相同的话我已经对知贤说了很多遍，可惜他一直不信，要不是你及时赶到，亲口告诉他这些，知贤不知道还要杵在我们姐妹间为难多久。晓卉，对不起，让你因为我们受委屈了，别哭了，一切，都过去了。"

在我最危难的时刻，永远都是晓仪第一时间出现，像及时雨一样滋润着那一片烧灼的焦痕。这一次，又是她以最快的速度替我的眼泪找到了一个最为合理的借口——委屈！

是啊，明明和郑翌哲两情相悦，却被诬陷为勾引姐夫的坏女人，可不是委屈得很？！

因为晓仪的提醒，我还真的就封死了泪穴，顺便重新将只属于江晓卉的厚重铠甲穿戴整齐，这才重新望向了床边的另两个男人！

在看清了他们眼中如出一辙的关切和隐忍的感情，我的嘴角不由自主地出现了自嘲的微笑：

"江晓卉，你的战斗力还真是无敌，随时都能利用天时地利人和扮娇弱。"

"晓仪，能不能帮我打个电话给郑翌哲，问他什么时候回来？"

听见我开口说的第一句话是找郑翌哲，晓仪的眼中明显闪过了一丝耐人寻味的神采。因为背对着两个男人，所以，这一闪的光芒只有我一个人看得清楚明白。

挂了电话后，晓仪貌似对我说话，却用足够的音量朗声道："郑翌哲说他刚开车从江阿姨医院出来，应该二十分钟后能到。"

"你们都回去吧，我有点累，想安静睡一会儿。"

"回去吧，都回去吧。特别是你，沐佐恩，你的心意是我承受不起的，但即使如此，还是谢谢你爱过我，谢谢你让我尝遍了心动、心痛、心碎和心死的全部滋味。"

再一次闭上眼睛，因为我知道我的贪婪魔性已经打败我的理智。我做不到看着沐佐恩转身走出我的视线，看着他就那么彻底地走出我的生命。

所以，我必须提前一步Ending这场故事，静静地等候那些渐行渐远的脚步声出现在耳际，将所有的荒唐清除得干干净净。可惜，如果世上的一切事情都能根据我的想法进行，我的人生可能早就转了一百八十度的弧度，转向了阳光充裕的另一面。

在我下了清晰的逐客令之后，我的耳边却始终没有出现任何的脚步声，不仅沐佐恩没有离开，晓仪和知贤更是没有挪动半步。等我再度睁开眼睛，不仅他们的站位没有动过一厘一毫，就连他们眼中的视线都固定在同一个位置没有动过一丝一毫。

不敢迎接他们任何一个人的逼视，我只能将视线转向晓仪，望向这个守护天使般纯洁的女人，期待她再度用神奇的力量阻止这片尴尬的空气涌动在病房里，期待她至少能带走其中一个男人，让我能从无边的双重压迫感中存活下来。

"晓卉都说她要休息了，你们几个怎么都还站着不动？"

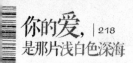

再有想象力，我也绝对不会想到席宁姝会屈尊出现在我的病房。幸好，病房里所有人都对席宁姝的突然出现惊讶万分，我的怪异表情便不至于显得太过突兀。

"妈，你怎么来了？"

忽略我们所有人的惊讶表情，忽略晓仪的率先提问，席宁姝直接走到了沐佐恩的身边，表情很自然，语气很亲切："佐恩，我知道你关心晓卉的身体，但也不能因为要陪晓卉就把公司全部的事情都丢在一边不闻不问。你不会忘了你负责的这个案子对我们两家来说有多重要吧？我昨天接到了圈子里一个老朋友的电话，说香港也有一个财团看中了我们那块地，已经通过政府在打听我们这边的进度，看着很有节流自肥的架势。你和晓仪最好立刻回公司开个应对会议去，我刚好有些话要对晓卉说，我留下陪着她等她的男朋友就是了。"

"妈！"

这一次开口的是叶知贤。同样的，席宁姝也选择了漠视他的失态，只是一路走到了我的床边，仔细查看床边支架上的输液袋，一边看着床头悬挂的家属陪护注意事项，一边回头看似不经意地继续追问："还站着干吗？我的话还不够清楚吗？知贤，你送你姐姐去佐恩公司之后记得去看望一下晓卉的妈妈，替我送个水果篮。"

无论如何，席宁姝都是长辈，而这个长辈从来都有足够的女王气场，既然她开了口，又追加了强制令，晓仪知贤虽然各自都有复杂的心思，却也不敢再多停留。

见晓仪和知贤率先离开了病房，沐佐恩用他摄魂怪的专属眼神又看了一眼席宁姝，原地犹豫了几秒，最终还是转身离开了病房，在我们耳中留下了清晰的脚步声。

"看来他还有理智，知道就算我恨你入骨也不至于在公共场合为难一个近乎半瘫痪的病人。但他也实在是口是心非，嘴里说知道自己是一厢情愿，却根本没有真的把你的那个假冒男朋友放在眼里。"

是的，这才是席宁姝该有的眼神，不慈祥、不温柔，只有冷漠和轻蔑的犀利眼神。

是的，这才是席宁姝该有的语气，不做作、不留情，完全一针见血、刻薄不留情。

将沙发椅挪近了一些，席宁姝坐下后，直接就对我开门见山地质问："别人的废话我都不想听，我过来是找你要一句实话，你和沐佐恩究竟怎么回事？"

"什么事都没有。"

脱口而出的这句话根本没有经过我的大脑，因为我和席宁姝多年的敌对状态，也因为她咄咄逼人的口气，让我再度回到了那个不成熟的小女孩，那个伸腿就敢踢她的小女孩状态。

"何必嘴硬，你的演技比起晓仪和知贤实在差太多了。早在十几年前我就对江媛说过，我们之间绝对不可能相安无事。我给了她很多次机会，让她逼叶子航和我离婚，或者彻底带着你离开我们的视线，可惜她就是贪得无厌，又想守住良心，又想给你一个完整的家，一再纵容叶子航的优柔寡断，直到我们全部被逼到绝境才知道后悔，才会怕得心脏病发作命悬一线。这一切，完全是她自找的，根本不值得同情。"

说这些话时，席宁姝根本没有什么起伏的情绪，平静得就似在抱怨窗外的天气。见我紧紧地握住了拳，甚至因为用力过猛让输液针有些回血的迹象，她才站起身直接帮我滑动了输液针的开关，暂时关闭了输液系统，重新又坐回了沙发椅：

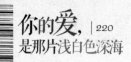

"怎么不顶嘴了，你心里明明想问我当年为什么不主动提出离婚成全江媛和叶子航，为什么忍着装哑巴？不过无所谓，反正我过来就是要告诉你这个答案的。听着，我一直不肯主动开口提出离婚的理由并不是钱、名誉和自尊心，是我始终都不相信叶子航会真的变心，我始终坚信他和你妈妈发生婚外情，不过是因为他误会我背叛了他才报复我，而这种报复也是因为他太爱我的缘故。我和子航是在大学社团活动时彼此一见钟情的，是那种最普通的学长学妹的校园恋情，愿意嫁给他也是因为相信我们会一辈子相爱、彼此忠诚。说实话，就算当年我输血救你，也完全是爱屋及乌，因为你是他的女儿。可惜，现实残酷到让我不得不承认，如果我不是那么自负，能早些用极端的手段逼叶子航在我和江媛之间做个抉择，就能早点看清他确实已经变心的事实，就不用拖到今天这么尴尬危险的境况了。所以，我人生的悲剧根本是我自己一手造成的，半点怨不得人！"

突然，我看到席宁姝因为对情敌的女儿剖白失败结论，眼中闪过的那一抹伤到极致的闪光。这闪光无比犀利，瞬间就划伤了我的五脏六腑，让我的身体痛楚得近乎痉挛。

"请你转告江媛，我会主动和叶子航办协议离婚，这个决定是我深思熟虑过的，绝对不是一时冲动，也不是为了同情她的病危，不过是我终于看清了一直被我本末倒置的真相。我和叶子航离婚后，我会带着晓仪移民去美国，留下知贤打点国内的生意，至于你是不是会继续留在公司，是不是会因为叶子航和江媛结婚而改回叶姓都与我无关。我对你只有一个要求，不管你和沐佐恩之间是不是真有感情，我都希望你们暂时不要太张扬地交往。等过几年，圈子里淡忘了晓仪和他之间的绯闻，等我们两家的合作彻底结束了的时候，你们爱怎样都行。"

　　说完这番结论，席宁姝依旧没有丝毫等我答复的心思，直接站起了身，"我之所以来告诉你这些我对晓仪和知贤都没有说过的话，是因为我实在没有能力亲口把这些话对江媛说出口，让你转告也已经是我能做到的极限。听说她不能再受什么刺激，要是她因为我和叶子航离婚出什么状况，她和我都冤枉。还有，再怎么说，你的孤僻性格和你的自卑多少和我当年的固执有关，我没有义务拯救你，至少可以给你一个真相。我和叶子航离婚和任何人没有关系，不过是了断一段早就有名无实的婚姻，放过我自己。好了，我该说的废话都说了，郑翌哲也应该快到了，我走了，希望我们再见面时是晓仪和知贤的婚礼，而不是谁的葬礼。"

　　席宁姝深深地凝视了我几秒后，转身离开了病房。这最后几秒的凝视，对我如凌迟极刑般难熬，以至于她离开后的许久，直到郑翌哲出现在我的病房，我都在不住地颤抖，脸色惨白近乎白纸。

　　郑翌哲吓得立刻疯狂按呼叫铃，叫来了医生为我检查。

　　仔细检查了我的心电图、血压和腿上的石膏，除了输液按钮被关闭后没有再打开这一点小状况，医生实在找不到我有哪里不妥，但见我神智确实有问题，只能开了脑CT的检查单，让护士陪着我再做了一次脑CT。

　　"只是伤口很痛，痛得我有点受不住才发抖的，没事。"拦住了郑翌哲想要抱起我放到轮椅上的动作，我努力让自己口齿清晰地解释自己并无大碍。

　　可惜，不仅郑翌哲不听我的，就连医生也坚持让我做个脑CT，好排除血肿压迫神经引起剧痛的可能性。

　　就这样，我像个木偶一样被推到了CT室门口，排在一众住院

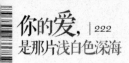

病人中等着做一个全面的脑部检查。等医生确定我确实没有引发血肿，这才又把我送回了病房。

"到底发生了什么事？难道是叶晓仪或者叶知贤真的对你说了什么、做了什么？"

因为沐西西之前的警告，郑翌哲立刻怀疑叶晓仪或者叶知贤对我说了什么刺激了我，才让我出现这副深度内伤的疼痛症状。

抬起眼望着郑翌哲，我很是无语他对我太过了解。没错，我真就是由内伤引发的五脏六腑剧痛，因为席宁妹的这次"终极出手相救"。

"别，你这种笑实在比哭还末日，我爱你的心是真的无底线，但你也要顾虑一下自己的形象，要不要给你一面镜子看看？你这笑，地球上都找不出形容词可以描述。"

谁说我要笑了？我明明是在忍着眼泪而已。

这辈子我都不会让自己哭的，为了谁都不会哭，所以极力忍耐想要疯狂流泪的冲动的我才那么努力地露出笑容。笑得难看又怎样？至少我没有哭！

"心里不痛快，想哭就哭吧，女人嘛，有事没事流点眼泪才好，憋着多爷们。来，哥哥借个肩膀给你用。"

"女人有事没事流点眼泪才爷们？哇噻，正义者，你脑袋里的脑髓还真是雕刻版的啊，我不得不又一次对你刮目相看，呵呵。"

一边对郑翌哲调侃着，沐西西一边快步走到我的病床边，仔细观察我的表情，确定我状况不怎么好之后，便拿出手机对着电话大声吼道："嗯，是的，你自己听见啦，这里一片安静，除了正义者和我没有外人。嗯，确实不怎么好，有点暴风雨刚过的惨烈状况。嗯，是的……嗯，我当着她的面打电话呢……嗯，是的……啊？那倒没说。嗯，好的，好的，可以的，就这样，挂了！"

挂断电话，沐西西立刻给了我一个超级咧嘴大微笑，露出了上下分明的两整排白牙，"晓卉姐，是我老哥让我来看你，他本来只让我在门口张望一下确定你是否安好，可我到医院时护士说你被送去做脑部CT检查了。等我找到上次你做脑CT的检查室，还是没有你，那边医生查了登记说你在住院部的CT室，等我再找到住院部CT室，你已经检查完毕回病房了，等我再赶回来，就是现在了！我本来想偷听一下到底发生什么事了，没想到正义者竟然趁机想吃你豆腐玩温情攻势，那我只能冲进来棒打鸳鸯了，因为你注定是我哥的初恋，他暂时够不着，别人也休想趁火打劫。当然，这些我老哥都不知道，他是无辜的，汇报完毕！"

说完，沐西西就转身对郑翌哲咧开了一嘴白牙，笑得更无耻了："喂，我刚刚安静分析了一下我的心跳频率，我确定我看上你了。而且，刚才在你公寓看过你裸体之后，确定你身材比我几个前男友都猛很多，所以我决定追求你，最后成不成的无所谓，我会尽力的。重新认识一下吧，嗨，你好，我叫沐西西，是传说中的白富美，如果和我交往，我可以支付所有约会费用，定期还可以送你贵重礼物，唯一的要求是你必须当我的贴身保镖，随传随到，言听计从！"

一巴掌按在沐西西的脑门上，郑翌哲皱着眉直接把她从自己眼前挪开，连搭理都懒得搭理，继续望向我，却再也续不上和我之前的对话。

而我，虽然被沐西西刻意闹着，却依旧在心底一遍遍整理刚才发生的事。

席宁姝决定主动和那个男人离婚了，还亲口承认是因为看清

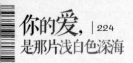

了那个男人已经变心，她才甘愿成全。

席宁姝会带叶晓仪去美国，却留下叶知贤，因为她看清了我和沐佐恩两情相悦，也看懂了叶知贤早已经从她们身边倒戈向了我这个弱者，知道我在这几年暂时和沐佐恩保持距离的时候，或许会需要叶知贤的掩护，所以她给了知贤"自由"。

席宁姝希望我能将一切转告我妈，让她能心安理得地接受早就该属于她的名分，不要因为无所谓的内疚加重病情，免得冤枉了她们彼此。

最终，她把过往我们这些人的不幸，和她自己的惨烈人生全部归结成了一句"咎由自取，半点怨不得人"！

所以，大结局是席宁姝和那个男人离婚，带着叶晓仪背井离乡淡出人们的视线，江媛和那个男人修成正果，我这个庶出的私生女摇身一变成了嫡公主，不仅有兄长叶知贤呵护在身边，还有隐身的白马王子沐佐恩暗中保护。等大家彻底忘了席宁姝和叶晓仪，再嚣张地嫁作沐家豪门长媳。而我妈妈和那个男人，终于也守候到了专属他们的幸福美满和谐恩爱。一切，应该会变成这样滑稽和谐的结局吧！

一开始，我只相信伟大的是感情，最后，我无力地看清强悍的是命运。想留不能留才最寂寞，用心跳送你辛酸离歌。

每一场爱情，再绚烂再浪漫，结局从来殊途同归于这一阕离歌！

真爱？这个世界上如果真的有永恒不变的真爱，早已经步步是天堂了，不是吗？

叶子航，席宁姝双手奉上的这份成全你根本不配拥有。而我，也不稀罕她捎带给我的这些福利。

妈妈，我真的不舍得眼睁睁地看着你在得到后迎来彻底的失去，而且逼得你担惊受怕到此番境地的明明是我，根本不是席宁姝！

我们之间，永远不可能相安无事，无止境的战争才是我们彼此苟活的空气！

现在，大家需要的不过是一个暂时休战的虚伪和平，这一点，其实靠我自己就能办得到！

随着我心意已决，我的血脉里那些冰蓝色的魔血重新又流畅起来，我的眼睛也渐渐恢复了焦距，重新看清了郑翌哲对我的痴情专注。

他的"始终不变"让我已经倒计时的善良沙漏愈加见底。

郑翌哲，原来我已经太过习惯有你守护的岁月。唯有你在我的身边，我才能拥有最平静的呼吸、最平静的心跳、最平静的人生。请让我最后自私一次，请你再做一次我的黑骑士，为我再殉葬几年自由吧！

"晓卉姐，好吧，我承认，这次你真的又吓到我了，求求你别这样，求求你回答一下郑翌哲的话吧。要不，要不我就打电话给我哥了哦，要是他知道你是这种状态，一定会发疯一样地冲过来的。"

各种招数使尽都没有办法顺利招魂的沐西西，也开始为我魂魄不归的状态慌乱起来，握着手机，急得眼泪溢满了眼眶。

无视沐西西的威胁，我只是静静地看着郑翌哲，确定我终于有了说话的力气后，便说出了我的恳求："郑翌哲，你娶了我吧！"

见我茫然痴呆的视线好不容易聚焦之后，突然主动求婚，郑翌哲的反应自然是被雷击的状态。但只是三秒之后，他便恢复了

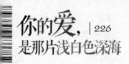
神智，完全变了一个人般的惜字如金，"娶多久？"

我的眼中终于还是出现了潮涌般的泪水，因为他的懂我，也因为他的毫无怨言！

我退却了，我突然做不到那么残忍。或许，还有其他的办法吧？我主动提出把名字改成叶晓卉？或者，我主动开口喊那个男人一声、一声、一声……

许是看出了我的退却，许是被我眼中的眼泪吓到了，郑翌哲慌忙用手不停擦去我脸颊上源源不断的眼泪，彻底露出一副败相，"你明明知道我只是在和你开玩笑，何必真生气？谁让你一直拒绝我的求婚，我只是故意报个小仇而已。好吧，我承认我太兴奋忘了你还是个病人。我有罪，我浑蛋，老婆，都老夫老妻了，就放过我这一次，好吗？"

"怎么会这样，不该是这样的！有问题，你们两个都有问题！郑翌哲，拜托你清醒一点，晓卉姐这是在自我终结，而你根本就是在殉葬！你这样做是在毁晓卉姐，他们要的应该就是这个结果，你们干吗要这么配合？还有，我哥怎么办？不行，我绝对不会让你们结什么大头婚的！"

漠视沐西西的大吼大叫，我依旧和郑翌哲四目相对，互相取暖。

"她说得对，我选择了自我终结。而你，选择了甘愿殉葬，真的不会后悔吗？"

"傻瓜，殉葬那么浪漫的事情，也只有我才能殉得完美，不是吗？还有，关于洞房花烛夜这件事……"

"你爱上晓仪是谎话吧？如果你真的爱她，怎么会糊涂地成全我？"

"我爱的从来只有一个女人，只要能继续爱她，我不在乎编一辈子的谎话证明我并不爱她。"

"为什么不去真的爱上晓仪？她才是完美的公主，她才是善良的天使。"

"我不是王子，也不是上帝，我是黑骑士，拯救的就是落难公主。喂，能不能不要再这么眉来眼去了，能不能直接开口说话？猜心很费功力的！"

"只要还了这笔债，我一定会放你自由的。"

"明白，只要你哪天决定释放你自己了。我，会自动消失的……"

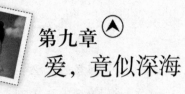

第九章
爱，竟似深海

不爱，才舍得暧昧；不爱，才时常忘了要"记得"；不爱，才大方给自由；可唯有"不爱"，才能守住深爱……

"这到底是怎么回事？"

给江晓卉五天的时间去转达她的想法，可席宁姝怎么都想不到，这孩子竟然再一次选择跟自己拧着干。在她向叶子航提离婚前，先让叶子航开口宣布了晓卉要和郑翌哲结婚的喜讯，把明明可以提前终结的混战又搅出了一个旋涡。

依旧握着电话，席宁姝只能选择沉默。虽然恩爱早已不在，但毕竟是几十年的老夫妻，默契度自是非常，叶子航现在心里在想什么，席宁姝已经猜得八九不离十。

"宁姝，我知道你在想什么，我和媛媛也知道晓卉对郑翌哲那孩子并没有感情深到非君不嫁的地步。她那么做不过是想安慰媛媛，想把最近发生的一切息事宁人。虽然我和媛媛也觉得这不是什么好办法，但她一片孝心，郑翌哲那孩子也真是值得托付终身，我们也就乐观其成了，倒是晓仪这边……"

"原来，你还记得晓仪也是你的女儿。"

"宁姝，我知道你心里有气。晓仪这阵子因为和沐佐恩的传闻确实受了委屈，但我们都是过来人，知道感情这件事是不能勉强的，现在晓卉都已经……"

"是啊，我们都是过来人了，还有什么看不明白。我今天打电话给你本来是想告诉你，我准备和你办妥离婚手续之后就带晓仪去美国。既然这样，你先替我恭喜晓卉新婚大喜吧。"

听到电话那端叶子航瞬间沉默，席宁姝知道他在犹豫，只不过，并不是犹豫是否要和自己离婚，而是在犹豫用怎样的话来劝自己暂时打消这个念头。

果然，在沉默了半分钟之后，随着一声叹息，叶子航开了口："都已经到这个地步了，你这又何必！我说过很多少遍了，一切都是我的错！这些年你心里不痛快，媛媛一样过得很苦。听到晓卉的婚事，她好不容易缓过点劲儿也是因为对晓卉的长大懂事心怀安慰。如果你这个时候坚持和我闹离婚，媛媛一定又要胡思乱想，也辜负了晓卉的一番心意。"

"如果我们不离婚，晓卉的婚礼你准备用什么身份出席？父亲，还是江媛的情人？"

"那一天我不会出现，算是我给晓卉的结婚礼物。这孩子能做到这一步已经不容易了，我不会再难为她。那天，我会和沐佐恩、晓仪一起把那个地产案子好好再梳理一番，晓卉的婚礼，有知贤替我到场观礼也就够了。"

"知贤？你让知贤去晓卉的婚礼观礼？叶子航，你还真是个了解子女的好爸爸。好了，你的意思我明白了，我暂时不会提

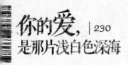

离婚的事，也确实没必要提了。叶子航，我希望你最好有心理准备，一切绝对不会那么如你心意地发展，挂了。"

虽然已经听出席宁姝口气中的威胁意味，但叶子航已经来不及开口追问细节。望着一片漆黑的手机屏幕，他只能深锁眉心，久久站立无语。

"爸爸，你怎么一个人站在这里发呆？怎么了，是江阿姨又不好了吗？"

随着叶晓仪温柔的声音出现在耳际，叶子航缓过神，转身望向了这个从来让他最感安慰也倍觉亏欠的大女儿，"你怎么来了？不是说昨天开了一个通宵会议讨论标书，怎么不早点回去休息？"

"嗯，是准备回去了，这一周都在忙公司的事，今天来看看江阿姨，也顺便把标书的电子文档拿过来给你过目。这东西交给谁转交我都不放心，还是亲自交到爸爸你的手上才稳当，不是吗？"

接过晓仪手中的U盘，看着她怀里的一大束鲜艳的百合花，叶子航的眼中再一次出现了父亲般慈爱的眼神。

他伸手摸了一下晓仪的蓬松卷发，嘴角浮起了欣慰的笑容，"晓仪啊，这些年爸爸做错了很多事，让你伤心了，我知道你心里其实很恨我，却为了你妈妈、为了这个家一直在尽力忍耐。女儿啊，是爸爸对不起你，但一切都过去了，已经雨过天晴了。"

"雨过天晴了？为什么，因为晓卉和郑翌哲的婚礼吗？"

"你已经知道了？"

将手里的大束百合花换了一个手抱住，晓仪继续若有似无地优雅微笑，让叶子航根本看不懂她的笑意里藏着什么真实心意。

"好事向来传千里，接到晓卉的婚讯，立刻有人从四面八方涌来告诉我这个好消息。也难怪大家激动，公司里八卦满天飞，谣传晓卉对我的未婚夫志在必得，现在她就要结婚了，新郎也不是沐佐恩，谣言立刻就不攻自破了。大家可能都觉得，无论如何我都是该第一个被恭喜的人吧。"

直到这一刻，叶子航才发现，他竟然从没有这样近距离地凝视过自己的这个大女儿，从没有发现原来她的眼眸是这般清澈明亮，似能洞悉所有不为人知的秘密。

没错，在确定晓卉和郑翌哲决定结婚的当晚，叶子航就故意最大范围地广而告之了这个好消息，让圈内朋友口口相传，力求缓解掉早前扩散太广的叶家负面绯闻。他带着冲喜的心情，每天开心地接到各种恭喜致电，还故意在江媛病床前和老友们寒暄。他这份即将嫁女儿的老父喜悦，成功变成了治疗辅助药物，让心有不忍的江媛渐渐地也被感染得满心欢悦，一心只想早些康复出院，亲自为女儿打点婚礼的细节。

"晓仪啊，既然晓卉赶在你之前先结婚了。接着，爸爸就要开始关心你的终身大事了，女孩子家的事业只能是消遣，相夫教子才是主业，你的婚事不需要任何外因，去找个真心和你相爱的男人就行，只要你喜欢，爸爸就喜欢。"

"只要我喜欢，爸爸就能同意，随便谁都行？"

"爸爸相信你的眼光，只要你有信心，哪怕这个男人暂时还是块化石，没有看懂你的心，爸爸也会尽力帮你达成心愿。"

伸手握住晓仪的双肩，继续望着她清澈透亮的大眼睛，呼吸着空气里淡淡的玫瑰精油芬芳，叶子航知道自己的暗示晓仪听得懂。

知女莫若父，晓仪对沐佐恩的感情他都看在眼里，既然晓卉已经选择了退让，一切就看晓仪自己的决定了。无论她选择放

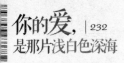

弃还是继续争取沐佐恩，爸爸一定会无条件支持她，不惜一切代价。

"连我要嫁给知贤都可以吗？如果我说我要嫁给知贤这块化石，爸爸你是不是也会同意，也会无条件支持我呢？"

晓仪这种近乎令人惊悚的结论当然不是叶子航能预料的。他脸色瞬间大变，不敢相信这种假设会出现在晓仪的口中，也不懂晓仪为什么会对自己开这种过分的玩笑。

"所以，还是有雷区的，爸爸所谓的'相信'，不过是对自己心底已经认定的那个人。那个人是叫沐佐恩吧？哪天我真带回来一个我喜欢的男人，只要他不属于爸爸的认可范围，爸爸就会出现这种受惊的表情。当然，我相信，爸爸最终还是会无条件支持我的。因为爸爸更在乎的不过是我们大家相安无事，根本不是我所谓的幸福。也是，一个连温饱都难求的家庭怎么有资格要求营养，所以大家明知道晓卉根本不爱郑翌哲，不过是在玩自我牺牲的报恩游戏，也都一样乐观其成，不是吗？"

叶子航没想到晓仪会这样一针见血地指出他心中的真实想法，一时间不知如何解释。

"可惜，我却做不到！虽然这个丫头身上只有一半和我相似的血脉，虽然这个丫头完全就像是我的克星一样，虽然她已经真的抢走了我唯一在乎的一切，但依旧是我的亲妹妹，我不会让她这么自暴自弃的。"

"晓仪，你究竟在说什么？！"

"这束花，你替我转交给江阿姨吧，还有这瓶精油蜡烛，在病房里每天点上两个小时对身体很有好处。我累了，我要回去睡了，至于我究竟在说什么，爸爸你很快就能知道结果了。"

将晓仪塞到自己手中的花束扔到一边的长凳上，叶子航一把拉住了晓仪的手臂，满目不悦，"别去做什么傻事，晓卉是对郑翌哲感情淡淡的，但郑翌哲那孩子对晓卉足够真心，女人嫁给一个喜欢自己更多的男人才会幸福。"

"幸福？也许吧，但幸福的期限呢？我亲眼看着妈妈痛苦了二十多年，早就不相信所谓的爱情童话。我只看得见残酷的事实，世界上或许真的有动情时肯为女人去死的痴情男人，却绝对没有永远不变心的男人。郑翌哲现在对晓卉不过是'得不到的是最好的'心态，如果一直都是他一个人付出得不到回报，总有一天他会觉得累，等到再出现一个愿意为他疯狂的女人，他一定会动摇。至于你说的傻事，我已经做了，只不过我自己也需要等待结果而已。"

"你究竟做了什么？"

随着叶子航手掌因为紧张而无意识地加力，晓仪的眉心立刻因为疼痛而微蹙，但她的眼角反而出现了释然的微笑。

"这才对嘛，爸爸突然变成慈父我还真不习惯，你心里对我和晓卉的天平从来就不是平衡的。因为你早就把我舍给了妈妈，晓卉才是你唯一的女儿。既然已经舍掉了，又何必纠结。放心吧，我没有做什么可怕的事情，我不过是把晓卉的婚讯亲口告诉了沐佐恩，也顺便提了个建议，现在就等着他的答复了。"

顺着晓仪的视线，叶子航这才发现自己无意间太过用力，把晓仪的白皙手臂握出了些瘀痕，慌忙松开了手，很是懊悔。

"我真的累了，这个家我一秒钟都不想再待下去，既然嫁人是我离开这个家的唯一重生之路，我又找到了值得嫁的男人，我怎么可能松开那根救命稻草？但我还不至于勉强别人做不想做的事，婚姻这种事，就算两情相悦照样可以翻脸无情，何况本就起步于勉强。"

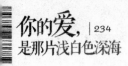

转过身，当叶晓仪的眼神不再和叶子航有任何交集，依旧清澈的眼中便只剩下轻蔑和厌恶。

一步步走向电梯，精致得没有丝毫瑕疵的玫瑰色细跟鞋优雅地点触在医院冰冷的大理石地面上，发出了一样优雅的清脆脚步声。

望着晓仪的背影，叶子航终于想明白了她的所作所为和意图。

听见晓卉的婚讯，知道她这么做不过是为了息事宁人，晓仪便对沐佐恩提出了结婚建议，用"唯一可以阻止晓卉冲动嫁给郑翌哲"的理由，换沐佐恩的一次抉择。

沐佐恩如果真的对晓卉动情太深，为了阻止她自毁幸福，他说不定还真的会娶晓仪。可他也应该会想到，就算他和晓仪抢在晓卉之前结婚，晓卉的婚礼也不能再取消。否则就等于向全天下承认她之前愿意嫁给郑翌哲不过是委曲求全，成全晓仪，会把晓仪和他自己逼到更难堪的绝境。

所以，晓仪这孩子究竟在想什么？

她到底有没有想清楚她这步棋一旦落子便不能反悔，决无胜算可言？！

难道，她真的为了能得到沐佐恩不惜利用晓卉？还是她真的是为了拯救晓卉这个妹妹而不惜一切代价？

心绪，再无法平静，紧握着手里的U盘，叶子航沉着脸一步步走向了江媛的病房。他的身后，那一大束娇艳的百合，和那一瓶扎在花束锦带上的精油蜡烛依旧歪倒在长凳上，无奈地寂寞着原不该属于它的寂寞，静静地，无力地……

整整三十六个小时没有合眼休息过一分钟，终于赶出了近乎无破绽的招标文件，这场战役算是暂告一段落。可站在窗口望着窗外几百米高空的云层，沐佐恩依旧一副如临大敌的表情。

"晓卉并不爱郑翌哲，如果她爱他，就不会在最无助的时候一个人远走天涯。

"沐西西现场观摩了全部过程，这个婚事并不是郑翌哲精诚所至金石为开，他是甘愿殉葬的，什么叫殉葬，就是陪着一起毁灭。

"除了选择这个皆大欢喜的悲剧结局，晓卉估计是想不出其他办法让全世界相信她没有卑劣地介入我和你之间，让江阿姨放心，让我妈喘一口气，让我们两家暂时相安无事。

"我知道你对晓卉的心意，也不用任何人提醒我一场没有爱情的婚姻会是怎样地度日如年。我根本没准备真嫁给你。我叶晓仪也有骄傲，我是对你感觉不错，你彻夜守护在晓卉身边时，我没有什么悲痛欲绝的情绪，说明不是我变心了就是我还不足够爱你。

"不过是一场小范围的订婚饭局，一场保持三五年的假未婚夫妻关系，算是我这个亲姐姐送给晓卉的嫁妆吧。等这个投资项目接近尾声，我会去美国定居，接手我们家那边的新公司，用两地疏远这个合理理由结束我们两个的婚约。

"晓卉的腿伤两个月之内根本不可能摆脱拐杖，就算她愿意坐轮椅办婚礼，最快也要一个月。现在所有传闻都不过是传闻，只要我们赶在她之前办了订婚宴，一切传闻就会自动消失，晓卉也再不能真的和郑翌哲结婚了，否则就等于默认因为输了你，为了赌气才抢进度跳过订婚的步骤直接先出嫁。

"当然，如果我们订婚了，你就真的是晓卉的姐夫了，晓卉就真的永远不能再和你有什么故事发生了。如果你不想那么复

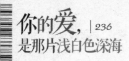

杂，或者不想和我们这个变态的家庭牵扯关系，那就当我今天什么话都没有说。

"我走了，如果你决定好了，告诉我答案就行。还有，无论最终你怎么选择，我希望我今天说的这些话永远不再有第三个人知道。"

"我靠，这么明显的陷阱，老哥你竟然可以沉默这么久？"

因为近乎空白的思绪，所以身后西西一惊一乍的吼叫直接刺痛了他的耳膜，让沐佐恩近乎空白的表情终于出现了些不悦。

转过身，沐西西已经从沙发上跳起身，撤掉了耳机，将一个纯黑色的录音笔丢在了茶几上。

虽然不知道这丫头是什么时候来的，但她双眼下明显的黑眼圈已经暴露了她一定也是一夜没睡，熬了个通宵。

"我收买了你的秘书，让她在会议结束后，等到你和叶晓仪单独相处的时候偷偷把这支录音笔放在你的办公室打开。谁知道你们竟然开了一通宵的会，早知道我就不在酒吧傻等，应该去开个房间好好睡一觉再过来。"

一边说，沐西西一边提着一个纸袋走到了沐佐恩面前，"楼下咖啡馆买的早餐，美式咖啡加芝士可颂。"

"我累了，我要回去睡一天，有什么废话车上说吧。"拿起椅背上的西装，沐佐恩懒得浪费时间、浪费口舌教育这个高龄小学生。他需要回去好好睡一下，让疲累的脑子好好休息一下再来考虑这件事。

"OK，我也累了，我现在也超级思念我的床和我的枕头。隔墙有耳我明白，我忍着到车上再继续吼你！"

一路，沐西西都紧闭着双唇，紧跟在沐佐恩的身后若有所思，貌似在重新梳理她的思绪。等坐上了沐佐恩的车，还没关上车门，她就惜时如金地开始唠叨："我先说结论啊，无论如何你都不能和叶晓仪订婚，也不能亲自出面去阻止晓卉姐结婚，但你也不能让晓卉姐真的嫁给正义者。"

自江晓卉受伤后，沐西西对叶家人的称呼立刻有了质的变化，唯独对江晓卉还亲昵地加上了姐姐的后缀。

暖车的过程中，沐佐恩伸手替西西系上了安全带。

沐佐恩伸手就要打开方向盘上的车载音响，被沐西西一把握住了手，"就知道你没有心思听我说话，不许开音乐，也不许开车，看着我的眼睛，有一句话你必须很仔细地听清楚。"

说完，沐西西直接用冰冷的手掌捧住了沐佐恩的两颊，逼着老哥转过头和她四目相对，看清自己严肃认真、如临大敌的表情。

在脸颊的冰冷触觉刺激下，沐佐恩的脑子还真的有好几秒的清透舒爽感，听清了沐西西一字一句说出的重大分析："叶晓仪的目的是趁火打劫，趁你睡眠不足又急火攻心让你落入她的圈套。一旦你和她真的订婚了，她立刻完胜。她希望的剧情是这样的，和你高调订婚，然后邀请晓卉姐现场观刑。只要晓卉姐伤心，你一定就乱了方寸，只要你和晓卉姐在订婚宴上有一点点破格举动，晓卉姐就真的万劫不复了。因为她从叶晓仪身边抢走了叶董事长，抢走了叶知贤，最终还试图抢走你。别说舆论，就连她自己都不会轻易放过她自己。"

松开了捧着老哥脸颊的手，沐西西的嘴角不由得一撇，"别说你觉得想吐，我也很郁闷，身边竟然真的有比电视剧还狗血的事情发生。其实，当初叶晓仪给你灌下安眠药的时候已经震惊到我了，当时我以为这是她为了爱而疯狂的极限举动，谁知道那不

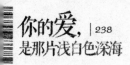

过是她变态性格的冰山一角。幸好你先爱上了晓卉姐，要是你爱上叶晓仪，我一定和你断绝兄妹关系自保。"

"叶晓仪和我之间不过是合作伙伴，连朋友都还算不上。"转过头，沐佐恩松开了脚刹，将车驶出了车位。叶晓仪给自己喝下含安眠药的水致使自己昏睡，这件事毕竟是西西的猜测，并没有证据，就算沐佐恩心底也曾有怀疑，却也决定忽略不计，不想陪沐西西一起无谓臆想。

叶晓仪是个怎样的人他并不了解，但她是个怎样的商人，这一年来他清晰明白地看在眼里，虽然是个女生，但比起商科毕业的叶知贤，叶晓仪更能胜任接掌叶家全盘事业的重担。

这样一个思想成熟、责任心强的女生会因为虚无缥缈的爱情不理智，实在有点不符合逻辑。更何况她刚才对自己说的话句句合理，她并没有真的爱上自己，就算有过动心，也不过是过眼云烟的往事。

"老哥！你还是没懂我的意思，谁说叶晓仪是因为你才发疯的，她们姐弟是因为恨叶家董事长背叛她妈妈，又偏心晓卉姐母女才报仇的。就算你闪开了，就算晓卉姐这次命大又逃过去了，还是会有下一次。我敢保证郑翌哲应该也开始警觉了，才决定和晓卉姐结婚的，但这样殉葬对他也不公平，就该解决根本问题才行！"

沐佐恩没有再说任何话，还是按动了方向盘上的音响按钮，让车厢内充满了《我的歌声里》。

他身边的沐西西也没有再说任何的追加言论，只是若有所思地看了一会儿沐佐恩的侧面，便静静地望向了车窗前方，任由自己嘴角浮起一丝诡异的笑容。

直到车子停在了医院停车场入口处的对街，沐佐恩才发现自己竟然一路鬼使神差就朝江晓卉所在的地方直奔而来。难怪身边这个丫头突然变得安静，应该早看出了自己开车的方向。唉……

看到老哥情不自禁地叹息，一路极度欢乐、极度鄙夷老哥口是心非的沐西西突然很是心痛，一直敢作敢为的她终于感叹，虽然她总伤心找不到真爱，但她能自由恋爱，能单凭感觉选择交往或者分手已经算是很幸福的事了。

"都到了，就去看看晓卉姐吧。"明知道自己的这句奉劝绝对是等同于催老哥开车走人，但沐西西还是开了口。因为她实在不忍心看老哥看着那一片绿茵，看着江晓卉所在的地方出现那么落寞的表情。

果然，听见沐西西开口相劝，沐佐恩再次深深叹息了一声，重新将车开入车流，离开了这片空气里都带着江晓卉气息的天空。

好冷！

握着一本小说在看，我突然感到一阵寒气，冷得一阵战栗。

不由自主地抬起头望向了玻璃窗，望着紧闭的双层窗，满目茫然，我的心底涌起了一股莫名的失落，似乎有什么正渐渐离我远去，有什么正和我擦身而过。

"怎么了，老婆，怎么突然脸色变了？哪里不舒服？伤口又痛了？"坐在病房里正拿着IPAD看文件的郑翌哲发现了我的异常，放下IPAD，走到我的身边，满脸紧张。

自从我们决定结婚后，郑翌哲就向公司提出了辞呈，很嚣张地用入赘女婿的身份将关系转到了叶子航的集团人事部，然后直接带着行李铺盖搬到了我的病房，提前开始了和我的"同居生

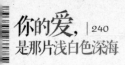

活"——白天照顾我，顺便看大量文件以熟悉叶家的所有产业结构，晚上便睡在沙发床上，而他对我的称呼也超级自然地过渡到了老婆。

"不知道，突然觉得很冷。"

"冷？怎么会？窗也没开，难道是中央空调出问题了，我去看看。"

"别去了，应该是我自己的问题，要是空调有状况，你也应该感觉到冷了。"

"那不一定，你是病人可能对室温更敏感一点，我还是去中控室看看，如果真的不是空调的问题就可能是你的身体有问题，所以我宁可是空调抽风了。"

将手机塞到我手里方便我有事随时吼他，郑翌哲便大步离开了病房。看着他脚步匆匆的高大背影，我再一次深叹一口气，毫无理由地深叹了一口气。

还是好冷，莫名其妙的冷！就好像，就好像……

我知道我在想什么，可我也知道我想的根本是不值得的内容。因为我这样想的理由完全是无厘头的，而且绝对不可能是事实。

"万岁！终于胜利了！真的太……不容易了！人的意念……还真是……万能的！我靠，我的脚，啊，啊，痛死了！救命啊，护士，医生！晓卉姐，快……按动一下紧急呼叫，我的脚需要抢救！"

听见这句气喘吁吁、断断续续的嗟叹，我看见了扶着心口靠在门上近乎气绝的沐西西。说完这句求救，这丫头竟然直接就一屁股坐在了地上，捧着她的脚一副痛苦的表情。

她这是怎么了，为什么光着脚？怎么会这么狼狈？她……

随着我的思维停顿，我再没有力气去紧张沐西西，因为我的视线里毫无防备地出现了他，这个被我苦苦屏蔽在心外的男人。

我想，我知道沐西西为什么会出现这种情况了，因为追到病房的沐佐恩也是气喘吁吁的。他们兄妹为什么会有这样另类的表现，又怎么会出现在医院我不想知道，也不敢去知道。在故事的结局里，至少在这个被我修改的暂时结局里，沐佐恩是没有戏份的局外人。

始终没有看我一眼，沐佐恩追到病房后，只是一把揪起了坐在地面上的沐西西，满脸愤怒。

沐西西已经很扭曲的表情更逼近世界末日，"啊啊啊啊啊！好痛，痛死了！郑翌哲，救命啊，救命！"

当郑翌哲看见这对形态夸张的兄妹，也惊异得哑口无言。

幸好沐西西机灵，看见了紧跟在郑翌哲身后的医生护士，轻易就找到了沐佐恩的死穴，"哎哟，我就说你怎么会不在病房，原来你去找医生了，是不是晓卉姐不舒服了？那先救晓卉姐要紧，我没事的。"

果然，听见西西的咋呼，看见护士推车上的简易心电血压检测仪，沐佐恩的脸色瞬间变化，终于还是将视线转向了病房内，转向了在病床上呆坐着的我。

心跳，求求你不要瞬间停止，我绝对不可以用这种窒息苍白迎接他的眼神。郑翌哲，快挡住他的眼神，我的演技从来不好，你知道的。

终于还是促成了这次世纪大见面，看着沐佐恩和我之间的视线，沐西西才真的心满意足，感动得热泪盈眶，伸出胳膊就八爪鱼一样地跳进了郑翌哲的怀抱。

"正义者，我终于又见到你了，这些日子我真的真的真的好

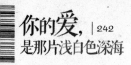

想你啊！呜呜呜……"

"如果不是我拦着你，你要这样走多久？一整晚，还是一辈子？"

"摄魂怪，回去吧，阿兹卡班需要你，我这里已经再没有什么幸福可以被你没收了。"

原来，这就是一眼万年的感觉。只是一个对视，便轻易释放了所有的记忆片段，往事一幕幕回放，把我们重又带回到了那个只有我们两个存在的空间。

一步步走到我的病床前，他终于还是开了口："我说过，只要你还是确定选择他，我会对你放手。所以，你不需要用这种慌张的眼神戒备地看着我。"

"我已经决定和他结婚了。"

"嗯。"

"无论你是不是会和晓仪在一起，我都愿意和他结婚，我的选择和外人无关。"

"嗯。"

"谢谢你陪护了我三天三夜，谢谢你曾经好几次对我出手相助。"

"嗯。"

我已经竭尽所能在说告别语，可沐佐恩给我的答复始终只是这一句"嗯"，真的要残忍地逼我先说出那句"后会无期"吗？好吧，我说就是了！

压抑着心头的剧痛，我调整了一下呼吸，对沐佐恩友好地先伸出了手。

看着我的手，沐佐恩的脸上再度褪去了一层血色，又走近了我一步，却没有伸出手。这让这场堪比凌迟的行刑再度延长了准备期。

"这是要和我握手道别？"

"嗯。"

"一辈子难得遇到一个会让我心动的女人，竟然没有开始交往就被斩断了后路。既然决定后会无期，握手告别太草率了，至少应该是这样的程度。"

说完，沐佐恩便俯身吻住了我的唇，直接当着所有医生护士的面，直接当着沐西西的面，直接当着郑翌哲的面，把世界瞬间凝固成了一片静谧的真空，一个没有来世今生的黑洞，一整片窒息诱惑的浅白色深海……

我该感谢上天垂怜吗？

让我在幻灭今生对爱情的所有盼望之前，至少完美了我的初吻。

我该恨他吗？在我终于有勇气开口说后会无期时，却被他早一步在心里灌了一沼泽有缘无分的遗憾。

沐佐恩的吻，不缠绵，不温柔，也丝毫不甜蜜，唯有太过用力。我们彼此都被这份用力弄痛了，痛得无力。

猛然放开我的唇，沐佐恩突然转过身，对郑翌哲愤怒地大声吼道："这就是你保护你的女人的态度吗？就这么眼睁睁看着另一个男人这么对她，你让我怎么放心把她交给你？"

怀里的沐西西早已经松开了郑翌哲，他确实有足够的自由可以冲上前去扯开沐佐恩，但郑翌哲始终只是静静地望着这一幕。直到沐佐恩对着他大吼，他也依旧只是平静地站着，很平静。

"不过是一个Goodbye kiss，我又何必小气？"

一步步靠近我，郑翌哲再没有去看沐佐恩一眼，就似什么都没有发生过地继续保持表情平静。

"中央空调没有问题，我把医生和护士都叫来了，现在还觉得冷吗？"

"这算什么，你以为你是圣人吗？成全了所有人，那你自己的人生呢？一个连自己都不爱的人有什么资格玩博爱？！"

沐西西把所有的医生护士都赶出了病房，反锁了房门，这才冲到郑翌哲身边，一把将他的身体掰向自己，咬牙切齿道："郑翌哲，你根本不是陪葬，而是决定和晓卉姐交换人生！过几年，等把晓卉姐所有的不幸都过滤到你身上之后，你就会松手成全她和我哥，对吧？"

说完，沐西西便望向了我，满目的眼泪交织着清晰可见的敌意：

"晓卉姐，你到底有没有真的在乎过这个男人？你到底有没有看清楚这个男人因为发现你爱上我哥之后突然自暴自弃？你到底知不知道你自己在做什么？凭什么你可以宽容所有伤害你的人，却唯独对他下狠手？就因为他是一个既和你没有血缘你又不爱的男人，你就可以忽略他到如此彻底吗？千古以来，所有殉葬的男男女女至少都是彼此相爱的，既然你爱的是我哥，要殉葬也该和我哥，不是他。"

说完，沐西西咬住了下唇，又看了郑翌哲一眼，一副毅然决然要拯救他的样子。

因为离我太近，沐西西眼泪中所表露出的动心我实在没有任何借口忽略，我这才想起始终不小心忘记的一个事实，原来，郑翌哲也是可以有幸福的机会的，如果我不那么自私的话。

是啊，凭什么我可以剥夺郑翌哲的自由？就算我确定我最终会放过他，但人的一生中并没有很多"几年"可以浪费。从郑翌哲遇见我开始，他已经为了我耗费了"几年"，我可以奢侈地再霸占他的另一个几年的理直气壮的理由到底是什么？

是啊，不就是因为他和我没有血缘关系，而他又不幸爱上了我吗？嗯，是的。

应该是看明白了我的"领悟"，郑翌哲突然丧失了全部的平静。他的头顶烧灼起了一大片火焰，猛然握住沐西西的手掌用力到颤抖，痛得沐西西顿时就蹲下身子完全无力承受。

看着近在咫尺的这一幕，看着沐西西身心剧痛，看着郑翌哲变得这么不理智，看着沐佐恩对沐西西施救之后对亲妹妹愤怒的眼神，我突然很想站在镜子面前，好好看清我现在的表情、眼神、一切的一切。

这种与生俱来的妖媚魔力，究竟是怎样的具体表现？我，真的太好奇了！

让医生为江晓卉注射了轻度剂量的镇静剂，看着她平静地睡着了，郑翌哲和沐佐恩才安心离开了她的床边，一起来到医院副楼的咖啡馆相对而坐。

在他们身边隔着两张桌子，沐西西难得出现犯了错的小孩的自律，安静地捧着一杯抹茶拿铁在独自发呆。

直到落座无言，两个男人才发现这是他们第一次单独面对面，而他们彼此除了知道对方的名字，其他根本一无所知，却可以轻易做到卸掉戒心，给出一份信赖。

"为什么要让医生给她注射镇静剂？这药会让人体产生依赖性。"

"刚才这状况，她看着平静其实已经发病了，如果不逼她睡

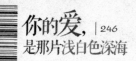

着，她可能下一秒就会做傻事。晓卉心病很重，又延误了治疗的最佳时期，已经变成了绝症，没有根治的可能。"

"你是什么时候知道的？"

"不久前，如果我能早知道，在她今年回上海时，我一定不会帮叶家人找到她，我会陪她一起回西安。"

"所以，你才决定和她结婚？这也是你帮她治疗的一种方式？"

"不是，我和晓卉办婚礼是唯一可以让江阿姨度过病危期的办法，虽然这个病危期过去后到下一个病危期出现会有多久的喘息时间，没有人知道。"

于是，郑翌哲便把江媛至今没有彻底度过病情危机，还有叶子航的理智分析逐一告诉了沐佐恩。

"我相信你和叶晓仪之间的误会不是你的问题，也不完全是沐西西的错，但不论你和晓卉有缘无分还是好事多磨，暂时你们真的不可以在一起，否则江阿姨这边一定过不去这道坎。"

"暂时？在晓卉这丫头心底，不仅是我，连你也已经都被判了极刑，如果我猜得不错，等她醒过来，不但会继续和我的'后会无期'，也会改变和你的婚约。"

没有立刻回答沐佐恩的话，郑翌哲只是转头望了一眼隔壁桌的沐西西，伸手拿起桌面的咖啡喝了一口，用那苦涩的味道挡了一下心头再度奔涌的愤怒：

"这还不是拜某人所赐？真是成事不足！"

"事已至此，我会处理一切的。"

"怎么处理？公开说明你和晓卉的感情，给叶晓仪一个难堪，然后主动去找江阿姨表明你对晓卉爱之深，希望她为了晓卉的幸福成全你们？你别忘了，你们家和叶家还有一个大合作在，如果不想你们两家都被你的一时冲动搞得家破人亡，我劝你……"

"你也说了，晓卉的病暂时没有根治的办法，只能考虑稳住病情，她现在纠结的是我和晓仪之前的误会，我会帮她解开这个心结。至于你们……"

即便明知道晓卉的心里对郑翌哲并没有爱情，但想起晓卉之前看郑翌哲的眼神中那种不忍和明显的在意，沐佐恩的心还是被插入了一根锋利的针，让他连呼吸都痛，以至于很难一口气说出这句临时的嘱托。

直到深呼吸了无数次之后，沐佐恩才能勉强重新开口："至于你们，经过西西这么一闹腾，晓卉一定会给你自由。趁她暂时想不出什么两全的办法时，你先退而求其次答应她改结婚为订婚，有你守着她，我也能放心。"

"放心？"

"这丫头真要嫁人只能嫁给我，我对自己很有信心，但我会给你最后一个公平竞争的机会。如果等我回来接她时，你还是没有能力让她对你移情别恋，你就输得心服口服了。"

"有你家这个祸害在，这所谓的机会一定会很公平！"

顺着郑翌哲的眼神，沐佐恩也看向了已经度过哀怨期开始玩手机的沐西西，嘴角微微弯起一丝戏谑的弧度，"多一个正常人在晓卉身边，对她的病有益无害。而且，西西的个性你也清楚，我实在爱莫能助，人生哪有一帆风顺的事情，这个意外你就兜着吧。"

既然把所有事情都交代清楚了，沐佐恩便站起身准备走人。和情敌这么相对而坐实在不是什么有趣的事情，何况三十六个小时都没有合眼的他浑身的细胞都在抗议。如果连他都扛不住，沐

西西这丫头一定更惨，早些带她回去休息好了，她这个祸害才能更有精神继续搅局。

伸手拉起确实有点神智涣散的沐西西，沐佐恩最后默契地望了一眼郑翌哲，两个男人眼神间的郑重尽在不言中。

"走了啊，你们谈好了？那么快？哥，等一下，让我也和正义者说几句话吧。喂，哥，别拽着我啊，我真的有话和他说。一句，就让我说一句，OK？五秒钟的一句短话！我发誓！"

走过郑翌哲身边，沐西西死拽着桌角，一边哀求沐佐恩，一边打死也不走的德行，逼得沐佐恩只能无奈地松开了沐西西的手。

好不容易得到了许可，重获自由的沐西西望着一脸戒备外加神情很不友善的郑翌哲，满眼恨铁不成钢的惋惜眼神。

伸手，迅速地捧住了他的脸，沐西西俯身便吻住了郑翌哲厚厚的唇。趁着他反应慢一拍，毫不客气地伸出舌头，直接用五秒钟的时间完美了一个深度热吻，这才满意地放开了他的脑袋。

"喂，我这个可不是什么吻别。既然我哥给你一个公平竞争的机会，那我也给面子，在你和晓卉姐订婚期间，我不做小三，我会耐心等你愿赌服输恢复自由的那一天再开始追求你。这个吻算是我的预约，晓卉姐后面就是我，你敢让别人插队，我一定灭了你！"说完，沐西西便伸手挽住了沐佐恩的胳膊，恢复了她的惯常表情，"哥，如果一切顺利，你老婆的前未婚夫以后会是我的老公，而我的嫂子是我老公的初恋情人，蛮有趣的吧？为了成就史上第一变态完美大结局，我一定会努力的，呵呵。"

镇静剂的神奇作用是可以把我闭上眼睛时的那一片灰色凝固。

　　我当然不知道，在我沉沉睡着时，沐佐恩和郑翌哲达成的这个君子协议，当我再次睁开眼睛，等待我的已经是一片万里晴空。

　　病房里被大束大束的各种鲜花布置成了一片花海，屋顶上是密密麻麻的彩色氢气球。身穿正式西服的郑翌哲手捧钻戒锦盒，笑得一副完全世界和平的表情。

　　看见我睁开了眼睛，病房里缓缓响起了伴奏音乐，听前奏便知道是杨宗纬的《那个男人》——

　　　　有个男人爱着你，用心爱着你
　　　　那个男人爱着你，彻底爱着你
　　　　他情愿变成影子守护着你，跟随着你
　　　　那个男人爱着你，心却在哭泣
　　　　那个男人就是我，你知道吗
　　　　还是知道，却假装不知道
　　　　我真傻呀，你也不会回答
　　　　还需要多久多长多伤，你才会听见他没说的话
　　　　坚强像谎言一样不过是一种伪装，我只希望有个机
　　会能被你爱上
　　　　无论要多久多长多伤，我还是爱着你一如往常
　　　　无论要多久多长多受伤，江晓卉，我还是爱着你每
　　分每秒一样

　　一步一步走到我的面前，郑翌哲的眼中唯有深情，浓密得可怕的深情。锦盒里依旧是那枚银的水晶戒指，那枚曾经被我扔回给他的守护魔戒，带着亲切的气息—并迷惑着我。

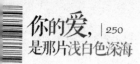

病房外，有一众小护士和其他病房的家属集体围观。

到底还是郑翌哲，实在是对我了解到了细胞里。他太清楚我对这些花花草草还有虚浮的气球根本没有太多感觉，就算这首《那个男人》唱得心随曲动，也还不至于因此感动得以身相许。他温柔地伸手帮我把身后的靠枕调整到最舒服的位置，在悠扬的背景音乐中，小声对我说道："我开了APP，伯母正通那个IPAD看着我们呢，我人生中第一次求婚，又是现场直播，多少给点面子吧，老婆。"

被郑翌哲提醒后，我才发现，床前不远处一个没有被鲜花占领的圆桌上，果然架着一台IPAD，屏幕上显示着妈妈明显已经恢复血色的欢颜，靠坐在另一处医院病床上的她，正同步观看郑翌哲的这场直播求婚大典。

重新望向郑翌哲，我的眼睛里立刻出现了"你够狠"的锋利眼神。而他，却在这时候做出了更夸张的进一步举动，在窗前对着我单膝跪地，温柔且坚定地正式对我开口求婚道："如果暂时还不能下定决心和我结婚，那我们就先订婚吧。我愿意先做你的未婚夫实习起来，实习期长度深度广度都由你决定，对于未来可能出现的任何判决，我完全无怨无悔。"

若不是因为唇上还残留着某种滚烫又彻寒的余味，若不是脑海里还残留着沐西西的声嘶力竭，或许我真的会因郑翌哲的用心忘掉这一目花海和炫目爱情背后的残忍真相，最终真心接受他这场先下手为强的退而求其次。

"在你昏睡的时候，沐西西那丫头对我告白了，我们也达成了共识，她会等我，等我完成最后一次对你的用心用力。如果这一次我还是失败，我就彻底愿赌服输，和你拜个把子退为朋友关系。如果没有过这最后一次的努力，就算未来我真的和沐西西那个丫头或者其他任何女人有所发展，她们也永远拼不过你留在我心里的位置，如果你想封杀我一辈子的幸福，你今天就下狠手拒绝我，连订婚都拒绝，我郑翌哲认了！"

唉……

看来，在我昏睡的时候，郑翌哲准备的不只是这一屋子的鲜花飘香，气球飞扬。看着他胸有成竹地从锦盒里取出了那一枚魔戒，我知道，我除了配合地伸出手让他为我重新戴上这枚魔戒，再没有了其他选择。

等郑翌哲亲手为我戴上了戒指，病房外立刻出现了一片欢呼声。那些小护士们再也忍不住，一起冲到我的床边对我和郑翌哲不停地祝福，有些还拿出了手机对着满屋子的浪漫布置拍照发微博。

在人群的缝隙里，我看到IPAD上妈妈的脸颊上清晰滑下的眼泪，我也看见了她肩上那始终都在的有力胳膊再次将她揽入了怀中。我好像还看见屏幕里出现了一道耀目的玫瑰色，当我想再度仔细看清些，眼前只剩下郑翌哲满目的深情，和周围人起哄的喧闹声……

在我戴上订婚戒指之后的一个月，日子过得风平浪静。郑翌哲果然没有骗我，沐西西还真的亲口复述了一下她答应排期恋爱的荒谬办法，甚至带来了三套晚礼服让我过目。

"我才不在乎未来的老公有多少前女友，只要我是最后一个就行。你们不过是订婚而已，就算结婚我也不Care，只有完全没有外力地彻彻底底在一起，郑翌哲才会死而无憾，我们未来的爱情才更纯粹。所以，我现在唯一的想法就是随时随地让郑翌哲眼里除了你就是我，绝对不让哪个意外插队的人有机可乘。晓卉姐，

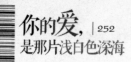

你快帮我看看，这三件礼服，我穿哪一身更漂亮啊？"

　　面对这么个极品妖孽妞，别说我完全被打败，就是郑翌哲也被沐西西的理直气壮弄得毫无对策，忍不住嗟叹。见过猛的，还真没见过那么猛的。有了这么一面"镜子"，郑翌哲也终于知道想当年在我身边"猛"着我时，为什么会有那么多人恨不得碎了他。

　　因为沐西西隔三差五的报道，我的耳中没少听到沐佐恩的近况。

　　"不知道我哥是不是真的对你死心了，他知道你和郑翌哲订婚的消息后直接变活体石膏像了，每天只是埋头忙他的生意，但还好，还不至于行尸走肉。"

　　"我哥这几天还是木乃伊状态，我觉得要是想所有人都过去这个坎，最好让我哥来参加你们的订婚宴，大家才能一笑泯恩仇。"

　　"叶晓仪和叶知贤怎么都没来探望你啊？照理说知道你和郑翌哲订婚的消息，至少要来个贺电客套一下吧？切，一点没有家教。"

　　"晓卉姐，告诉你一件事你要撑住哦。我哥……我哥身边有女人了。我昨晚去'巧遇'过那个小三了，是个律师，长得很漂亮气质也很好。刚从美国回来的芝加哥大学高才生，是我妈妈闺蜜的女儿，拜托老哥帮她找工作时认识的。老哥给她找的律师事务所就在我们家公司隔壁的一栋大厦，两个人有事没事地一起吃午饭，老哥每天还顺路送她回家。已经半个月了。"

　　"晓卉姐，我哥昨晚和那个律师姐姐一起看电影了。单独哦，这可是我哥第一次和除我以外的女人一起看电影，看来麻烦了。"

"晓卉姐，我哥明天要带那个律师姐姐去苏州自驾游度周末，说带我一起去。我拒绝了，我很响亮地告诉我哥，你今天拆石膏，可以坐轮椅到处转悠了，我要和郑翌哲一起陪你去看订婚宴场地。你猜他怎么说？他竟然说，订婚的日期定下了早点告诉他，他会来参加，我靠！"

"晓卉姐，好消息，我哥好像和那个女律师闹翻了！爽呆了！啊，郑翌哲你干吗打我，打是亲骂是爱，你当着晓卉姐爱我，我是不介意，你不怕她吃醋啊？！"

"晓卉姐，完了，我哥真的和那个律师美女恋爱了。昨天我老哥洗澡，我偷看了他的手机，一整排都是他和那个律师美女的短信，虽然没有一条直接的、肉麻的，但也差不多了。那女人让我老哥小心开车，还说让我老哥别忘了周末的约会，她已经想好了菜单，要亲手烧菜给老哥吃，丫丫的。"

"晓卉姐，那个，我闯祸了，我去找那个律师美女谈判，我把你和我老哥的故事告诉她了，还把你的照片给她看了，我告诉她我老哥不过是在找替身，也可能是在制造让你安心订婚的假象。谁知道这个律师姐姐竟然笑着说她和我哥哥不过是普通朋友，但如果有需要，她愿意陪老哥来参加你和郑翌哲的订婚典礼。完了，我不敢回家了，老哥可能会直接杀了我，你收留我几天吧，我就睡在……嗯，我和郑翌哲拼床就行了，我不介意的。"

当晚，沐西西还真的就赖在了我的病房里不肯挪动脚步，就算郑翌哲替她在医院边的酒店订了房间，她也不肯离开，美其名曰只有这间病房沐佐恩才不敢擅入。

最后，郑翌哲只能无奈地把沙发床让给了沐西西，自己去酒店休息了。

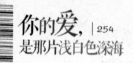

"这沙发床比我想象中的舒服，可惜不够长，我睡睡还凑合，郑翌哲一定伸不直脚的。晓卉姐，既然你都可以自己走路了，医生也说你可以回家休养了，为什么你还愿意住院啊？其他不说，医院的消毒液味道就让我浑身不舒服。"

没错，我双腿上的石膏终于被拆掉了，经过了一周的物理治疗后，我甚至可以扶着墙慢慢龟速挪移了。这种重获双腿的感觉真的很美妙，虽然每走一步还是有美人鱼踩在刀锋上的钻心疼痛感。

医生也确实给我开了出院单，同意我回家休养，只要隔天来医院再做两周的理疗恢复就行。但我可以去哪里呢？妈妈已经出院了，因为手术恢复期后的一次反复，她依旧卧床，那个男人为妈妈找了一个私人护士陪护着，他白天回北擎，晚上一定回别墅守着妈妈，有他在，我怎么可能回别墅？

除了妈妈那边，我唯有去挤郑翌哲的单身公寓，我倒是不计较那边稍显简陋的住宿条件，只是没有电梯的六楼公寓对我这个半瘸子来说实在难比爬泰山。既然隔天就要回医院治疗，还不如就继续在这里多住几星期来得简单。

"西西啊，每天都泡在我这里，会不会耽误你工作学习？"

"我明年毕业，最后一年大家都在找工作，不用回学校的。至于工作，我的远大目标就是毕业后找个男人嫁了，做专职家庭妇女、贤妻良母相夫教子。所以，我正在努力找老公的过程中。"

穿着有机棉睡衣，将头发扎成一颗洋葱，沐西西搂着枕头尝试着各种慵懒睡姿和沙发床互相熟悉，顺便回答我的问题。

"没想过去你哥哥的公司？"

"当然没，做生意是男人的事，辅佐沐家事业是我未来嫂子的事，我的梦想是先成家后立业，等我嫁了人后会生两个孩子，等我把孩子们都抚养到上小学的高龄，我可能会开一家咖啡店或者SPA精油专卖店赚赚零花钱吧。我爸妈说过，我们这一代人已经错过了可以让人生大起大落的年代，未来的几十年内白手起家大富大贵的机会比较小，有了家业的也不至于一贫如洗。既然这样，我们这种天生不愁吃穿的人就该识趣，别去抢别人的工作机会，管好自己的人生就行了。"

再一次，我由衷地羡慕沐西西，有理性开明的父母，有宠爱自己的哥哥，有明确的人生目标，如果我的人生也能像她这样纯粹、简单、幸运，该有多好！

说到梦想，我的梦想又是什么？

是的，还不就是那一句锥心蚀骨的相安无事！

从我记事起，我的所有期待唯有这句"相安无事"，以至于看见流星，看见点燃的生日蜡烛，看见任何一个有硬币的喷泉甚至古井，我都会第一时间想到这四个字。

"晓卉姐，你有没有发现一个问题，叶家姐弟这阵子貌似太过安静了点吧？"

当我的脑中正出现"相安无事"四个字时，沐西西竟然这么应景地提及了叶家兄妹，让我浑身上下的毛孔猛然一阵瑟缩，本能地感觉到了一股凉意。

是啊，在席宁姝离开之后，他们确实变得没有一点音讯。不仅我这里，连妈妈那边也没有再去探望过，若不是沐西西此刻提起，我都有些恍惚，我的人生似乎已经回到了收到叶晓仪给我的那双皮鞋和那封遗书之前的"类似风平浪静"。

"我们两家本来就不怎么有接触，如果那个男人从此不再提离婚的事，不再逼我认祖归宗，我们应该能恢复到相安无事的状态。"

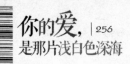

"我觉得没有这么简单，你最好还是时刻保持着警惕，特别是这种暴风雨前夕的过分平静阶段。你一直太轻敌了，幸好我最近有空，我会仔细帮你想各种应对策略以防万一。"

原以为今晚，我和沐西西之间还会因为"各种应对"的话题有进一步交流，至少她应该在这个话题的缝隙间多少提起郑翌哲解解馋，谁知道这个临时陪护挨着枕头不足三分钟就被瞌睡虫攻击得缴械投降，再没有了动静。

依旧靠坐在病床上，太少运动的我最怕就是必须睡觉，幸好今晚在病房里的不是郑翌哲这个严格陪护，我便继续慵懒地抱着沐西西送给我的白熊公仔，欣赏着沐西西养眼的睡姿。

亲兄妹多少有点相像的地方，就连我和叶晓仪这对不是一个妈生的姐妹，一样有着相似的眉眼，所以沐西西和沐佐恩说不上哪个零件类似，但组合起来还是依稀可见兄妹的血缘关系。

幸亏沐西西始终都不愿意离开郑翌哲的视线范围太远，才让我随时都能第一时间知道沐佐恩的近况，欣慰除了晓仪和自己，他貌似找到了更好的选择。

美女律师，芝加哥大学毕业的海归高才生，又是他母亲闺蜜的女儿。有着亲上加亲的一层关系，这份简单的相知相遇应该是一股清新的氧气，可以让沐佐恩曾经的压抑一扫而空，指引他回到他自己的人生。

"如果不拦着你，你准备一个人走多久，一整晚，还是一辈子？"

终于，我还是又看见了他，就在我的面前，就在我的身前，带着彻寒的气场，反复地问着我同一句话。他的声音、他的眼神，再一次冲撞我的心房，最后在那一片墨色的遗憾沼泽里无力挣扎，直到被吞噬。

"一辈子难得遇到一个真心喜欢的女人，竟然没有开始交往就被斩断了后路。既然决定后会无期，握手告别太草率了，至少应该是这样的程度。"

就这样，每当前一个沐佐恩被沼泽吞噬之后，又会立刻有一个新的沐佐恩出现在我面前，一次次逼我回味每一段心痛的记忆，周而复始的痛。而我，竟然对此甘之如饴，就那么静静地坐了大半夜，直到就那么斜靠在病床上沉沉进入梦乡。

整整三小时，沐佐恩始终就站在病房门口，静静看着病床上的江晓卉紧紧搂着那只纯白色的北极熊发着呆。

病床上，江晓卉始终蹙着眉，眼神落寞得荒芜，直到眼角的眼泪一颗颗地落下也全然不知。

在自己的计划里，绝对没有在订婚宴之前见她的任何安排，可他还是太容易就把车子开到了这座医院的对街。

因为近在咫尺，"只看她一眼"便成了太过折磨神魂的诱惑。沐佐恩始终不懂，为什么爱上可以那么简单，暂时忘掉却那么难，特别在别人"不小心"提及了她的近况后，更是让他对她的思念完全溃堤。

轻轻推开病房门，轻轻走到江晓卉的病床前，用遥控器将她的床缓缓放平，伸手将松软的羽绒被盖在江晓卉的身上，又关掉了夜灯，沐佐恩这才蹲下身，凝视着暗色中江晓卉侧睡的脸庞，听着她均匀的呼吸，久久都不舍得离开。

子夜，叶晓仪在大得足够开一场百人派对的别墅客厅里，独自窝在沙发的一角靠着一个抱枕一边取暖，一边握着遥控器不停翻阅点播电影的目录。

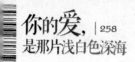

刚看完《蒙泰卡罗》的她正在犹豫，是继续看类似的轻松爱情片还是应该应景地配合窗外狰狞的风声看一部恐怖片抖擞一下精神。

席宁姝习惯十二点以前睡，在确定了叶知贤正带着集团的大客户、一群中年英国佬在新天地酒吧听歌后，她便吩咐佣人柳阿姨等门，自己先去睡了。

过了一点半，知贤还没有回来，叶晓仪便让不停打哈欠的阿姨也去睡了，独自在客厅里为叶知贤开着通明的灯火，耐心等着他的身影出现。

随着晓卉的订婚日子逼近，知贤努力压抑的情绪已濒临爆棚。今晚，他一定会趁机让自己烂醉一场，这是晓仪早就预料到的。

"叶先生没有喝很多酒，他把所有客人都送回了酒店，又让我把他送回了新天地就让我先下班了。我刚离开才发现叶先生的手机留在车上，就替他送了过去，看见叶先生一个人点了好几瓶烈酒，喝酒的速度实在有点快，我担心他喝多了可能没办法自己打车，就没敢走远。既然你能过来那就最好了，那我就先下班了。明天见，叶小姐。"

挂断司机的电话，晓仪拿起外套走到了车库，开车一路直冲新天地。刚在路边停下车，叶晓仪一眼就看见了沿街的酒吧露天座位里，面无表情一杯杯喝着烈酒的叶知贤。

他的身边，坐着好几个打扮性感颇有姿色的年轻女孩。这些女孩子嘴唇都被深夜的寒风吹紫了，却一点没有要离开的意思，只是不停地劝叶知贤少喝点，眼神语气都温柔得很。

懒得把车子开去地库，叶晓仪直接走下车，径直走到了叶知贤身边，带着淡淡的微笑，从玫瑰色的经典花瓣包包中取出几张名片递给了几个美少女，"如果想进一步认识我弟弟，明天到公司找前台预约一下。如果他还记得住你们的名字，一定会安排时间让他见你们的。"

叶晓仪逐客的意味分明，这些女孩子自然识趣，迅速压抑了刚刚升腾的敌意，戴着超大美瞳的大眼睛尽数流露出无比单纯无辜的清澈眼神，满眼"不用谢，是我们应该做的"的真诚，纷纷转身离开。

落座在冰冷的铁皮椅子上，冰凉的触觉即使隔了好几层衣服，依旧令背脊冷得一阵战栗。一阵寒风刮过，叶晓仪忍不住皱眉，等不及酒吧服务生送来新杯子，随手拿起一瓶烈酒，对着瓶口便喝了一大口，让酒精直接滑入喉咙直达胃里，烧灼出了一线火烫，这才挡住了心口的寒意。

放下酒瓶，晓仪望向了叶知贤。此时的叶知贤，根本无视她的出现，也无视美女们作鸟兽散，只是专注聆听露天乐队用BLUE编曲经典老歌，握着杯子一口口灌着烈酒。

"在公司里和女属下暧昧还不过瘾，竟然在酒吧里开始玩偶遇了？今晚的战况怎么样，找到能暂时替代江晓卉的特效药了吗？刚才那个穿红大衣的女孩子乍一看还真有点像她。"

"既然来了，听歌吧。"

"听歌？我的乐趣从来是抢话筒。"

说着，叶晓仪举起瓶子又喝了一大口的烈酒。喝完，她站起身直接走到了乐队所在的区域，对着乐队主唱说了几句话，便站在了直立话筒前，开始喧宾夺主地玩起了LIVE。

若不是因为爱着你，怎么会夜深还没睡意

每个念头都关于你，我想你，想你，好想你

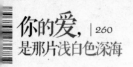

若不是因为爱着你，怎会莫名就叹息

每个莫名的日子里我想你，想你，好想你

爱是折磨人的东西却又舍不得这样放弃

不停揣测你的心里可有我姓名

爱是我唯一的秘密，让人心碎却又着迷

无论是用什么言语只会思念你

若不是因为爱着你，怎会不经意就叹息

有种不完整的心情爱你，爱你，爱着你

　　始终，叶晓仪的眼睛只凝视着叶知贤，看着他听到这首莫文蔚的《爱情》，听着每一句可以直击他死穴的歌词彻底黯淡了眼神，看着他握着酒杯的手变得完全无力。

　　她的心头同样一片暗淡。这场无形的战役里，江晓卉用一场退而求其次的订婚再一次完胜，而他们却再一次输得彻底。

　　歌声结束，已经寥寥无人的酒吧里响起了零落的掌声。乐队众人被叶晓仪迷人的嗓音和诠释蓝调游刃有余的技巧打动，纷纷鼓掌。

　　就算心底痛得狂潮汹涌，但晓仪还是用优雅的微笑点头感谢众人的掌声，缓步走回了叶知贤的身边，伸手按在了他的肩头上：

　　"回去吧，你这么清醒，喝到世界末日也不会醉的。"

　　没有回答叶晓仪的话，叶知贤只是推开了她按在自己肩上的手，再次仰头喝下了杯中酒。叶知贤心中不屑，谁说他想买醉，他是想要靠这些液体醒酒而已！

　　深深地叹气，叶晓仪知道，如果简单的规劝就能带走叶知贤，司机也不会半夜打通她的电话求支援。可惜的是，谁都无法拯救他，他一旦开始自虐就不会轻易收手，除非……

嘴角，还是泛起了一丝苦涩，叶晓仪知道，根本不用看见叶知贤这副鬼样子，她的心底早就愿意成全这个傻瓜的所谓爱情。

亲笔写下的那封遗书，便是成全的开篇，也是对属于她自己的幸福的祭奠，不是吗？

没错，最早出现在她生命里的明明是你，最早爱上她的也是你，可她爱的人却不是你。哪怕是一场虚伪救场的订婚，男主照样不是你，你只能安静地做天平上的一颗无声砝码，平衡着两边的"相安无事"，连去看她一眼的资格都不再有。所以，你很痛却又心甘情愿。

可是，我们又能怎么样呢？如果爱情真的可以抢夺，我们又怎么会活在这可怕的阴霾中这么多年？如果晓卉和你有缘，就不会在奶奶葬礼那次见面时看见背光的你，从而错过了你眼中的情不自禁，错过了我放下所有自尊心为你们递上的成全。

我曾经真的以为，只要等你看清了她的不爱，只要狠心逼你不再看见她，你就会渐渐清醒，谁知道你却越陷越深，越来越不甘心，就算我极力阻拦、极力挽救，你还是没有办法不去爱她，依旧在憎恨上天的不公平，依旧以为是这个强加在你身上的这个姓氏，以为是我的不肯松手阻挡了你和她幸福的可能。

知贤，你哪里知道，我真的已经尽力了。我甚至不惜用我的婚姻去捆绑沐佐恩，想利用晓卉的善良和孝心毁灭她和沐佐恩的未来，阻止她和郑翌哲的息事宁人。可惜，我这个存在实在太渺小，所有人只要在意了晓卉的存在，便不会看得见我。爸爸是这样，你是这样，沐佐恩是这样，郑翌哲是这样，甚至沐西西也坚定地选择站在了晓卉这一边。

妈妈真的只有你和我了，既然我的存在已经可有可无，你再这么自暴自弃，妈妈以后可以依靠谁？好了，别再痛了，你痛得

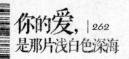

我都快窒息了！

　　我会为你去最后努力一次，但这一次，真的是最后一次了，为了你和妈妈，我已经准备失去全世界了。

　　默默地在心底说了这些苦涩的告白，叶晓仪的手再一次按在了叶知贤的肩上，重重地许下了一个不可逆转的承诺："订婚而已，还不是真的世界末日。我是她亲姐姐，我不会看着她糟蹋自己的幸福的。"

　　听见叶晓仪的这句承诺，叶知贤太过清醒的大脑瞬间出现了某种不祥的预感，伸手猛地拉住了叶晓仪的手臂。

　　看着知贤眼中的慌乱紧张，晓仪更加无奈，推开他的手掌，口气比眼神更为轻蔑，"放心吧，只要你能守住你的誓言，不为任何人背叛我和妈妈，我就不会去伤害你在乎的人。我只会穿着我的天使伪装去探望一次江媛，现在能给你最后一次机会的也只有她了。"

　　"天使伪装？"

　　"有什么好惊讶的？在晓卉眼中我从来就是个天使，就因为她根本不知道我的魔性有多可怕才会一再轻敌。等她发现我一直在利用她的善良伤害她和她在乎的人，她便会识破我的真面目，那时候，她必定心痛至极。记得第一时间出手拯救她，那是你最后一次可以得到她的机会，这次再错过，就真的是永远了。"

　　说完，叶晓仪伸出双臂居高临下地从背后拥住了叶知贤，让彼此都冰冷的身体紧紧贴在一起。

　　"知贤，我从来没有把你当作亲弟弟以外的任何人，我从来不记得什么血缘关系，在我眼中，你和晓卉是一样的。如果必须在你们之间取舍一个，你知道我的答案，所以好好珍惜这次最后的机会，千万别让我失望。"

说完，晓仪放开了知贤毫无反应的冰冷身体，带着依旧淡淡的表情，大步走向了自己的火红色跑车，走向了自己为自己编写的那场落幕……

早晨七点半，医院所有护工阿姨准时定点开始对各间病房消毒，那股浓郁的消毒水气息简直是无声的闹钟，让我毫无悬念地在十秒之内清醒。

忍着腿痛，我努力让自己坐起身，看见沙发里睡得香甜的沐西西，这才想起昨晚她代替郑翌哲暂时陪护我睡了一晚。

可我明明记得我始终靠坐在床上搂着白熊发呆，身上也没有盖被子，怎么会好好地睡在被子里，连怀里的白熊也被移到了床边的椅子上，没有再和我一起分享本就不大的单人病床？

"醒了？别说，这消毒水味道还真够虐的，被它熏陶了这些日子，昨晚鼻子里闻不到我竟然一晚上没有睡好，所以大早就能起来去绕着找小吃店买早餐。我买了小馄饨、生煎、饭团、鱼片粥还有春卷，很有爱吧？"

随着郑翌哲打开食品袋，那些早餐香味立刻把满屋子的消毒水味盖过了，让我的心情突然变得大好。现在的我，只要能做一些普通人可以做的事情都会感觉到超级幸福，比如吃个普通早餐，比如泡个热水澡。

因为郑翌哲的大嗓门，沐西西自然也被吵醒。她坐起身后继续闭着眼睛发蒙，鼻子却不停地呼吸，显然也被这些香味引得心情愉快。

等我们两个女生一起挤在盥洗室里对着镜子刷牙洗脸完毕，再蹒跚着走回病房，郑翌哲已经将小圆桌布置出了浪漫的欢宴状，"医院里的最后一顿大餐，一定要这种程度的丰盛才给力。

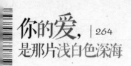
来，老婆，快过来趁热吃吧。"

"最后一顿大餐？什么意思？"扶着沐西西的胳膊，我一边蹒跚挪移，一边疑惑地看着郑翌哲。

"昨天你做理疗的时候，叶董事长来看过你，问起你为什么还不出院，我说我正在找有电梯的公寓搬家。他离开后就去为我们安排了两套对门住的酒店式公寓，就是你之前和叶知贤住的公寓楼下，昨晚已经让人把钥匙送给我了，今天就可以搬进去。董事长昨天下午就出差去南京了，要后天才回来，所以如果你想回家住两天陪陪伯母绝对不会遇见他的。一会儿出院后，是回江伯母那里还是直接去酒店公寓，你边吃早餐边想吧。"

若不是郑翌哲现在提起，我真的把那一联排酒店式公寓忘得一干二净了，当初我和叶知贤同进同出好一阵呢，怎么就没想到可以去那里暂时落脚？

"酒店式公寓？哪里？一层楼有几间房间啊？我可以租一间和你们当邻居吗？"

"不可以！昨晚已经是对你的极大照顾了！沐西西大小姐，麻烦你吃完早餐就自动消失，别打扰我们夫妻正常过日子。"

伸手直接拿起一个春卷吹着气，沐西西一脸不屑一顾，"只要一天还没订婚，就连未婚夫妻都还是'准'的。得瑟什么，要不是我得罪了我哥不敢回家，我也不想住什么酒店式公寓。我认床认枕头，除了我自己的卧室，在哪我都睡不惯的。"

听见沐西西这句话，我当然瞠目结舌。一个沾上枕头三分钟就能呼吸均匀的人竟然说自己认床认枕头？我还真好奇她不认床的时候是怎么个"睡得惯"法。

思路既然回到了昨晚，我搅动鱼片粥，自嘲道："昨晚我什么时候睡着的自己完全不知道，就连你帮我把床放下盖上被子，又抽掉我怀里的白熊，我都没被你吵醒，说明我现在还真的已经习惯这个病床了。"

"我昨晚离开后就没有再回来过，看来这个临时陪护还算称职啊。"

"我？我昨天比晓卉姐先睡着了。"

如果不是郑翌哲，也不是沐西西，更不是我自己，那这个海螺姑娘是谁？难道是……

仅凭这点猜测，就足以让满屋子的空气变成凝胶状，重得流动不起来。

"一会儿出院后，先陪我回一次别墅，我去看看妈妈，顺便打包一点行李再回公寓去。"

见我先转移了话题，郑翌哲点点头，举起筷子夹了一个生煎包放到一次性餐盘中递给我，然后取走了我面前的鱼片粥，继续搅动着汤勺为粥降温。沐西西也看懂了我们之间的尴尬，继续咬着春卷，眉眼间尽是狡黠的笑意，心情明显很好。

其实，我也住腻了医院，能出院当然是最好不过。叶知贤一次都没有来看望过我，如果不是真的忙得够呛就是叶家有状况，去公寓住的话应该就可以见到他了。不奢望和他恢复最初的兄妹关系，能从他的态度对话中知道些叶家的近况就行。

说实话，在整个突发事件中，叶知贤的态度急转是我唯一不怎么理解的意外。去北京前，他不但嘱咐司机每天接送我，还让晓仪来叮嘱我准时吃饭，等他知道沐佐恩在医院守护了我三天三夜就突然变了一个人似的那么迁怒我，他不会真的认定我的意外车祸是苦肉计，以为我的所作所为都是处心积虑的复仇吧？

不过，话说回来，这故事要真往那条狗血的路上去圆，也确实能符合逻辑。

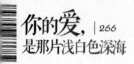

　　一年前，我故意隐身去北擎，用庶民的身份接触沐佐恩，只用了三天的时间就成功地让沐佐恩对我产生了兴趣。为了加重剧情口味，我用欲擒故纵的手段突然消失一年，等到这一年沐佐恩渐渐忘了我，转而和晓仪产生了暧昧的情愫，我猛然回到上海，在叶知贤不知情的状况下，利用他的报恩心切顺势勉为其难地摇身变回了金灿灿的叶家三公主，重新出现在沐佐恩的面前。

　　然后，燃烧出我的无敌小宇宙让沐佐恩对我再次动心后，一再以退为进地玩被动，甚至不惜用一场生死离别的苦肉计逼他暴露心迹。沐佐恩三天三夜守候在我的床边，用实际行动让晓仪变成了最可怜的怨妇。

　　可惜，我这个胜利者对这样的完胜还不觉得过瘾，我直接就宣布了和郑翌哲订婚，把沐佐恩这个情种甩了个干净，再度向全天下嚣张地表明态度，我从来就没有勾引过沐佐恩，从来是他自作多情。

　　如果叶知贤真的这么想的话，就真的属于脑残了！

　　沐西西说得没错，这一阵子太过平静了，平静得令我也开始有种不祥的预感。对我的订婚计划，席宁姝应该明白理由，叶晓仪应该也猜得到理由，唯有叶知贤的态度不明。

　　如果他真的曾经怀疑过我对沐佐恩的动机，还真的难保他不会做出什么弄巧成拙的举动来。所以，我不能心存侥幸，应该尽快和他面对面地聊一次，告诉他席宁姝之前的离婚提议，告诉他我的顺势报恩。

　　好不容易一切雨过天晴，好不容易重新回到和平状态，知贤和我需要齐心协力保持这份安宁才是。

　　望着窗外的一片阳光，我的嘴角终于扬起了些弧度。终于雨过天晴了，终于！

第十章
爱，一目纯白

　　爱情，是第一眼的认命，第一次的相遇便已经注定悲喜结局。不爱自当陌路，相爱便是幸福，独爱则是无休无止的剜心痛苦……

　　有时候，我真的会迷惑，我是不是活在小说里的虚构人物。否则，为什么我的每一步都会那么惊世骇俗？

　　每一个站在我面前的人，都是一身的黑色。他们每一个人我都不认识，我唯一熟悉的是他们脸上千篇一律的郑重。

　　"节哀顺变！"

　　这句话，我应该已经听了几千上万次了。意思我懂，可为什么这些陌生人要这么郑重地对我说这句话？他们和我很熟吗？他们和我妈很熟吗？

　　抬起头，望向妈妈的笑脸，我不由得疑惑，妈妈这一生有过这么灿烂的笑容吗？如果她曾有过那么幸福的笑容，我怎么会没

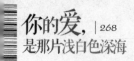

有丝毫的印象？

"叶董事长，家父身在加拿大，赶不及出席您夫人的追悼会，特地让我来送夫人一程。叶小姐，人死不能复生，节哀顺变。"

当我将视线转回到面前这个高大陌生的男人身上，我看到的又是一身黑色，听见的又是一句"节哀顺变"。

直觉告诉我，这个陌生帅哥的眼神中有太多的内容，他在审视的不只是一个守孝的女人，他在看的是一件货物，一件或者能带给两家双赢的联姻货物。

没有闪避他的眼神，我很是淡定地凝望着他，直到他被我打败先闪避了眼神，我才在心里对他丢下了一句毫不留情的结论："比起叶家姐弟，你的道行实在太浅了。"

"董事长，江小姐，请节哀。"

这一次，站在我面前的终于是我认识的人了，田副总带着原先筹备组的几个同事，手里握着一支白百合，每个人都是一身黑色，表情肃穆地站在我的面前。丁瑛和那个我叫不出名字的新进女生眼中还蓄着眼泪，完全带雨梨花的样子。

"叶伯伯，晓卉姐。"最后出现在我面前的是沐西西，也是一身的黑色。这一身黑色打扮加上失去笑容的表情，让我眼中的沐西西完全变得陌生。同样地，她看我的眼神中也满是陌生的惊讶甚至有些惧怕，似乎换了一身黑色的我彻底变了一个人，一个她完全不认识的可怕的人。

沐西西的身后，不仅跟着沐佐恩，还有刚好回国休假的沐家两老。和我身边的叶子航打过招呼之后，两个老人的眼神便不经意地落在了我的身上。

"晓卉，见过沐伯伯，沐伯母。"

"沐伯伯，沐伯母。"

这是我三天来第一次开口说话。我的声音是冰冷的，我的视线是冰冷的，我的血液是冰冷的。当我妈妈在我怀里骤然冰冷的那一刻起，从我彻底醒悟是我的愚蠢害死了我妈妈那一刻起，我便已经和我妈妈一起死了，活着的不过是具躯壳，一具誓言复仇的冰冷躯壳。

我知道，我的冰冷不仅吓到了沐家老夫妻，吓到了我身边的叶子航，也让沐西西的眼中加剧了恐惧。唯有他们身边的沐佐恩依旧淡定，自始至终只是一如既往地凝视着我，让我顿时有种归属感，也让我醒悟，我也终于变成了和他一样的摄魂怪。从此以后，我所到之处便是一片荒芜，我要收走所有人的幸福和温暖，决不手软！

"董事长，时辰到了，他们已经将董事长夫人送到等候室了，等您和三小姐去接。"

听见助理的汇报，我的心猛然抽紧，封住我全身的冰层猛然出现了破裂的声响。

一步步跟着叶子航来到等候室门口，随着大门打开，我终于再一次看见了安静睡在一片白色百合中的妈妈。

随着妈妈的出现，巨大的厅堂内瞬间鸦雀无声。大家都静静地站在原地，看着我亲手将妈妈推送到厅堂的正中，一样堆满百合的那片花海中央。

"这一生，我不止爱过一个女人，我也犯过不少错，但我最爱的只有一个女人。媛媛，只要在你的身边便是我最幸福的时刻。你就这么走了，我的心真的很痛，但我很欣慰在你生命的最后时刻，我终于还是守住了我的承诺，为你戴上了叶家的长媳戒指，让你真正成了我叶子航的合法妻子。媛媛，我已经为我们的未来选好了一片安静的家园，你先去住下，耐心等我几年，等

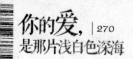

我也合上眼就会去找你，我们就永远不会再分开了。媛媛，等我。"

叶子航含着泪对我妈妈说的最后诀别词，让所有人都动容。看着他亲手将两本结婚证书还有一张刻着他们两个人名字的陵园墓碑照片一起放入妈妈手心里，全场的人更是被感动得泣不成声。

站在叶子航的身边，听着他的深情告白，我只是静静地看着妈妈的睡脸，不舍得眨眼。

"媛媛，你放心，我会好好照顾晓卉的。我叶子航这辈子只有这一个亲生女儿，只要我活着一天，我就不会让她受一点点伤害。"

终于，叶子航这个叱咤商界无数年的霸道男人也输在了一场生离死别之前，变成了一个普通中年男人。当那些眼泪滑过他保养得很好的脸颊时，一样让所有人看见了一片沧桑无力。

"向遗体三鞠躬，默哀三分钟，向遗体告别……"

这一切的一切我都听不见，我只是静静地站在妈妈的身边，静静地望着妈妈安详的睡脸，静静地珍惜着和妈妈之间最后的这刻相处。我知道，这种幸福的时刻已经在倒计时，等这一次妈妈离开我，我能再靠近的只有一座冰冷的墓碑，一张让我感觉陌生的妈妈的笑脸。

"晓卉，不要恨任何人，是妈妈自己没有福气，这个病其实早就很严重了，多活了那么多年，妈妈已经很知足了。晓卉，对不起，我还是接受了他的戒指，我还是贪心想和他葬在一起。晓卉，别再恨你爸爸了，这一辈子因为我的存在，他其实也过得很苦。晓卉，妈妈走后，你就再没有牵挂了，西安也好，国外也罢，你想去哪里就去哪里吧，想要爱谁都可以，答应妈妈，一定要过得幸福，一定要比所有人都幸福才好。"

妈妈，你是傻瓜吗？你以为你走了就能成全我得到幸福吗？你真是全天下最不懂自己女儿的笨蛋妈妈，你还真是不配当我江晓卉的妈妈，完全不配！

"晓卉，时间到了，我们要送你妈妈走了。"

身边，叶子航颤抖着声音在劝说，他的手明明也紧握着灵床无法松开，却开口提醒我分别的时辰终于还是到了。

不行的，妈妈最怕痛了，那个火炉太烫了，妈妈一定会痛的。为什么一定要火化？可以直接让妈妈安静睡在地下的吧？我做不到亲手把妈妈送去那么可怕的地方，我做不到！

看着工作人员接手了妈妈的灵车，一路要把妈妈直接送入火化室，我立刻拼命摇头，死死拽住了妈妈的灵车，不允许他们这样对待妈妈。

我真的没有不理智，我真的不是故意发疯，我只是想要换一种方式安葬妈妈，我不想妈妈就这么变成一堆灰烬，不要！

为什么所有人都不理解我？为什么所有人都要阻拦我？为什么不相信我是清醒的？为什么？！

好吧，既然所有人都不愿意听我的建议，那我妥协就是了。不要把我和妈妈分开啊，我要自己陪着妈妈去火化室，我要陪着她去，妈妈一定在害怕了，我在的话，她会好受点。为什么要阻止我跟着去？为什么叶子航可以去，我却不可以？放开我，你们都是谁啊？为什么要那么大力气地阻止我跟去，为什么？！

"晓卉！告诉我你究竟想要什么，别慌，慢慢说。"

终于，我的面前出现了一个我认识的人，沐佐恩，幸亏还有一个懂我的人，幸亏！

"我只想陪着我妈，我不在她会怕的，她最怕痛了。"

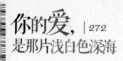

"告诉我，我是谁，证明你现在是清醒的。"

"摄魂怪。"

嘴角，泛起了一丝苦涩的笑意，沐佐恩亲手挽住了我的腰，用不容置疑的坚定带着我走进了只有直系家属才能通过的那个冰冷通道，赶上了一步一迟疑地推送着灵车的叶子航。

看到我们的出现，叶子航的眼中满是犹豫，但沐佐恩却满眼坚定，示意他确定会看着我不出状况。

我的眼睛终于又能看见妈妈了，我的手终于又能握住妈妈的灵车了。有一念间，我很想就这么抢过灵车冲出去，带着妈妈逃走，逃去只有我们两个的世界藏起来。可当我看见妈妈手心里的火红色结婚证书，还有她指间那枚硕大的钻戒，我还是又记起了，妈妈现在更希望的是在那片冰冷世界里等着他前往，从此和他相守不离不弃。有了这个期待，妈妈应该会不怕那片火海，她应该什么都不怕了。

终于，我的眼泪还是一颗颗滴落了；终于，我的脚还是一步步挪移了起来；终于，我的心还是愿意真心祝福妈妈用尽力气守护的这场爱情。

就算世界上所有人都唾弃你的下贱，在我心里你依旧是唯一。妈妈，全世界都鄙视你的爱情，从此我替你守护，我会让全世界都只记得，你才是叶子航的合法妻子。

那一片火海，比想象中还要灼烫，狂妄的火舌，即使站在安全线之外，依旧会刺烫人的皮肤。

身边陪护的工作人员不时被热浪逼得后撤几步，我和叶子航却丝毫没有动过脚步，只是痴痴地望着火舌中的影子，目不转睛。

如果不是安全线阻隔着我们，我们或许会再走近几步，走到我们能承受的极限区域，陪着妈妈一起烫，一起痛，一起燃烧。

身边，沐佐恩始终都在。他的手臂一直有力地挽着我的腰，随时防止我一个冲动越过安全线，他的眼睛也始终望着那片火海，目不转睛。

"伯母，你安心去吧，未来的岁月我会照顾晓卉的。无论她决定走什么弯路，做什么傻事，我都会在她身边，不离不弃！"

耳中，清晰地听到沐佐恩的这句誓言，我的眼睛依旧不舍得离开那片火海。

他，这些话是什么意思，难道他已经猜到在我的计划里他是第一个目标吗？

不过，知道又如何？

我可是魔女，是连叶知贤都能在无形中被我俘虏成裙下败将的妖冶魔女，就算沐佐恩明知道会被我利用，明知道我的靠近不过是嗜血本能，他一样逃不掉的，不是吗？

随着火焰渐渐变微，我的身体渐渐变得冰冷，连同我的心一起，再度冻结成了坚硬的冰层。

这场葬礼，耗尽了叶子航的全部力气。当亲手将妈妈的骨灰盒放入暂存的保险箱等候冬至落葬，叶子航便瘫软在了地面，要靠两个彪形大汉的帮助才能站稳。

"董事长，这就是我们挑选出陪护三小姐的人选。她们两个都是武警出身，会二十四小时轮岗保护三小姐周全。"

叶子航的座驾前，站着两个穿着休闲套装的年轻女生。

瘫坐在后座，叶子航明显已经体力不支，却还在硬撑着审视这两个保镖，然后望向了我，"晓卉，从现在开始，这两个保镖会轮岗二十四小时贴身保护你。我现在谁都不敢再相信了，你也

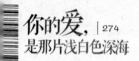

是，谁都别相信。以后，我们父女相依为命就是了。"

叶子航没有坚持让我坐上他的车，最后冷冷地看了沐佐恩一眼，便吩咐司机开车。两个女保镖和我互相认识了之后，一个离开去休息，另一个便亦步亦趋地跟在我和沐佐恩的身后。

"想去哪里，我送你。"

对沐佐恩的问话充耳不闻，我只是回转身望向了身后这栋三号大楼。一年前的我，也是站在这个位置，重新走入了叶家人的视线。一年后，站在这里的我，身份已经从江晓卉变成了叶晓卉。俗话说事不过三，明年这个时刻，我会不会又站在这块方寸之地？那时候，又该是谁的葬礼呢？

一步步走向殡仪馆的大门，伸手拦下一辆出租车，一句简单的吩咐"我不想他跟着"，沐佐恩便被女保镖阻拦在了车边。

直到这一刻，我终于相信，当我彻底变成叶晓卉之后，我的能量是有多惊人，我的身份是有多高贵，很多普通人望尘莫及的危险游戏，于我，将会是轻而易举的消遣……

北擎顶楼天台。

"我终于知道和全世界为敌是有多辛苦，那么放弃全世界呢，是不是会容易点？"

看着叶晓仪踩着七寸跟站在天台边缘，被屋顶狂妄的风吹得衣服鼓起了风球、长发乱飞，就算知道天台下隔几层就有遮挡高空坠落物的铁丝网存在，但席宁姝还是紧张得无法呼吸，只能用惊人的毅力让自己尽量维持冷静。

"你自己明明很清楚，江媛的死是因为手术后遗症，并不是因为你的出现，和叶子航离婚成全江媛是我的意思，知贤被郑翌哲打成重伤那是他心甘情愿不还手，所有一切都与你无关，你又何必把所有的事情都揽在自己身上？如果吹冷风就能吹出个心想事成，我早就第一个站到喜马拉雅山顶上去了！下来吧，你头发都乱了。"

轻轻闭上眼睛，叶晓仪张开双臂享受着迎风的舒畅感。

"我只是想知道，为什么不从一开始就毁灭我，让我可以置之死地而后生？为什么从一开始就给我希望，一直给我希望，一直一直就有希望，让我就这么一路走到了最高处，却发现所有人早就不在了，回头的路也不见了？就算我知道跳下去就是重生，可我还是不敢，也不舍得，更不甘心！相安无事这么简单的结局为什么在我们家就是奢望？我一直不懂，很不懂。"

"一男二女的爱情当然不会有真正的赢家，是我的贪心，江媛的贪心，还有叶子航的贪心造成了你们几个孩子的不幸。说实话，我很鄙视江媛的懦弱，她自以为是的成全再一次把你们都推到了绝境。但只要我还活着，叶子航还活着，就还轮不到你们几个小孩承担什么。叶晓仪，如果你不想也和江晓卉一样年纪轻轻就为我披麻戴孝，你现在就给我下来。"

"就让我一个人站着吧，即使悬崖，站久了也就习惯了，也就不怕了。"

"晓仪，就算全世界都误会你，你是怎样的孩子至少还有妈妈清楚。这些年是妈妈太自私了，忘记教你该怎么为自己活着，才让你一步错步步错。做错事就该勇敢承担，不管有心无心出发点是什么，江媛的病发你多少有点责任，江晓卉现在一定也病得不轻，她绝对不会放过你。事已至此，我们大家已经没有了退路，是我席宁妹的女儿就该敢作敢当，把你这个亲妹妹的病治好了才算对得起江媛的在天之灵，也才能真的得到'相安无事'这个结局。"

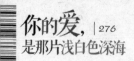
是啊，江晓卉，连细胞都孤傲至极的江晓卉竟然愿意把身份证和户口本都急速改成叶晓卉，她确实病得不轻，这一切都是自己害的，自己哪有资格坠落？哪有资格选择重生？唉……

晓仪深深的叹气声，让席宁姝再一次看清她这个长姐为了守护弟弟妹妹，给自己的枷锁是有多重。

她宁可他们兄妹几个能因为父母的恩怨互相真心怨恨，而不是这样病态地怜惜着彼此又心中隔着天阙，不忍心看无止境的误会一再地扭曲成一把把锋利的匕首划伤他们本就千疮百孔的人生。

一瞬间，席宁姝对叶子航早已心如止水的心再一次翻起了一层层的浪。这些因为积压多年的恨涌起的浪顿时遮天蔽日，让天台上的阳光再也没有了能温暖人心的威力，只剩下徒劳的刺目光芒。

叶子航，这都是你干出来的好事！就是因为你的贪心，你的懦弱，你的不负责任才会让这几个孩子活得这么惨烈！你根本没有资格做他们的父亲，从今天起，这几个孩子就只是我席宁姝一个人的孩子，他们的人生我会一力承担，再不需要你的干扰！

某警署拘留所。

"郑翌哲，你女朋友来看你了。"

听见警察的传话，一直抱膝坐在钢丝床上的郑翌哲立刻跳起身，焦虑地等着警察为他打开铁栅栏门，第一时间冲向了探访室，着急地在探访众人中寻找着晓卉的身影。

"郑翌哲，这里，我在这里。"

等看清了沐西西在挥手，情绪瞬间低落的郑翌哲还是不甘心地环视着整间探访室，奢望晓卉的身影奇迹般地出现。

郑翌哲的失落眼神让沐西西很是受挫。沐西西放下了挥舞的手臂，嘟起了嘴站起身，一把拉着郑翌哲的手臂，把他拉回了属于他们的方桌子：

"晓卉姐要是愿意来看你早就来了，今天是江伯母的追悼会，晓卉姐能好好活着就是万幸了，还想着她记得你的存在。你以为你真是她未婚夫啊？"

听见沐西西口中的追悼会，郑翌哲这才想起今天的日期，伸手便握住了沐西西的手臂，满目焦虑。"对，今天是阿姨的追悼会。怎样，晓卉她还好吗？她是不是伤心过度了？她精神有没有问题？她哭昏倒了吗？她有没有，有没有……"

"你弄痛我了。我不是说了她好好活着吗？你那么担心她就主动给叶家姐妹打电话让他们撤诉啊！要是你们早一点庭外和解，你不就能早一点被放出去重新回到晓卉姐身边吗？"

"庭外和解？我才不稀罕，无论关多久，只要我一出去我继续去揍叶知贤。要不是他对晓卉动了乱伦的心思，阿姨怎么会被吓得病发？晓卉怎么会变孤儿？"

"乱伦你个头啊？拜你所赐，现在全地球人都知道叶知贤和晓卉姐没有血缘关系。还有，什么孤儿啊？就算江阿姨不在了，晓卉姐还有叶伯伯这个爸爸，还有叶晓仪这个血缘上的姐姐呢，虽然这种恶毒的姐姐有比没有更惨烈。喂，你真的不想出去啊？别说我没有提醒你，因为你今天没到场，叶知贤又被你揍得下不了病床，我哥哥可是顺理成章地成了晓卉姐唯一的护花使者，现在估计已经乘虚而入了。还有一个坏消息，我爸妈自从了解了晓卉姐的可怜身世和被叶晓仪一路算计的真相，今天又亲眼见过晓卉姐之后，已经默认了这个儿媳妇。"

"是吗？"

听见沐西西口中的"坏消息"，郑翌哲一秒前还义愤填膺的表情突然变得晦暗无比，嘴角却莫名其妙地出现了一丝安慰的笑意。这抹苦涩笑意让沐西西顿时扛不住翻江倒海的情绪，眼泪再一次涌出眼眶。

"喂，你这个人要不要爱得那么悲情啊？我实在是受不了你了，不就是一个女人，至于赔上全身心地去成全吗？郑翌哲，拜托你不要活得那么苦情男二号可不可以？你面前的女人也是百里挑一的纯少女一枚，除了初吻浪费了，真爱还是纯粹的，能不能不要舍近求远老是看着江晓卉，让我也单相思辛苦得很。"

"她已经不再是江晓卉了，她叫叶晓卉，在我面前说错话就算了，记得别在她面前出现口误。"

听到郑翌哲的提醒，沐西西只能深深叹息，江晓卉变的何止只是一个姓，所以郑翌哲还是继续被拘留着的好，至少眼不见为净，少逼疯一个是一个。

医院。

衣服没有换，脸上的眼泪也没有擦尽，我就这么直接站到了医院的大厅，因为，今天有我的最后一次理疗计划。

穿着一身黑色，头发上戴着醒目孝布花的我的出现，立刻让大厅里那些早就对我熟识的护士小姐眼中纷纷传染了不忍、同情的眼神。

是啊，刚刚从双腿骨折的车祸中死里逃生，妈妈接着就手术后遗症去世了，还真值得同情，不是吗？

很想加快脚步，很想早些离开这些同情泛滥的眼神，可我这两条每走一步依旧有疼痛感的伤腿完全不给力，让我只能一步步、缓缓地、不经意地在密集视线中煎熬着，连带着我身后的保镖姐姐一起也被审视了个够。

我，不是真的来理疗的。因为妈妈的后事，我已经放弃了三次理疗，医生已经上门为我做了检查，说我恢复得很好，理疗不过是辅助手段是锦上添花，也可以以后补做。

但我还是来了医院，原因很简单，这里还有一个叶知贤躺着。

多处脏器内伤，眼角破裂，牙床松动，多处软组织挫伤，身上最严重的一处伤口是因为大力撞击桌角而导致脾脏出血。

伸手翻看叶知贤床边的诊断报告和治疗药品记录，我很清楚我的单独出现会让叶知贤受到怎样的心灵冲击。

果然，当我放下诊断书，望向叶知贤，我轻易便在他的眼睛里看见了"怎么会"的潜台词。

"什么时候开始的？"

"什么？"

"什么时候发现喜欢我的？是沐西西的圣诞节派对，还是一年前的葬礼，还是小时候我咬伤你的时候？"

经历这么多变故，我开门见山的态度表明了我的来意就是来亲口问一句真相。既然如此，叶知贤也就跟我推心置腹说了一番：

"应该是知道我自己身世的那一刻吧。我突然发现我们的关系就像公主换太子的老戏码，因为我的存在，你这个真公主才会流落民间受尽屈辱，所以对你产生了愧疚的心情。开始，眼睛里心里都只有你，随时都想知道你的近况，知道你过得怎样，所以除了被你咬伤那一次，其余的每次打架都是我主动去找你的。因为我想见到你，否则就凭你小时候那么小细胳膊小细腿的，怎么可能打得过我这个男的。"

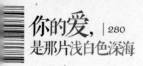

"叶晓仪也是从小就知道吗？"

"我不知道，等我发现她知道的时候，已经是你从西安回来之后了。"

"可她却选了一个最可怕的时机揭露真相。她说，她实在看不下去你的痴情，如果我只是在选一个对我好的男人，那你也有资格，所以她要为你争取一个公平竞争的机会。她说你已经为我着了魔，如果就那么不战而败，你会永远不屑去爱。她说，我妈妈已经抢走了叶家所有人的幸福，至少应该留给你一线生机。"

"不用重复一遍！这些话郑翌哲已经都对我吼过了！你自己也知道，这些话是她在电话里对你说的，你们并没有真的看见晓仪对伯母说，伯母的病是手术后遗症。晓仪，晓仪只是碰巧去了别墅。"

手捂着被纱布层层包裹住手术刀口的腹部，叶知贤很吃力地让自己坐起身，试图阻止我平静的叙述。

"她说，她不会阻止我订婚，但我必须在订婚宴之后和你一起去美国分公司半年，让你有半年单独追求我的机会。如果半年后，你依旧无法得到我的心，你就会真的死心，就会真正心甘情愿永远守护在她和席宁妹身边。那时候，我才能真正亲手把你还给她！她说，她其实早知道我喜欢的是沐佐恩，她的刻意阻挠是因为帮你也是帮我，因为她相信沐佐恩这样的正常家庭绝对不会真心看得起我这个小老婆生下的孩子。比起沐佐恩的毫无根基的闪电爱情，郑翌哲和你才有资格竞争，因为你们都无条件爱了我好多年，已经着魔到愿意为爱放手，为爱牺牲，你们中的一个才值得我托付终身，特别是你。原来，她在乎的人从来不是沐佐恩，她介意的抢夺说的是你！"

"别再说了！"

"她还说，世界上一切的不幸都源于贪心和自我轻贱。如果当年我妈妈不是因为贪心，就不会心甘情愿做小老婆；如果她能坚持要叶子航先离婚再和她在一起，所有的不幸就不会一路停不下来。她说，她知道她说的这些话一定会刺激到我妈妈病发，所以只要我承诺会在订婚后跟你走，她就放过我妈妈，也愿意从此不再恨我妈妈，宽恕我妈妈，会极力劝说席宁姝主动和叶子航离婚，松手其实早就名存实亡的婚姻。在我和你回到上海后，她会和你还有席宁姝一起离开上海去美国定居，永远在我们幸福的一家三口眼中消失。"

终于，我还是说不下去了，因为这些复述勾起了当天太过可怕的记忆。这一切的后续，便是我妈妈去世的倒计时。

随着我复述终于结束，叶知贤的脸上也渐渐恢复了平静，继续按压住剧痛的伤口望着我，一副慷慨就义准备就绪的坚决表情，"江晓卉，你听着，害死你妈妈的罪魁祸首是我，是我故意怂恿晓仪去阻止你和郑翌哲在一起的，也是我故意让她和沐佐恩制造暧昧让你离开沐佐恩的。晓仪不过是被我利用的一柄刀刃，你要报仇就冲着我来，我先壮烈牺牲了才轮得到她。还有，我再说一遍，她并没有真的对阿姨说一字半句，晓仪到的时候，江阿姨已经情况不好了。"

看着叶知贤连下床站稳的力气都没有，竟然叫嚣着让我先对他下手，我真的很无语！

这一秒，我终于又看见了小时候那个不惜用石块在背后砸我逼我出手反击的莽撞男孩，要战胜他、打败他、毁灭他真的太容易了。

一步步走近叶知贤，一步步，走近，再走近……

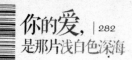

"你做不到的，无论对叶晓仪、叶知贤还是席宁姝，你脑子里的那些复仇计划再狠毒都不过是一场夸张的舞台剧，而且根本没有结局，只要你心底没有办法真的恨她们，你就永远没有办法想出具体报复他们的手段，因为你连认真想都不忍，你心里只有一大箩筐的狠话空话翻来覆去。"

我不知道沐佐恩是什么时候坐到我身边的，他突然说话打断了我脑中的幻想，终结了我永远走不近叶知贤的那些无奈脚步。随着脑中构想的复仇计划渐渐淡去，我的眼中终于又出现了面前的一目大海、一目蓝天、一目纯白。

是啊，我脑子里虽然想好了一整套复仇计划，先折磨叶知贤，继而逼疯叶晓仪，挑唆叶子航夺回席宁姝的所有股份，再利用沐佐恩搞垮叶子航孤注一掷的那个大项目，让他们所有人都众叛亲离、一无所有。

可惜，站在叶知贤的病房门口，看见他满目无神躺在病床上伤痕累累，看着他连咳嗽都痛得抽搐，我便没有办法再进一步，只能借口我还没想好具体该怎么做，像个逃兵一样逃到这片远离城市的海域，呆坐在沙滩上吹着海风，静静地继续完善这一场计划。

"你跟踪我？"

"嗯，我需要知道你心里究竟怎么想的。既然你不肯说，我只能根据你怎么做来分析你的心思，幸好出租车比不过我的越野车，跟踪你并不难。"

"看见我来大海边傻坐就能知道我在想什么，你以为你是谁！"

"郑翌哲为了替你报仇重伤了叶知贤，至今被关在拘留所，你不但没有感动，在伯母后事都办妥之后依旧连探望他的心思都没有，说明你心底根本是在怪他多管闲事。看着你走到叶知贤病房门口连推门进去的勇气都没有，更确定你所谓的复仇根本就是瞎扯。"

"既然凑巧猜到我在想什么，你该自觉退场了，我想一个人静一静。"

"何必口是心非，我现在是你唯一不会推开的外人，因为你很想让叶子航众叛亲离失去全世界，能最快速达到目的捷径就是搞毁我和他合作的商业地产项目。你该想到，我不是个公私不分的人，就算我很伤脑筋你的心病，也有足够的底气重新白手起家，但北擎和沐锶的上万员工，他们的人生实在没有理由被你个人的仇恨波及。经济那么不景气的形势下，两大上市公司如果同时倒下，这些失业的员工该怎么活下去？所以，我宁可你为此怀疑我对你的感情，我也不会帮你这个忙。"

有一个这么理智的人坐在身边对我语重心长，我除了深深叹气，还真不知道能做什么。

就这么静静地听着海浪声，好几次想开口说点什么，却毫无头绪，话到嘴边都被我自己鄙夷地否决了。无论什么话题、什么语调、什么关联词都不被我认可，看到身边并肩坐着的沐佐恩，我实在有点坐立难安。

猛然，我的眼前被一片阴影压过，瞬间，我的唇便被他深深吻住。这种突兀的变化当然出乎我的意料，我慢半拍地伸起手想要推开他，他却已经点到即止地放了我的唇，让我已经举起的手臂更显狼狈。

"还是不行，你还没有做好接受我的准备，看来我还需要再多点耐心。"

眨着眼，我只是眨着眼，看着面前这个正在淡淡微笑的男

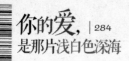

人，脑子里竟然空空一片。

"托你的福我才知道，原来上海也有这么漂亮的海景。我之前还以为上海只有一条滨江大道美轮美奂。起来走走吧，沙滩行走对你的腿复原有帮助，就当是复健了。"

就这样，沐佐恩不容我拒绝地将我拉起身，然后自然地牵着我的手，带着我极缓慢地踩着松软的细沙，一步步向前迈进，直到脚下的细沙是那种被浪花推平的湿润沙子，才停下了脚步。

"为什么一直压抑自己的感情？是不相信爱情还是不相信我？"

听到沐佐恩比强吻更直白的这句问话，望着面前的一目深海，我的脸部表情被海风吹得万分僵硬。这句问话用任何答案来回答都等于先承认了我爱上了他，我当然不可能给出答案。既然他已经直白地说他不可能帮我击溃叶子航，我和他便没了战略同盟的合作可能。他，便又变回了我坚决想要远离的摄魂怪，爱不爱他，根本不重要！

"我曾经也很多次问我自己，你这个丫头究竟有哪里好，我为你着魔的点到底在哪里，是不是因为同情，是不是因为你的病态倔强，或者是因为你的神秘，否定了一大堆理由之后才相信，没有理由才是理由，你的每个细胞都致命，而我，决定认命！"

说这些话时，沐佐恩也一样望着面前的大海，并没有转过头来望向我，也没有逼我看着他。让这句堪比莎士比亚肉麻台词的告白就这么随着海风轻轻地飘过我的耳际，瞬间将我面前的这片深海幻化成最美的纯白色，一如我的梦境……

可惜，梦境始终只是梦境，稍纵即逝的温暖根本无法让我的人生取暖，当我被妈妈渐渐飘远的身影惊醒，当我被声嘶力竭的呼唤唤醒，当我在暗得可怕的别墅里睁开眼睛，当叶子航穿着睡衣打开我的房门满目紧张地望着我，我终于还是记得了全部的现实，我的人生，这场最长的噩梦还在继续。

"怎么了，晓卉，又做噩梦了？"

"不是噩梦，我梦见了妈妈，只可惜她还是走了。"

面无表情地解释着我的梦，我很不愿意叶子航把这个美梦说成噩梦，虽然妈妈飘走的时候我真的很痛，很不舍得，但至少梦里妈妈的拥抱很真实。

"你梦见媛媛了？难怪我等了她一晚上她都没有出现，她还是选择来看你了。"

听见我梦见妈妈了，叶子航脸上的落寞和痛楚立刻清晰可见，握住门把的手也有些微微颤抖。这一刻，我竟有一种呼吸顺畅的感觉，可这种"赢了他"的欢乐感转换成的失落感却也巨大。

"从明天开始，你要逐渐接手公司的业务，一定会很辛苦的，再睡一会儿吧。"

"嗯。"

当叶子航关上房门，我又回到了一整片伸手不见五指的漆黑之中。抱膝坐在床上，我丝毫没有害怕的感觉。黑夜、孤独，这些从来都不是我害怕的东西。

暗夜中，我的耳中似乎又传来了那一阵阵的海浪声，还有……手机铃声？

回眸望向枕边的手机，在黑夜里醒目的亮屏提醒我，我并没有幻听。半夜里，谁给我打电话？

望着一连串陌生的手机号，我茫然地接起了电话，在一片漆黑中戒备地问道："哪位？"

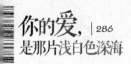

听到我的语气，电话那端先传来了一阵失望的叹息声，然后才传来一句问话："既然睡不着，为什么不开灯？还有，记得把我的名字存进联络人，我宁愿你看见我的名字挂掉电话，也不希望再听见这种对陌生人的戒备口气。"

将手机从耳边拿到眼前，再次确定现在是凌晨四点多，我才重新把手机放回耳边，疑惑他的再一次"心灵感应"。

"你怎么知道？"

"我听说郑翌哲曾经在你的宿舍门外站了一整夜，所以很好奇就这么一整夜看着一扇窗户的感觉，果然不是一般的折磨人。风够冷，时间过得也够慢，看来我以前还真是小看了郑翌哲这个男人。"

从床上跳起身，我借着手机的微弱光亮打开了阳台的门。当寒风扑面而来的同时，我果然看见了就这么握着手机站在楼下花园栅栏外的沐佐恩。

"疯了？就那么光着脚穿着睡衣走出来，快回房间去。"

依旧握着手机，依旧光着脚，依旧只是一身单薄的睡衣，依旧在冷风里，我只是静静地望着楼下的这个男人。这么大冷天的，他真的就站了一整晚吗？

"喂，你脸上的这个表情是感动还是同情？还不回去，难道要我大半夜的按门铃去？"

我确实冻得有点发抖了，转身逃回了房间。穿上了厚拖鞋，又套上了厚大衣，我再次回到阳台上，沐佐恩依旧站在原地，依旧握着手机。

"我突然在想，罗密欧每晚在朱丽叶家的阳台下都做些什么，吟诗，唱情歌，还是大段大段地说肉麻台词？"

听到他的调侃，我忍不住笑了。我的笑却让他突然僵硬了表情，继而让我在耳边的手机再次听见了一声重重的叹息："丫头啊，认识你这么久，你终于愿意对我露一次笑容了吗？唉……"

我，从来没有对他笑过吗？

是啊，他从来就只存在于我的戒备名单中，我避之不及又怎么可能和他谈笑风生？

那今晚，我又是怎么了？不是已经想好和他退回起点，为什么要站在这里，要和他这样暧昧地深夜遥望？为什么不舍得挂断电话？

"我决定在西部地区开辟一块新业务，我会亲自去带队从零做起，如果你吃得起苦，欢迎你做我的助理。如果我们现在就去机场，买最早的一班飞机飞西安，应该还能赶上去吃一顿德长发的饺子早午餐。"

这算什么，邀请我私奔？

继续握着手机，继续默默地望着沐佐恩，他的来意我终于明白了。

九点，在北擎的董事会上，叶子航会宣布把他名下的股份转给我，加上席宁姝和叶子航离婚后转到我妈妈名下的百分之二十的股份，我就变成了集团的第一大股东，就算席宁姝把所有小股东手里的散股聚在一起，她也无法否决我和叶子航做出的决定。

叶子航会宣布卸职席宁姝的总经理职位，也会架空叶知贤和叶晓仪的职位，让他们三个继续保有集团股份吃红利却不再给他们三个任何的实权。当然，地产项目就不再由晓仪主管，而是交到了我的手里，由我和沐佐恩一起继续合作。

一句话总结，今早九点的董事会将会一朝变天。我，叶晓卉将成为北擎的真正公主掌控所有实权，而叶子航前妻和她的一对儿女将失去一切，只剩下可以保证衣食无忧的一些干股。

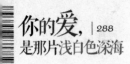

叶子航的这种负气举动在外人看来是重情重义的合理之举，但北擎的所有股东和各级主管都清楚席宁姝在集团里的重要地位，也清楚叶晓仪的能力以及叶知贤的商业天赋。

把江山突然交给我这个国内大学刚毕业对北擎业务从无关心的菜鸟，只要席宁姝和叶晓仪有一丝一毫的心不甘情不愿，便是北擎的浩劫，毕竟她们手里掌握着太多北擎的商业机密，特别是这次商业地产投资的重要机密数据。

如果我这个私生女这时候再一味地刻薄挑衅，落井下石刺激席宁姝和叶晓仪，后果更是不堪设想。

因此，今天葬礼后，因为我妈妈手里的结婚证书，让席宁姝和叶子航的离婚消息成为板上钉钉的真实消息，北擎的股价在下午开市后就已经一路下跌，搞得人心惶惶，如果明天董事会真的宣布人事大调整，北擎的股价一定会直接跌停。

沐佐恩当然清楚，北擎的这种根基动摇混乱状态是我最期待看见的，而席宁姝一定不会让我轻易得逞，为了阻止北擎的内斗，为了守护沐锶孤注一掷的投资，沐佐恩才会开口提出私奔。

难怪他下午对我语重心长地说了那一番话，难怪他一直跟踪我，难怪他会不早不晚地在今夜站在我的窗下，原来都只为了这句"私奔邀约"。

如果我是个能为爱不顾一切的人，我根本不会和郑翌哲宣布订婚；如果我是一个会为爱疯狂的人，我就不会一路逃避；如果我是个相信爱情的人……

终于，我还是先挂掉了电话，转身走回了我的房间，走回了那一片的漆黑。

沐佐恩没有再给我打电话，也没有给我发短信，我的电话始终就只是暗着屏幕，始终。

不知道过了多久，我终于还是重新走下床，一步步凭着记忆在黑暗中挪移，直到走到窗边，掀起了窗帘的一角。

沐佐恩果然还站在原地，依旧微仰着头望着我的房间，就似一座雕塑般。

我相信他真的会继续站下去直到天亮，就算现在下起大雨、飘起雪，他一样会这么一动不动地站着。我也明白，他想要挽救的不只是他们沐家的产业危机，还有我，可我真的不愿意就这样离开。

原来，这个世界真的没有人懂我，一个都没有！

换上一身黑色连衣裙，鬓边戴着一朵雪白的花，从鞋盒里拿出那双白色香奈儿皮鞋小心地穿上，将那朵精致的黑色山茶花绕在脚踝上扣好，我便一步步扶着扶手艰难地走下了楼梯。

艰难，是因为每走一步我的腿伤便带起一股钻心的痛，站在窗口整整三小时让伤口又一次严重起来。我脚上的这双细跟鞋绷紧了脚背，同时扯动了受伤未愈的筋骨，双重折磨，我的腿当然吃不消。

叶子航已经等在了客厅里，见我一步一蹒跚，连忙让站在他身后的保镖姐姐上前来扶我，满眼关切："你的腿没事吗？需不需要用拐杖或者坐轮椅？"

"不用，走楼梯有点难，平地上就没事了。"

我和叶子航这辈子面对面说话的次数掰着手指都能算清楚，每一次不是剑拔弩张就是针锋相对，他突然变成一个慈父我当然不习惯，没有办法回以同样的演技，依旧冷漠得很有距离感。

叶子航貌似并不在意我的冷漠，见我在平地上走路的步子还算正常，只是看了一眼我脚上的这双新鞋便不再多话，和我一起

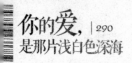

走出了别墅，走到了早已经准备就绪的房车面前。

不远处，沐佐恩依旧静静地站在他的车前，看到我们一起出现，脸上露出了礼数周全的微笑，微微点头，算是对叶子航打了招呼。

叶子航似乎并不惊讶于他一大早就出现，只是看了他一眼便坐上了车。同样，我也没向他投以过多的视线，直接跟着叶子航坐进了车里。

等车子开过沐佐恩身边，我再度感受到了他炙热的眼神，我的心却没有因为他的存在而感觉任何慌乱不安。全天下除了郑翌哲，我不会再相信任何人。

"既然选择留下，就要有足够的心理承受能力面对暴风雨，心再痛也要咬牙忍住！"

"任何状况下，一定相信你心中的直觉，你身边真的没有什么十恶不赦的坏人，不过是一场场误会堆叠的遗憾。"

"不论你怎么逃避，你都是我的！江晓卉，你逃不掉的！"

伸手，按下了全部删除按键，将沐佐恩这三条短信尽数删除，我的眼神望向了窗外。又是一个艳阳天，貌似又是连续十几天的晴天了，魔都的雨都汇聚在了六月七月，过了那一段黄梅天，便总是这般晴朗，晴朗得一片干涩，一片荒芜。

"在晓仪去刺激媛媛之前，她对我说过她会不计代价阻止你和郑翌哲在一起，当时我就觉得她精神有问题，等我查到在你离开上海的一年内，她和郑翌哲有过一段暗中交往的经历，就怀疑她是嫉妒你一连抢了她两个男人，这才想要报复。可惜，我真的没有想到她竟然会疯到杀人，如果她不是我的亲生女儿，我一定会不惜代价把她送进牢房，关她一辈子。"

耳边，听着叶子航的恨声言语，我并没有回转头，也没有搭话，是因为我知道他还没有说完，也是因为我看清了车玻璃倒影里我满眼的蔑视。

"我已经让律师连夜赶出了断绝父女关系的文件，知贤也在亲子鉴定证明上签了字。一会儿的董事会上，我会宣布新的遗嘱，我会把我名下、你妈妈名下，还有晓仪和知贤名下的所有股权全部都归到你的名下。爸爸老了，失去你妈妈之后完全没有心思做什么生意，北擎以后就都交给你了。随便你怎么处理都行，就算你全部捐给慈善事业都可以，只要你开心就好。"

果然，叶子航的动作雷厉风行，一夜之间就夺走了他曾慷慨施舍给晓仪和知贤的除了父爱之外的全部恩赐，财富、名分、尊严。

终于，我的手还是开始微微颤抖，继续望着窗外的我必须靠着紧咬牙才能阻止冲上脑门的愤怒火焰疯狂燃烧。

这就是我们的所谓亲生父亲！这就是我妈妈深爱了一辈子的男人！

一小时前，北擎。

"总经理，张律师的传真到了，和你预料的一样，董事长不仅让张律师改了遗嘱，还赶写了一份断绝父女关系的文件，还有……"

"还有什么？难道他还让知贤在亲子鉴定上签字确认了？"

"凌晨两点的时候，董事长确实派人去了医院，带着亲子鉴定证明和股份转让同意书让知贤少爷签署。知贤少爷已经签字了。"

手掌猛地拍在了办公桌上，发出了可怕的巨响。席宁姝向来喜怒不形于色的脸上终于还是泛起了怒意，让她面前的几个心腹

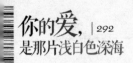

重臣感应到了一股可怕的气场。

还有一个半小时董事会就要开始，如果这份股份调整清单公之于众，北擎的股票一定会连续跌停，集团所有的现金都砸进了和沐锶合作的商业地产项目，根本没有钱可以收购股票托住股价。

这种时候，一定会有一到两家有实力的集团联手做空，大量吸纳北擎的股份，将所有散股小股东的股份凝聚在一起，笑等北擎用重金去赎。

以北擎多年的根基当然不至于一夜倾颓，但这样重伤元气之后，就算和沐锶的合作大获成功，那边赚的几十亿也都只能用来填补这边股价差。如果那边稍有不顺利，北擎就真的只能进入恶性循环挖洞补洞，开始卖不动产筹钱，彻底进入破产倒计时。

最让席宁姝生气的是叶知贤竟然轻易签署了那两份证明。估计是看见了股份转让方是叶晓卉就走火入魔了，以为这样就能还给她所有她应得的，真是鼠目寸光，不知道这样做只会让晓卉一无所有顺便还担下导致北擎破产的骂名吗？

从三十万人民币起家，这几十年来北擎经历过很多次的危机，每一次都是无数老员工相信叶家人相信她席宁姝才咬紧牙关一路一起熬过来，终于建起了上市公司这片云端楼阁。

如果因为叶家的家务事纠葛就让这些已经进入中年只等着退休养老的老员工们面临下岗的危机，席宁姝第一个就做不到视若无睹。

幸好，即使签署了离婚协议，她手里还是有着百分之十五的股份。她的职位依旧还是总经理，有资格参与董事会，最后还有一次机会阻止这场浩劫。

只是，这个唯一的机会全凭江晓卉的一念进退，这也是让席宁姝无比头痛的事情！

时间一分一秒地过去，还有一小时，董事会就要开了。北擎的未来，这些孩子们的未来究竟会怎样，没有人能预测，如今之计，也只有走一步看一步了。

差三分九点，我和叶子航准时出现在北擎一楼的大厅里，因为董事会就安排在一楼的多功能会议厅，所以我们的车子直接停在了大厦门口。

看见我和叶子航的出现，原本熙熙攘攘、站满了刷卡进闸上班白领们的大厅里瞬间鸦雀无声，大家不约而同退开了一条走道，恭敬地目送着我们一步步走过他们的面前。

"董事长早，三小姐早。"

我的耳边，不断出现问候声，那一句句"三小姐"不停地刺痛我的耳膜，我的身上也被恭敬、羡慕、同情、嫌恶的眼神一再穿透。可惜的是，我的脚步依旧走不快，让这一路受刑的时间无端地加长了很多倍。

"晓卉，等一下！"

随着身后这声略带沙哑的呼唤而扬起的，是一片倒吸凉气的低声喧哗。等我转过身，叶晓仪一身纯白的身影被她身后射入大厅的阳光照得很是圣洁。随着她渐渐靠近我，那股浓郁的玫瑰精油的沁心香气先一步窜入了我的鼻息，让我始终压抑的五脏六腑瞬间得到了一阵舒缓。

"啪！"

还没有完全靠近我，叶晓仪的脸上便被扣上了一记重重的巴掌，叶子航当着所有北擎员工的面直接给了叶晓仪一记耳光。这还不止，他还附上了一句可怕的咆哮，"你还有脸来见我和晓

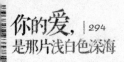

卉？你真的是疯到一定程度了，滚出去，我这辈子不想再看见你。"

被扇得一侧脸顿显粉色，晓仪却没有伸手去抚住脸颊，只是闭着眼忍了几秒，便轻咬着唇重新睁开了眼睛，继续望向了叶子航身后的我。

"晓卉，知贤的伤实在太重了，我不许他下床直接来找你，所以答应替他一定转告你几句话，他昨天凌晨已经在亲子鉴定证明上签了名字，心甘情愿把北擎的全部股份都转到你名下。他没有一时冲动，他很清楚这些股份的转移对北擎意味着什么，但是他说他相信你，你决不会祸及无辜。"

说完，晓仪从包里取出一份股权转让文件递到我面前，视线依旧只是直直地望着我，完全无视叶子航的存在，继续说道："我已经成年了，就算父母离婚，就算有人执意清理门户，只要我不签字，谁也不能轻易动了我手里的这些股份。这份是我亲笔签名的股份转让书，我决定把我名下的所有股份也都转给你。你别误会，我并没有想用这些股份来换你对我放下仇恨，我欠你的，我欠你妈妈的，我自会另外给你交代，这些股份，是我作为亲姐姐交给你的信任。"

"亲姐姐？可在我眼里，你不过是我爸爸前妻的女儿，仅此而已。"

看着叶晓仪，我真的没有办法忘记妈妈临终时的每一眼不舍，没有办法忘记那片吞噬了我最深爱的妈妈的火海，没有办法忘记她在电话里那一句句可怕的催命符，如今，还能语气平静地和她对话，不是我的演技够好，而是我的心再度痛到了麻木。

静默，蔓延在我和叶晓仪之间，我们彼此只是凝望着对方的眼睛，听不见周围的一切声音，看不见周围的任何存在。

她低头看了一眼我脚上的山茶花白皮鞋，眼中渐渐出现了晶莹的泪光，"没错，我欠你一条命，你又何尝不是欠我妈妈一条命。我相信的是你身体里流着的我妈妈的血，如果你已经决定有仇必报，至少该做到有恩先还！"

伸手一把夺过了叶晓仪手里的股份转让书撕得粉碎，叶子航用行动对叶晓仪的这番要挟直接给出了回应，阻止她说出真正的动机，不许她有机会说任何席宁姝交代她当说客的话。

无论席宁姝想用那年的救命之恩要挟晓卉手下留情保留她的总经理位置，还是让晓卉放弃接受叶知贤的百分之十的股份给他留点余地，都不可以让她轻易开口。

席宁姝在北擎有近乎百分之七十以上的支持率，为北擎付出了一生的心血。这次离婚让她颜面尽失，她绝对不会轻易放手北擎的控制权。只要让她继续留在北擎，晓卉绝对不会是她的对手，总有一天，她会把北擎全部夺回手里让他们父女一无所有。

所以，晓卉绝对不可以对席宁姝有一念之仁，她必须在稍后的董事会和他一起联手赶走席宁姝。只要席宁姝彻底离开北擎，就算那份父女断绝关系书不能真的生效，她们手里这些股份不过是让她们母女后半辈子衣食无忧的保障。夫妻一场，这点赡养费叶子航还是愿意给的。

所以，撕碎股份转让书终止了叶晓仪的可笑演技，这已经是叶子航给予叶晓仪最后的一份父爱，也是他对席宁姝仁至义尽的宽仁。

随着眼中视线的完全冰冷，他还是在晓卉和晓仪之间做出了完全没有拖沓的最终选择："晓卉，爸爸给你一个忠告，永远不要为无谓的人、无谓的事情浪费时间。"

说完，叶子航便用眼神示意保镖姐姐上前扶着我继续走向多

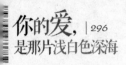

功能会议室，只留下叶晓仪和她面前一地的碎屑静静地存在于众人的视线中。

多功能会议室里，除了我和叶子航，其余所有人都已经到位。面前有总经理桌牌的位置，席宁姝正一边聆听电话一边对助理小声地转述着什么，她的脸上始终是一片平静，完全看不出悲喜。

当我和叶子航一起走进会议室，所有人一起起立迎接，唯独席宁姝依旧坐着，安静地坐着。

扫视这一众身着正装的中年人的恭敬眼神，我猛然被直扑面门的可怕压力压抑得心口难受，幸好我早就对压抑这种感受习以为常，所以，也还能保持平静一如往常。

等我和叶子航入座，董事会秘书处秘书长便开始主持董事会。大屏幕上的PPT开始显示今天董事会的几个重要流程，流程上第一项赫然就是公示股东股份的最新分配一览表。

站在叶子航身后，北擎集团法律顾问张律师听了叶子航几句耳语之后，便从几份备选文件中抽出了一份文件，交给了董秘相应的文件格式U盘，等大屏幕上同步显示了文件的扫描版，张律师便开始宣读这份文件的具体内容："江媛女士去世后，她名下的百分之二十的北擎股份由配偶叶子航先生和女儿叶晓卉小姐分别继承一半即百分之十的股份；副总经理叶知贤先生自愿将名下百分之十的股份全部转让给江晓卉小姐；董事长叶子航先生也已经签署了股份转让书，将其名下全部的百分之二十五的股份以及江媛女士的百分之十的股份全部转到叶晓卉小姐名下。因此，集团最新股权分配比例如下：叶晓卉小姐名下拥有百分之五十五的股份，成为集团第一大股东；商业地产投资部总监叶晓仪小姐名下拥有百分之十的股份，成为集团第二大股东；集团总经理席宁姝女士拥有百分之五的股份，是集团第三大股东；其余股东共拥有股份共计百分之十五，分配没有变化，具体情况请见列表。"

到这时候，我完全清楚北擎的股权分配，和我之前预计的没有太多出入，北擎的百分之六十五的股份都掌握在叶家人手里，百分之十五掌握在其余小股东手里，还有百分之十五分散在个股股民手里。

现在，我个人的手里就有百分之五十五的股份，所以就算席宁姝一力收购了全部的散股同时掌控了其余小股东，她也无法超越我的控股数量。

所以，在董事会第二项人事变革提案中，我毫无疑问代替叶子航成了新的董事长，接着就是总经理的人选提议讨论。

因为席宁姝母女依旧有百分之十五的股份，于是提议她继续当总经理的股东几乎占到了在场股东的大半。

看着所有股东的严肃表情，看着他们默契的护驾决心，看着情势一边倒的尴尬态势，叶子航丝毫没有什么难堪的表情出现。

"其实，在座的所有人都很清楚这些日子以来我家发生的一些变故，大家也该清楚一艘大船需要平稳航行，掌舵的人有多重要，席宁姝女士的存在确实对北擎有着举足轻重的作用，但也不是没有她北擎就立刻要沉船的状况吧？张律师，麻烦你把罗先生和高先生的资料给大家看一下。"

"是，董事长。"

随着张律师再一次把一个新U盘交给董秘插上电脑，大屏幕上便出现了两个年龄四十多岁的中年高管照片，以及他们的漂亮履历，还有对北擎现状分析和未来展望的两份报告书简介。

"这两位都是职业经理人，有世界500强上市企业CEO的多年

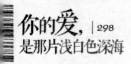
掌舵经验。他们两位对北擎有浓厚的兴趣,给出的报告书也很有诚意。在北擎股份大变革后,晓卉这个新任董事长一定需要和总经理有一段磨合期,我相信大家做任何决定不过是希望北擎能平稳度过这个改朝换代的特殊期。那么,是继续坚持让席宁姝担任总经理还是给这两位职业CEO一个机会对北擎的未来更有利,大家好好沉下心想一想吧。"

随着场内一片哗然,我的眼神始终看着PPT上的邮件截图,看着邮件上的日期目不转睛。

我妈妈病危到去世不过是十几天,这两份邮件显示的时间一个是一个月前,另一个是一个半月前。

两份报告书虽然分析结论各不相同,但都对北擎半年的股市走向和各项经营策略做了详尽的跟踪分析。这些,说明这份报告开始之期早在八个月之前,再倒推那些初步接触、再度洽谈、深入沟通的时间,叶子航应该在一年前就启动了找人取代席宁姝的绝密计划。

一年前,刚好就是他第一次提出要和席宁姝离婚和我妈结婚的时间点!

所以,即使我离家出走,即使我妈妈一再恳求,即使他已经口头承诺不再提离婚的事,他依旧在暗中部署一切!

难怪他会这么胸有成竹,难怪他最终临时取消了当众宣布和叶晓仪断绝父女关系的赶尽杀绝举动,随手撕掉了晓仪的股权转让书,原来他是善心大发地决定施舍给了她们母子三人一笔苟活赡养费。

终于,我还是将眼神飘向了我正对面坐着的席宁姝。和我一样,她一直在望着大屏幕上的那两封邮件截图,将这些十几秒就能看完的细节反复咀嚼着,反复承受着。

对席宁姝而言，她度过的究竟是怎样的一个人生啊！

男人和女人最大的区别就是男人普遍都不是情感用事的感性动物，特别是面对的不是自己的家人朋友，不过是商场上的同盟、同僚时，他们的理性往往会发挥到极致中的极致。

看着有这么两个救场神兵随时可以横空降临，看着一场近在眼前的危机在叶子航的早有准备下可以轻松得到解决，基本都是男性的股东们在一片喧哗之后立刻出现了一边倒的息事宁人心思。

男人，又是事业有成的男人，有几个女人本就是稀松平常的事情，何况叶子航对夫人用情至深，就算是生离死别的最后时刻也要冒天下之大不韪扶正妾室，这种深情仁义在男人堆里当然是不可多得的，他要不惜一切代价赶走前妻护住稚嫩的小女儿，也算是人之常情。

既然有能够超越席宁姝的商业人才接手北擎，席宁姝离开是非之地对她而言也不是什么坏事，反正她和女儿手里还有百分之十五的股份，每年光靠分红就能衣食无忧一辈子做富贵闲人了，破镜难圆，何必还要继续留在北擎，乐得眼不见为净才是明智之举。

就这样，前后仅仅半小时的时间，不仅仅是股东们都缓过了一口气，连开盘的股市都因为闻得了风声，出现了强烈的托盘底气。那些昨天刚抛售掉北擎股票的大户连忙开始和大盘子抄手争分夺秒的重新补仓。五分钟之内，北擎的股价冲上了百分之二的涨幅，在股票大盘低迷的惨绿海洋中很是一枝独秀。

大局虽已定，但在新任两位候选总经理人选中还是要选出一位继任，大家都说了自己的意见，随即便将视线转到了我这边，

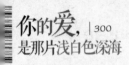

期待着我这个菜鸟董事长说第一句指导性意见。

因为选左选右都不会出现原则性差池，大家似乎都乐得把这个决定权交给我，算是奉上了第一次的归顺大礼，也刚好测测我的水深。

一片鸦雀无声中，我对那两个年薪七位数的职业CEO根本没有半点兴趣，继续将视线锁定在席宁姝的脸上，依旧面无表情。

"如果我想买回席总经理和叶晓仪手里的所有股权，那百分之十五的份额需要多少现金？"

听见我的这句答非所问，听见我的重磅幼稚言论，不仅全场再一次哗然，就连席宁姝也无法继续保持她的娴雅安静，出现了惊愕的眼神，终于舍得将视线从那片大荧幕上转开，望向了我。

"晓卉？"

开口的当然不是她，即使估计她也想说点什么，但席宁姝还不至于这么亲昵地对我开口，喊我的是我身边的前董事长，叶子航先生。

"我知道，留给你前妻和前妻的那个女儿百分之十五的股份，是你给她们的赡养费，对于这点我没有异议。既然是赡养费，既然已经决定恩断义绝，干吗不直接用现金交付清楚，为什么还要拖泥带水地让她们和北擎和我们有瓜葛，干吗还要让她们的后半生依旧被北擎的起起伏伏牵制。你总不见得还想着和她们荣辱与共吧？既然断了，就该断干净，断彻底！我永远都不想再看见这个女人出现在你面前。"

说这些话的时候，我依旧看着席宁姝，看着这个曾经无数次对我妈妈口出恶言、极尽羞辱的女人，看着这个曾经大方地为我输血的女人，看着这个我始终无法不仰视不唏嘘的女人，看着这个我真心一辈子不想再有任何瓜葛的女人。

"既然，我们之间不能相安无事，那就彻底走出彼此的人生吧！"

温暖？何必出现这种可笑的温暖眼神？

席宁姝，就算你明白我在干什么，也该知道我不过是在有恩必报。并不是我对你有什么亏欠之心，并不是我愿意原谅你女儿的狠毒，更不是为了妈妈的在天之灵积功德，真要找理由，我不过是在同情你，不过一念的同情，仅此而已。

我知道，场内除了我和席宁姝，没有人看得懂我们之间的心念互动，就算在叶子航眼中，席宁姝眼中的温暖浅笑也被扭曲成了城府极深的冷笑。

当然，我的一念救赎举动在所有人看来，各种角度都呈现出赤裸裸赶尽杀绝的本质！

"晓卉，这些事情，这些琐碎的事情以后再议，先把总经理的人选定下来。"

"琐碎的事情？"转过头，我望向了叶子航，这个鬓间有无数银发，眼角遍布细纹的中年男人，"你之前不是还说，只要我想做的我都可以去做？要尽数买回百分之十五的股份，怎么是琐碎的事情？无论是要抵押不动产向银行贷款，还是要找几处鸡肋一样的不动产直接折价给她们，不都是需要董事会决议的大事情吗？"

站在二楼玻璃窗外，和所有前来旁听董事会的散户股民站在一起，叶晓仪的眼泪从看见大屏幕上那些邮件，从看见席宁姝再次出现她所熟悉的内伤表情时就一直流个不止。但她始终只是安静地站在这里，没有用大股东的身份走进会议室半步。

直到这一刻，听见晓卉竟然利用自己的董事长身份要彻底

对席宁姝赶尽杀绝，她再也无法躲在暗处，伸手擦掉了眼角的眼泪，决定走进会议室坐在妈妈的身边去，就算这已经不是一场势均力敌的绝杀，她至少可以陪着席宁姝一起承受一切。

刚刚转过身，叶晓仪的手臂便被一股大力握住，她的身边赫然多了一把轮椅。

坐在轮椅上依旧唇色惨灰的叶知贤艰难地抵御着周身伤口因为轮椅的移动而产生的压迫性疼痛，"别去搅局，晓卉是在帮妈妈。"

"帮？"

坚定地点点头，叶知贤转头望向了楼下坐在首位的晓卉，满眼温柔，"她是在帮妈妈彻底摆脱叶子航。如果不是由她出手，妈妈永远不可能自己转身离开，她心里始终还是放不下对叶子航的感情。"

听见叶知贤的解释，晓仪回眸望向会议室里的席宁姝。果然，在她的眼中，在她凝视向晓卉的眼中，看见了难得一见的温暖眼神，这是专属于一个母亲对孩子才会出现的母爱眼神。而这个眼神，交付的却是自己情敌的女儿，是一个和自己毫无血缘关系的仇人，这还真够变态的。

深深叹气，晓仪的眼泪再一次涌出了眼眶，这才想起什么似的望向叶知贤，"你是怎么来的？我不是交代医生不允许你出院吗？"

"是妹夫去医院接我的，你离开后他就到了。我们刚才还绕道到了法院，递交了庭外和解申请书，所以才晚到了一会儿。"

"妹夫？"

在这句纳闷的喃喃自语之后，晓仪立刻听见一个熟悉的声音从一楼的会议室传来，"如果北擎需要现金的话，倒也不一定要向银行贷款，我们沐锶刚好就有一笔现金，这笔现金原本是想拿去西部投资的，但还没有具体付诸计划。如果新董事长愿意用合作项目的盈余做抵押做一份贷款协议，而贷款利息又让我能对集团有所交代，我可以把这笔钱先借给北擎用起来。"

在座的每个人当然都认识沐佐恩，这个最年轻的CEO，这个和叶家两个女儿都有绯闻牵扯的年轻才俊，这个曾在北擎工作过整整一年的隐身太子爷。

"佐恩？"

"叶伯父，请原谅我那么无礼地闯进北擎的董事会，因为我们两家有合作项目，所以我们沐锶的董事会也很关心北擎的这次人事大变革。加上我和晓卉的私人关系，于公于私我都希望北擎能稳定度过改朝换代的过渡期。我之前的话还没有说完，这笔借贷还有一个附加条件，那就是必须由叶晓卉小姐接替叶晓仪小姐来亲自负责商业地产项目，直到项目结束为止。"

沐佐恩的出场加上他的台词，任谁看来都是男朋友声援我这个新上任董事长的给力之举，他的附加条件也很是清楚明白地表明了他在叶晓仪和我之间的坚定态度。

可惜，他的步调和我的原计划虽然有些类似，但还是差了半个地球。还给席宁姝自由之后，我会利用我占总股份百分之六十五的绝对发言权把整个北擎抛售，随便世界上哪个500强公司来收购它，保障了北擎员工的活路之后，我会把得到的钱全部捐给国际儿童慈善机构，然后远走他乡重新开始我的人生。

既然有我自己的计划，我当然不愿意因为沐佐恩的好心出手相救绑住我的自由，别说一年半载的项目执行期，就是收购期我都不会在北擎一直出现，我会交给新任总经理去处理收购事宜。

漠视沐佐恩的炙热视线，我望向了席宁姝，说道："我记得

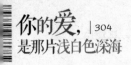

集团在滨江有一整排的酒店式公寓，那一期房子虽然入住率至今一般，但至少地价还在不断地涨，把那片公寓和土地都给你，应该足够百分之十五的股份了。"

听到我的话，席宁姝只是一副就事论事的谈判态度："不错，那批滨江公寓的地价很可观，但因为城市规划的限制，那些地有价无市也是明摆着的事实，而且那些大楼的楼顶都有铜制的北擎标志，要替换必须动用大型楼顶吊塔并封闭主楼，代价不是小数字。公寓的所有现任员工都是北擎人事部门直接招聘录用的，无论是全部替换还是更换从属公司都会是一个大工程。所以，如果有现金可以拿，我更倾向于现金。"

"那就把这批公寓抵押给银行，换现金出来给你。"

趁我和席宁姝说话间，沐佐恩已经走到了我的身边，以更近的距离居高临下俯视着我："抵押给银行的话，现金一定会被压低至少百分之二十五，如果北擎的房产被银行拿到市场拍卖抵债，造成的负面舆论会比董事会换届更夸张得多。我说过，你这边任何一点风吹草动都对我的公司有牵扯作用，我不希望你草率做出不利于我们两家的任何决定。我们那个商业地产项目已经拿到施工许可证，从开始到交付使用最多也就一年半载，如果董事长你是因为不想和我个人合作管理的话，我可以把这个项目交给郑翌哲主管，直到项目结束为止。"

"郑翌哲什么时候成你那边的人了？如果我记得不错，他的所有人事关系都还在北擎。"

"聘用就职从来是双向选择，我刚刚说服叶知贤去法院递交了庭外和解书，沐西西现在正在警署为郑翌哲办保释手续。郑翌哲绝对不是个知恩不报的人，为我工作个一年半载这点要求他没理由不点头。"

靠在冰冷的皮椅靠背上仰望着沐佐恩，我的眼神里多少出现了些无奈的赌气，不再开口说任何的话，只剩下剑拔弩张的对视。

"你一早都计划好了所有这些吗？"

"怎么可能，你自己都是一秒一个主意地在变化，我这一切不过是心灵感应后的相应之举。"

"如果你是为了你的公司……"

"没错，我不会让我的公司面临危机，我也不会让你离开我的视线，两者并不矛盾。"

"我，根本不相信爱情！"

"我知道，我自己也不信永远不变的爱情，我可以承诺我每次移情别恋的目标都只是你一个人，我会努力去爱上渐渐变老、变丑、变脾气古怪的每一个你！而你，只要一辈子当我的新欢就行了。"

"我真的想报仇！我想让他失去他根本不配拥有的所有一切！我也想远离所有的一切，重新开始。"

"虽然这辈子他自私过、变心过，但最终他守住了对你妈妈的感情。他唯一在乎的已经不在，他能失去的也都已经失去了。至于你，如果你真的肯放过你自己，那才是真正的重新开始。"

"我说不过你，但我不会轻易妥协的。"

"真正能说服你的，从来都是你自己的心。"

尾声 ⌃

　　说好一辈子，差一年，差一个月，差一天，差一个时辰都不是一辈子！

　　相爱的时候并不能看见爱情的存在，直到再遇不见曾经的心动，才知道放手的便是爱情；即便一生再无缘破镜重圆，指间却不舍褪下他允下的承诺；虽然，戒无痕……

　　董事会之后，沐佐恩信守诺言，拿走我第一次用董事长身份亲笔签名的贷款协议之后当天，就将四张巨额支票交到了席宁姝和叶晓仪的手中。

　　收到现金后，席宁姝便在律师的见证下，将她和晓仪的百分之十五股份转到了我的名下，让我实实在在握有了北擎百分之七十的股份，成了银行卡上没有多一分钱却身价令人咂舌的超级富婆。

　　郑翌哲离开拘留所之后，第一时间找到了我。看见我判若两人的冷漠态度，他竟然委屈得捶墙痛哭，哭得要多豪放就有多豪放。

　　气得他身边的拿号排期女朋友沐西西竟然忘了她誓当贤妻良母的人生目标，鬼使神差地接受了沐佐恩的提议，接手了商业地产项目，决定和我全方面较劲一场。

　　可惜，她打错了算盘，我根本没兴趣留在北擎当什么董事长。任命了新的总经理之后，我便将商业地产这一块业务逼郑翌哲去管着了。

　　虽然郑翌哲很不爽沐西西与他针锋相对，但为了给我一个足够的空间冷静疗伤，他还是咬着牙替我挡在了众人之前，不管不顾耳中听到的任何绯闻谣传，全身心投入到了项目中。

　　彻底赶走席宁姝的叶子航看见郑翌哲又回到了我身边守护我，终于放心地放手了一切，带着我妈妈的骨灰盒一起坐上了动车。

　　我不知道他带着我妈妈去了哪里，但我相信无论他去哪里，我妈妈只要能继续和他在一起都会觉得幸福。既然这样，我也应该为妈妈高兴，不是吗？

　　叶子航带着妈妈离开后，我果然没有再梦见过我妈妈。那一幢还隐约留有妈妈气息的别墅中，每一晚都只有我一个人面对着寂静无声的夜色。

　　唯一出乎我意料的是，席宁姝并没有带晓仪和知贤离开上海出国定居，她用那笔巨款办了一个民办教育机构，收购了一家幼儿园、一家民办小学，还开了一家青少年心理诊所。

　　我们再见面是董事会后的一个月后，叶晓仪再次用一封绝笔

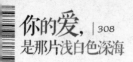

信把我骗到了她的面前。

将那封信放在桌面上，我的眼神已足够表明我的不满意！

"既然一切都恢复了宁静，该是我还债的时候了！我欠江阿姨的这条命，我现在就还给你！晓卉，记得一定要幸福，永远爱你的姐姐！"

面对我的无声抗议，晓卉依旧一脸坦然，拿过她写给我的这封绝笔信，开始解释，"这封信一共有三个感叹号，表明它是由三个句子组成的：第一句'既然一切都恢复宁静了，该是我还债的时候了'，这个很好理解，我这辈子欠下了很多债，欠最大的是我老妈的养育之恩，接着就是欠你。从小到大我这亲姐姐都没好好关心你，只送过你一双貌似还不怎么合脚的皮鞋，实在有点过分。所以，我决定从现在开始每周或者隔周就和你约会一次，请你喝喝咖啡吃吃饭再逛逛街，全方位关心你的身心成长。然后第二句话，唉，如果不是我，江阿姨真不至于那么早走，这件事我难辞其咎，所以我去了一次普陀山，替江阿姨做了七天七夜的法事，希望她在天之灵能原谅我。不仅如此，我决定把我妈也让给你一半。其实，我妈喜欢你也不是一天两天了，你对我妈也不是没有好感的，既然这样，我成全你们两个就是了。至于这封信的最后一句话，那就是纯祝福了，没什么大意义，OK，解释完毕。"

对于晓仪的所有行为，一直坐在一边的席宁姝应该也是参与策划者之一，听着晓仪滔滔不绝，她始终保持着安静，脱掉职业套装换上休闲服的她不再有我记忆里的犀利和高傲。

但我从来只有一个妈妈，就算她已经离开了我，就算属于我和妈妈的记忆并非全是幸福的，但我依旧深爱妈妈，这个世上绝没有人可以替代她在我心底的位置。

　　既然叶晓仪什么事都没有，我也没有必要继续留下。站起身，我刚想闪人，餐厅包房里突然暗了灯，背景音乐开始播放生日快乐的英文歌，一辆扎着一圈冷烟花的推车被叶知贤缓缓推进了包房。推车上，放着一个三层鲜奶蛋糕，没有多余的装饰，唯有最上一层蛋糕上插着一朵白色郁金香和彩色的一圈Happy birthday英文字母蜡烛。

　　今天并不是我的生日，他们这是唱的哪一出？

　　等所有耀目的冷烟花都闪完，生日歌也唱罢，被晓仪推到蛋糕边上的我还是满腹的不理解。

　　见我根本没有吹蜡烛的想法，叶晓仪很是不爽，"喂，江晓卉，今天是你阴历二十三岁生日正日子，你是真不记得还是不屑于我们为你庆祝生日啊？！"

　　阴历生日？听见叶晓仪的提醒，我努力想了一下，貌似日子还真是差不多。

　　见我脸上终于出现恍然大悟的表情，叶晓仪继续嘟着嘴说道："生日许愿向来灵验得很，你要是真那么恨我，直接许个愿让我这辈子嫁不出去或者喝水都会发胖就行了。"

　　心里虽然还是有点不情愿，但眼看蜡烛真的快要自动熄灭的样子，我还是架不住生日许愿这个诱惑，在心底快速许了个心愿后，一口气将所有蜡烛吹灭。

　　见我吹灭了蜡烛，叶知贤伸手取下蛋糕上的那朵郁金香，似乎是鼓足了勇气才将鲜花递到我的面前，眼中写满了诚意，"这段时间，我让自己冷静整理了对你和对晓仪的感情，我终于确定我对你们两个的感情虽然有点不一样，但归根结底其实都还只限于兄妹感情范畴。之前，是亲疏有分这件事难为到我了，才会乌龙地以为喜欢上了你。我真心希望你能重新接受我这个哥哥，顺

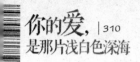

便，生日快乐。"

虽然已经获准出院，但叶知贤毕竟接受了一次开胸大手术，脸色依旧有点菜色。估计这次大伤元气之后，他还需要休养好一阵才能恢复健康的体魄。

听着他充满诚意的这番解释，看着他手中的白色郁金香，我却迟迟没有伸手接过这朵娇嫩的鲜花。

叶知贤的脸色逐渐变得尴尬起来，"江晓卉，不至于这点面子也不给吧？还是你想告诉我，你不想我当你老哥，你心里对我其实……"

伸手一把夺过了叶知贤手中的郁金香，我的眼神尽是轻蔑，还没来得及说什么话，郁金香里立刻爬出一只硕大的黑色蟑螂，很快爬到我的手背上。我吓得瞬间神魂尽散，一边惨叫一边用力挥手把鲜花和蟑螂抖落在地，一连大退了好几步，差点就直接昏迷倒地。

看见我终于还是中招了，叶知贤明显心情很好，捡起地上的仿真橡皮蟑螂和郁金香花道具，重新放回上衣口袋里。

"嗯，连你这个外星人般的强心脏都能吓成这样，这东西绝对所向无敌了！喂，比起小时候的石块，这份生日礼物明显有技术含量得多吧？不用谢，妹妹。"

深呼吸之后，我对叶知贤的高龄幼稚举动实在是无语、无语、再无语，但因为叶知贤的"回归本性"，我一时间突然有种回到儿时的恍惚。

"如果你肯真的放过你自己，那便是重新开始。"

脑中，再次出现了沐佐恩的眼神，出现了他的声音，出现了他语重心长的每一句话……

幸好，席宁姝的一句"好了，闹够了就都好好坐下吃饭吧"

解救了我。众人重新入座后，服务生便端上了一道道菜肴，并把生日蛋糕切成小份送到了我的面前。

餐桌上，话题围绕在席宁姝的民办教育进程上。听到晓仪口中的青少年心理健康调研报告，听到那些实在不容乐观的数据，我的心情自然而然变得沉重起来。

亲身经历过所有的压抑、痛苦、孤独和无助，我知道一个成长中的孩子如果心灵上有无法摆脱的阴影，那么，他的人生便会因此残留具有杀伤力的毁灭痕迹。

世界上所有十恶不赦的行为，可能都起源于一个自我救赎的意念。还是那句话，每个浑蛋的心里都住着一颗受过重伤的心，所作所为不过是想让全世界的人和他一起痛，好让自己的与众不同不再那么明显。

所以，及时对那些产生彷徨、陷入恐惧的孩子给予心灵干预，还给他们无忧无虑的蓝天，真是功德无限的善举。

"干预青少年心理健康是个新兴事物，学校、家长都还很犹豫，除了担心家丑外扬，老师家长们更怕被骗钱。所以，我们必须用长期免费的专业态度来争取更多人的支持。因此，我们很需要大企业家们慷慨解囊，我知道董事长你是个绝对热心公益的善心人士，所以多少捐一点给我们这个心理诊疗计划吧。"

等到叶晓仪开门见山地问我要钱，我才彻底明白今天这个欢宴的真正主题，立刻哑然于她们的处心积虑。

见我满目诧异，晓仪倒是很坦然，继续笑得很天使，"没错，卖股权之后我们手里的现金确实不少，足够维持心理诊疗室的开销，但老妈野心大，她想要好好建设几家有质量的民办学校，直接从源头开始给孩子们健康的教育。等入行才知道，校舍建设到招揽优秀师资都需要大把大把地烧钱。为了这条路能走远

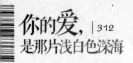

走稳，储备金当然是多多益善。不妨对你坦白说，除了找你，我们还找了沐佐恩，甚至找了以前认识的所有商界朋友，我们才不管大家怎么看我们，能多募集一分钱都是好的。"

终于，我的耳中又听见了沐佐恩的名字，就算我再演技卓越，眼中猛然划过的涟漪还是让我暴露了心底的某些真实情感。幸好，在座的每个人都很给我面子，即使看见了也都当作没有看见，继续聊着刚才的话题，把这顿饭完完整整地完美地吃到了餐后甜点。

吃完最后一口巧克力布丁，答应会考虑资助捐款之后，我便起身离开了餐厅。我的脚刚迈出餐厅的霓虹拱门，立刻有一束大到夸张的鲜花杵在了我的面前，挡住了我全部的视线。

"生日快乐，亲爱的！"

这声音，这口气，这自作主张的称谓，除了郑翌哲，就不再有第二个人。

难怪我离开的时候，晓仪和知贤都没有开口说要开车送我，原来是早知道会有下一轮惊喜等着我。

推开面前这束至少有九十九朵玫瑰的超大花束，望着一脸微笑的郑翌哲，我的表情依旧千年不变。这，让郑翌哲重新换回这些日子惯常会出现的眼神——无奈中的无奈。

"江晓卉，就算你真的没有办法爱上我，拜托你也至少和我恢复以往的关系吧。要是你再为了给沐西西那丫头让道，对我摆出这种路人都不如的深度安全距离，我立刻出家当和尚，彻底绝了那丫头的念头去。"

听着郑翌哲口中的严肃告诫，我多少有点汗颜于自己的无情无耻，刚想伸手接过他手中的玫瑰花接受生日祝福，却看见不远处一辆警用摩托车骤然停在了路边。车上跳下的警察叔叔一边从口袋里取出罚单，一边审看这辆很突兀地停在路边的白色越野车里是否有司机。

这辆车？这场景？

等我确定这熟悉的感觉不是我的错觉时，确定白色越野车的车牌确实是某个人的座驾时，我便开始环视周围，果然，在街边的树下看见了那个靠在树干上的慵懒身影。

再看那位警察叔叔，看清车里确实没有驾驶员在，便毫不客气地开始写罚单。眼看沐佐恩完全没有上前阻止的想法，我实在忍不住，闪过郑翌哲，直接大步冲向警察叔叔，尽力周旋了好一阵，才用一顿现场教训换了一次改过自新的机会。

目送警察叔叔骑着摩托车开远，我才一步步走向依旧靠在树干上欣赏着我危机公关的沐佐恩，语气并不怎么友好：

"我替你省下的这两百块银子，麻烦你记得捐给叶晓仪她们的心理诊疗室。"

"然后呢？"

"然后？什么意思？"

"沐西西比我想象中更有做生意的天赋，对得起她120的智商，我已经把公司里重要的项目都交代她接手了。我现在随身带着护照、港澳通行证、台湾通行证和身份证，随便你想去哪里，我们今晚就可以动身。"

"可是，我没有护照，没有那些通行证，我也没有带身份证。最关键的是，我哪里也不想去，我只是过来通知你早点把车开走，这里不让随便停车的。"

说完，我转身就准备闪人，却被沐佐恩一把大力拉回了他怀里。

"既然已经走到我身边了，你还想去哪里？回去拿郑翌哲手

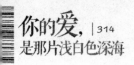

里的玫瑰花？切！"

　　静静地伏在他的怀里，我只是安静地聆听他的心跳。

　　直到我的心跳频率和他变得一致，我才开口问道："如果不是我自己走向你，你准备就这么站在大树下多久，一整夜，还是一辈子？"

　　听见我的问话，沐佐恩突然停了一下呼吸，轻轻推开了我，伸手从口袋里取出了一样东西，拉起我的手，直接把那样东西放入了我的掌心。

　　"虽然是物归原主，但也顺便应个景，生日快乐！"

　　看到手中这枚久别重逢的墨绿色发夹，我眼中的惊喜完全掩不住。

　　"切，天下之大还真是无奇不有，我竟然会嫉妒一枚发夹。"

　　沐佐恩一边调侃着自己，一边伸手重新从我手里取走了发夹，亲手为我夹在了耳边的发际上，这才重新用双臂挽住了我的腰，稍稍俯身，又靠近了些距离，"丫头，这一次，你准备好了吗？"

　　心跳已经无法控制，但我还是紧咬着唇，绯红着脸拼命摇头。唯一勇敢的是我的眼睛，始终不舍得离开沐佐恩的视线，望着他深邃的眼眸纵容自己一路沦陷。

　　"还真是魔高一丈，算我败给你了。乖，闭上眼睛，你的眼睛实在太亮了。"

　　听见这句魔高一丈，我的眉心微微一颤，"我本来就是魔女，我喜欢猎奇，喜欢征服，喜欢挑战高难度，现在又是亿万富婆了，一定会有更多更多的帅哥爱上我。你真的有信心看住我吗？不怕以后为我伤心？啊？！"

　　这声惨叫，是因为沐佐恩毫不客气地在我的脑门上用手指敲了个脆响，痛得我够呛。

　　"一个郑翌哲已经够让我伤脑筋了，以后你要是敢招惹其他男人我一定家法伺候。当然，我会让你忙得没有时间记得这个世界上除了我还有其他男人这件事。"

　　俯身，他终于还是吻住了我，带给我排山倒海般的眩晕心醉感觉的同时，也在我的心房烙印上了一个沐佐恩专属标记。

　　我轻轻闭上眼睛。这一刻，因为沐佐恩的吻，我的脑中不再有任何多余的人、多余的事，唯有满满的幸福潮涌般扑向我，将我卷入了那一片纯白色的深海。

　　远处，悄悄溜到郑翌哲身边的沐西西无视郑翌哲空泛失落的眼神，一把夺过了郑翌哲手中的大束玫瑰花，不容置疑地挽住了他的胳膊，笑得很是欢乐。

　　远处，在窗口望着月色下那对深情拥吻的恋人，叶知贤的眼中终于还是卸去了兄长的伪装，只剩下满目的落寞。

　　伸手挽住了弟弟的胳膊，用清澈的眼神鼓励他是时候转身了，叶晓仪用另一只手牢牢牵住了席宁姝的手，三个人肩并肩，一起微笑着离开了那扇依旧透着寒风的窗户……

　　　　　　　　　　　　　　　　　　　　全文终